Eliminando Provocações

ELIMINANDO
PROVOCAÇÕES

Judy S. Freedman, M.S.W., L.C.S.W

.BOOKS

M.BOOKS DO BRASIL EDITORA LTDA.

Av. Brigadeiro Faria Lima, 1993 - 5º andar - Cj. 51
01452-001 - São Paulo - SP - Telefones: (11) 3168-8242 / (11) 3168-9420
Fax: (11) 3079-3147 - E-mail: vendas.mbooks@terra.com.br

Dados de Catalogação na Publicação

Freedman, Judy S.
Eliminando Provocações / Judy S. Freedman
2004 — São Paulo — M. Books do Brasil Editora Ltda.
1. Parenting. 2. Psicologia. 3. Educação. 4. Auto-Ajuda.
Inclui Índice Remissivo

ISBN: 85-89384-28-4

Do original: Easing the Teasing

© 2002 by Judy S. Freedman
© 2004 by M. Books do Brasil Editora Ltda.
Original em inglês publicado por Contemporary Books.
Uma divisão da McGraw-Hill Companies.
Todos os direitos reservados

EDITOR
MILTON MIRA DE ASSUMPÇÃO FILHO

Produção Editorial
Salete Del Guerra

Tradução
Isa Ferraz Leal Ferreira

Revisão
Lucrécia Barros de Freitas
Marília Rodella Oliveira

Capa
Design: ERJ (sobre projeto original de Nick Panos)
Foto: © Mac Gregor & Gordon / Photonica

Editoração e Fotolitos
J.A.G Editoração e Artes Gráficas Ltda.

2004
1ª edição
Proibida a reprodução total ou parcial.
Os infratores serão punidos na forma da lei.
Direitos exclusivos cedidos à
M. Books do Brasil Editora Ltda.

Para as crianças com as quais trabalhei e às quais ensinei a enfrentar o problema da provocação e da zombaria.

Agradecimentos

Este livro se tornou realidade com o apoio, a orientação e a contribuição de um time de primeira, formado pela família, por amigos e profissionais.

Gostaria inicialmente de agradecer aos professores dos colégios Harper e Prairie, que me acolheram em suas salas de aula ao longo dos últimos 17 anos. Todos nós juntos percebemos que grande parte das dificuldades sociais e emocionais da maioria das crianças pode ser trabalhada dentro da sala de aula. Ajudá-las a lidar com o problema recorrente da gozação levou à criação de *Eliminando Provocações*.

Agradeço às "capitães do meu time", as ex-diretoras Barbara Savitt e Alice Gruenberg, bem como ao atual diretor, Paul Louis. Com as oportunidades e o estímulo que eles me proporcionaram, consegui me tornar mais criativa no trato com as crianças. Sou grata também à administração e à diretoria do colégio Kildeer Countryside District 96 em Buffalo Grove, Illinois, pelo apoio prestado.

Esse esforço em equipe conta com as contribuições de muitos colegas, parentes, amigos e alunos, que ofereceram opiniões, idéias e experiências. Estendo meus sinceros agradecimentos a Marley Stein, Myrna Halpern, Emily Kline, Marcia Anderson, Susan Weller, Lou Mongillo, Deborah Hermalyn, Liz Androyna, Stephanie Novak, Bobbie Kott, Jeanette Saltzberg, Maureen Stolman, Barbara Borden e Carrie Dyer. Sou muito agradecida ao apoio contínuo oferecido por Susan Mendenhall, Gretchen Borowki e Kim Martinson. Quero ainda agradecer a Kay Katz, que acolheu com entusiasmo minha idéia de introduzir a "educação do estresse" em sua classe de quarta série quando comecei a trabalhar com assistência social em escolas. Expresso aqui minha enorme gratidão por tantas contribuições importantes oferecidas por muitos alunos da Prairie School.

viii   ELIMINANDO PROVOCAÇÕES

Agradeço à minha irmã, Lesley Samuels Marks, por se mostrar tão compreensiva quando conversamos sobre como eu a torturava falando-lhe sobre vacas.

Motivo de grande alegria e lisonja para mim foi o fato de o Imagination Theater (Teatro Imaginação) ter "dado vida" a muitas páginas deste livro nas incríveis apresentações que fizeram para milhares de crianças. Meu reconhecimento é extensivo a Aimee-Lynn Simpson, Don Schroeder e ao grupo todo.

A grande incentivadora do projeto, desde seu mais tenro início, foi Gail Reichlin, diretora executiva da Parents Resource Network (Rede de Recursos Parentais) e autora de *Pocket Parent* (Workman, 2001), que me foi de grande incentivo, inspiração e orientação. Sou-lhe imensamente grata por ter-me apresentado à sua agente literária, Nancy Crossman, cujo imediato interesse e crença no meu trabalho a levaram a encontrar a equipe de publicação certa. Foi um grande prazer trabalhar com a editora sênior da Contemporary Books, Judith McCarthy, e sua assistente, Michele Pezzuti. Seu entusiasmo e respeito pelo meu trabalho tiveram enorme significado para mim. Nancy Crossman também encontrou um extraordinário orientador para me ajudar a alcançar a linha de chegada, Chris Benton, cuja visão iluminada e singular das minhas idéias e pensamentos, o dom de escrever e a experiência no processo de publicação foram inestimáveis. Agradeço a ela pela compreensão, paciência, dedicação, interesse e apoio – que são as qualidades do amigo de verdade, descritas no Capítulo 8. Alcançar a linha de chegada não teria sido possível sem a orientação e o esforço de Nancy Hall, editora assistente de projeto da Contemporary Books, que supervisionou a produção do livro.

Sou imensamente grata a meus pais, Helen e Henry Samuels – meus modelos e incentivadores de Mênfis, fonte de inspiração com seus exemplos extraordinários de trabalho infatigável, dedicação, sucesso e realizações.

A equipe não estaria completa sem fãs dedicadas como a minha querida sogra, Blossom Lowenstein, minhas tias muito especiais, Jeani Cooper e Phyllis Heyman, e minha amiga de longa data Wendy Dan. Agradeço a todas por estarem sempre ao meu lado com palavras de estímulo.

Agradecimentos ix

As palavras não exprimem minha enorme gratidão pelo amor, apoio constante e incentivo de meu marido, Ken, e de nossos filhos, Matt, Jeff e Lee. Suas idéias e paciência, principalmente ao ensinar-me a lidar com o computador, foram imprescindíveis para a realização do meu trabalho.

É profundo o meu reconhecimento a todos os membros da equipe – jogadores, reservas, capitães, técnicos, pessoal de apoio e torcedores – por terem tornado este livro possível, fruto do esforço de um verdadeiro time de craques!

Sumário

Introdução xv

1. O Que é a Provocação e Por Que Incomoda Tanto? ... 1

O Que é a Provocação? 2

Por Que a Provocação Incomoda Tanto? 8

O Que Torna Certas Crianças Mais
    Vulneráveis à Provocação do Que Outras? 11

Como a Provocação Evolui com a Idade 14

A Dor do Deboche Constante 16

2. Por Que Há Tanta Provocação entre as Crianças? 21

Aparência 25

Aptidões e Deficiências 28

Identidade 30

Comportamento 31

Circunstâncias Familiares 32

Posses 33

Opiniões 34

Nomes 34

Sentimentos 35

Amigos 36

3. Por Que as Crianças Provocam umas às Outras? 39

Provocar para Conquistar Recompensas Pessoais 40

Como a Sociedade Dá Seu Aval para a Provocação 47

O Exemplo de Casa e dos Vizinhos 49

Uma Palavra sobre os Provocadores Bem Pequenos 50

xii ELIMINANDO PROVOCAÇÕES

4. Explorando a Provocação 53

Trabalho Preliminar de Detetive 54

Quando o Comportamento do Seu Filho é a
Causa da Provocação 65

Quando a Baixa Auto-Estima do Seu Filho é a
Causa da Provocação 71

Quando Seu Filho Tem Dificuldade de
Lidar com a Raiva 77

Quando Seu Filho Reproduz um Comportamento
de Vítima Aprendido em Casa 79

Quando Seu Filho Precisa Encontrar o Equilíbrio
entre se Adaptar à Situação e Conservar Sua
Individualidade 80

5. Conversando com Seu Filho sobre a Provocação 85

Como Reagir à Notícia de Que Seu Filho Está
Sendo Alvo da Importunação Alheia 86

Como Conversar com Seu Filho sobre o Que
Está Acontecendo 95

Como Conversar com Seu Filho sobre o Que
Pode Ser Feito 104

6. Ensinando a Seu Filho
Estratégias Que Funcionam 109

A Autoconversação 112

Ignorar 116

A Mensagem em Primeira Pessoa 122

Visualização 129

Virando a Provocação ao Contrário:
Reformando e Aceitando a Provocação como Positiva 134

Concordando com o Autor da Provocação 138

"E Daí?" 142

Elogiando o Autor da Provocação 144

Humor 146

Quando Pedir Ajuda 148

Concluindo 149

O Que é a Provocação e Por que Incomoda Tanto? xiii

7. Como Enfrentar o Problema da
   Provocação no Colégio 151

   Buscando Ajuda no Colégio do Seu Filho 153
   Oferecendo ao Colégio Instrumentos de
       Combate à Provocação 158
   As Idéias se Multiplicam 186

8. Ajudando Seu Filho a Construir
   Amizades Sadias 187

   A Sedução da Popularidade 188
   O Que os Verdadeiros Amigos Têm a Oferecer 198
   Fazendo as Pazes 201
   Encontrando Amizades Novas e Sinceras....................................202
   Aperfeiçoando a Sociabilidade da Criança 206

9. Todos Juntos Agora 209

   "Sei Como Você se Sente" 212
   Praticando a Empatia em Casa 214
   A Necessidade do Apoio Mútuo 223

10. Histórias de Sucesso 229

11. Uma Pequena Ajuda aos Pais dos Provocadores 241

   Como Reagir Diante de uma Queixa 242
   Descobrindo o Que Aconteceu 244
   Por Que Seu Filho Está Provocando os Outros? 248
   O Que Você Pode Fazer para Ensinar Seu
       Filho a Não Provocar os Outros? 254

   Bibliografia 261

   Índice Remissivo 265

Introdução

Gozação dói. Sei de um menino de 8 anos que deixou de freqüentar as aulas por causa da gozação a que era exposto, sem que o colégio fosse capaz de intervir a contento. Outra menina da sétima série passou a precisar de medicação e psicoterapia para combater a depressão resultante da ridicularização e da exclusão que sofria por parte das colegas. Segundo alguns estudos feitos com crianças vítimas de câncer, o deboche do qual eram alvo por causa dos efeitos colaterais da quimioterapia lhes causou mais sofrimento do que a dor física dos tratamentos em si. Conheci muitos alunos que matavam aula, simulavam doenças, não freqüentavam o recreio e demoravam a deixar a sala de aula na hora da saída para evitar a tortura dos deboches de que eram vítimas. Todos nós assistimos horrorizados aos noticiários relatando casos de crianças que cometeram atos chocantes de violência, posteriormente atribuídos ao ódio e ao desejo de vingança contra colegas que os atormentavam.

Felizmente, as respostas extremas à provocação entre crianças parecem raras. Não tão raros, contudo, são o estresse crônico, a ansiedade, o comportamento agressivo, a depressão e as doenças físicas de crianças vítimas freqüentes de provocação, agressões verbais e exclusão. Os aborrecimentos sofridos durante a infância podem ser extremamente estressantes e, muitas vezes, deixam cicatrizes emocionais profundas.

É grande, também, o sofrimento dos pais de uma criança que é alvo constante de perseguições por parte dos colegas. Em meus 17 anos de trabalho como orientadora educacional em escolas, tive contato com muitos pais e mães completamente atônitos diante da dor e do transtorno emocional que os filhos demonstravam ao voltar para casa do colégio. Os pais do menino de 8 anos ao qual me referi acabaram adotando um esquema para o filho estudar em casa em vez de ir à

xvi ELIMINANDO PROVOCAÇÕES

escola. A mãe da menina deprimida da sétima série chorou ao me falar do estado deplorável em que a filha se encontrava. Muitas vezes, os pais têm plena consciência das dificuldades pelas quais os filhos estão passando. Será que há entre nós algum adulto que nunca tenha sido alvo de provocação de colegas, ou que nunca tenha presenciado seus dolorosos efeitos? Apenas durante os dois últimos anos, recebi pedidos de ajuda de pais do mundo todo, temerosos de que seus filhos viessem a ser perseguidos por serem, sob algum aspecto, "diferentes". Pais brancos que adotaram filhos chineses me perguntaram como fazer para evitar que suas crianças sofressem aborrecimentos. A mãe de uma criança superdotada sugeriu que todos os superdotados aprendessem técnicas específicas para enfrentar a provocação, já que isso é uma constante na vida deles. Os pais de filhos que precisam de cuidados especiais também me procuram em busca de conselhos sobre como ajudar seus filhos a reagir diante das agressões verbais das quais freqüentemente são alvo.

Hoje em dia, os adultos sabem que a provocação é um problema de grandes proporções. A Associação Nacional de Psicólogos Escolares, nos Estados Unidos, estima que 160 mil alunos faltam à aula diariamente por medo da intimidação ou do ataque de outros alunos. Pais e educadores percebem que têm nas mãos um problema complexo, mas nem sempre sabem o que fazer. Que importância devem dar às queixas dos filhos? O que devem dizer a eles? Como interferir – ou será que o certo seria não interferir e deixá-los enfrentarem suas próprias batalhas? Como saber se eles estão sendo realmente afetados, e não apenas passam por um aborrecimento passageiro? Existiriam maneiras de acabar de uma vez por todas com a provocação em sala de aula, nas quadras de esportes, nos parquinhos infantis e pracinhas, na condução escolar, nas colônias de férias?

A pesquisa e minha própria experiência profissional demonstraram que não podemos evitar completamente a provocação, que é de caráter universal e difundida. Podemos, sim, ensinar as crianças a reagir para não sofrer com ela. Inúmeras evidências revelam que elas precisam da assistência dos adultos em situações de intimidação abusiva real, que são atos de agressão repetidos e intencionais manifestados ao longo de um período prolongado. A maioria das crianças consegue enfrentar problemas de provocação sem a ajuda dos adultos, quando elas dispõem das armas e estratégias necessárias para lutar. Dorothea Ross, pesquisadora em psicanálise da Universidade da Califórnia, nos Estados Unidos, relatou o sofrimento de crianças vítimas do câncer. Ela estudou profundamente a questão da intimidação abusiva e da provocação e afirmou: "A provocação merece consideração à parte quando ocorre na ausência de outros componentes da intimidação abusiva.... Quase todas as vítimas de provocação são capazes de aprender a lidar com ela e a administrar seus incidentes sem a ajuda dos adultos, quando não estão envolvidos outros componentes da intimidação abusiva." SuEllen e Paula Fried, autoras de *Opressores e Vítimas*, enfatizam a importância das crianças contarem com um repertório de estratégias que lhes permita lidar com a agressão verbal. Esses e outros especialistas chegaram a uma conclusão que, hoje em dia, coincide com a minha.

Antes do início das aulas, saímos com nossos filhos para comprar uniforme novo e material escolar. Estou absolutamente convicta de que devemos mandá-los para a escola munidos de outros elementos essenciais que não podem ser comprados – as técnicas de defesa contra a provocação.

Essa é a proposta deste livro: ensinar as crianças a lidar com a provocação utilizando estratégias que elas possam levar para qualquer arena de sua vida, da sala de aula ao transporte escolar, da praça à colônia de férias; enfim, para bem longe de casa. Esse programa apresentou resultados bastante positivos quando aplicado a milhares de crianças do primeiro e até mesmo do segundo ciclo do ensino fundamental. As crianças – e seus pais e professores – precisam entender que, embora nem sempre tenham domínio sobre o que os outros dizem, podem aprender a ter domínio sobre suas próprias reações. Pais e educadores podem lhes ensinar estratégias simples que aumentarão sua sensação de poder e reduzirão a de impotência. Quando as crianças percebem que são capazes de usar estratégias eficazes em situações de provocação, sua autoconfiança aumenta e suas *técnicas de defesa* se fortalecem. As estratégias atenuarão o efeito da provocação sobre a maioria das crianças, abrandando, por sua vez, o estresse da maioria dos pais.

Este livro é a decorrência natural de mais de 30 anos de experiência como orientadora educacional, 17 dos quais trabalhando com crianças, pais e educadores de escolas de educação infantil e do primeiro ciclo do ensino fundamental. Um fato se tornou inevitável enquanto eu trabalhava com as crianças que crescem em nossa era desafiadora: todas elas – não apenas aquelas que são encaminhadas a uma orientadora educacional – experimentam o estresse. Algumas aprendem a lidar com ele; outras, não. Depende muito de sua auto-estima, de suas técnicas de defesa em geral e da extensão e duração do elemento causador do estresse. Não demorei a descobrir que a provocação, a ridicularização e a agressão verbal estão entre os elementos causadores do estresse mais previsíveis das crianças pequenas em idade escolar. Aprendi com o tempo, também, que a maioria das crianças consegue lidar bem com a provocação se munidas de instrumentos de defesa e ataque e do vocabulário que cada situação exige.

Percebi, nas crianças, grande avidez e receptividade para aprender essas estratégias mais fáceis. As crianças pequenas que aprendem a usar as técnicas de defesa contra a provocação se sentem mais bem preparadas para os desafios e conflitos sociais significativos de sua fase pré-adolescente e adolescente. A criança mais velha e o jovem que ainda não aprenderam a lidar com a provocação verão que essas técnicas podem amenizar a intensidade de seu estresse e de seu aborrecimento, geralmente resultantes da agressão verbal.

Meu objetivo – neste livro e no programa que apresentei em conferências em todos os Estados Unidos – é ensinar os pais a ajudar seus filhos a lidar com esse problema tão comum em todo o mundo: a provocação. Embora a maior parte dos pais não tenha formação na área educacional, todos eles são professores. Ensinamos aos nossos filhos lições de vida de enorme valor todos os dias – o seguro e o perigoso, o certo e o errado, o bem e o mal. E, também, a cuidar de si mesmos, a realizar suas obrigações domésticas diárias e a tratar bem os outros. Programamos suas vidas com numerosas atividades e aulas destinadas a aprimorar suas habilidades sociais, cognitivas e físicas. E onde eles aprendem o domínio das técnicas de defesa contra a provocação? Os pais devem, de maneira intencional e determinada, ensinar a seus filhos estratégias próprias para enfrentar a provocação, com o intuito de reduzir a sensação de impotência que eles sentem e, ao mesmo tempo, aumentar a sensação de competência. Se não o fizerem, os efeitos discretos da provocação ocasional poderão trazer conseqüências desastrosas e duradouras caso o problema perdure. A incapacidade de lidar de forma eficaz com a provocação crônica pode exacerbar as dificuldades de relacionamento entre colegas e gerar uma incapacidade de suportar pressão por parte deles. O estresse relacionado a dificuldades nos estudos pode se transformar em problemas crônicos de aprendizado. A sensação de impotência pode se transformar em desespero. Os pais é que estão na melhor posição para romper esse ciclo – ou, melhor que isso, evitar que ele se estabeleça.

Não pense, contudo, que a tarefa compete exclusivamente aos pais. Faz parte da recomendação ideal para enfrentar o problema a implementação de uma "campanha contra a provocação" no colégio, o diálogo consistente sobre a provocação em sala de aula e a orientação por parte dos pais em casa. Ao longo dos anos, muitos se queixaram para mim de que a escola dos filhos não respondia a seus apelos de ajuda e intervenção. Por outro lado, ouvi de funcionários de escola que eles precisavam aprender maneiras de abordar o problema dentro do cenário escolar. Não é que os educadores não se importem com o problema; muitos simplesmente não sabem como intervir, principalmente quando o incidente ocorre em situações não-supervisionadas.

Para suprir essa necessidade, este livro também contém uma seção de atividades e sugestões que os pais podem apresentar à direção da escola ou diretamente ao professor de seus filhos. Trata-se de uma oportunidade de pais e funcionários trabalharem em parceria para resolver o problema. Nunca é demais enfatizar que o componente escolar é essencial. *Uma campanha que mobilize a escola como um todo contra a provocação é mais eficaz para a diminuição desse tipo de comportamento do que a intervenção individual sobre aqueles que as praticam.* A pressão construtiva dos colegas tem forte capacidade de desestimular a provocação e os comportamentos inadequados.

Como então este livro pode ser usado? Seja você pai ou mãe, educador, orientadora educacional como eu, acompanhante, psicólogo, treinador esportivo, monitor de acampamento etc., pode adaptar cada seção a suas próprias necessidades. Os três primeiros capítulos falam tudo o que aprendemos sobre a provocação: o que é e o que não é; como distingui-la da intimidação abusiva; quando, onde e por que ela dói – e quanto dói; quais crianças são vítimas de provocação e por que tanta criança gosta de provocar as outras. Nem toda provocação é ofensiva, mas é fundamental que nós, adultos, evitemos menosprezá-la. O que começa como brincadeira pode descambar para a ridicularização, dependendo de uma variedade de fatores.

Os três capítulos seguintes o ajudam a agir quando se toma conhecimento do problema. Antes de tudo, é preciso explorar a situação: como analisar com imparcialidade o comportamento de seu filho e de sua família em casa e como observar outros fatores para entender, da forma mais clara possível, o que está realmente acontecendo? Depois de adquirir um domínio razoável das circunstâncias, você pode conversar com seu filho sobre o problema – sempre em tom franco, amistoso, com interesse e ponderação. O Capítulo 6 mostra como você pode ajudar seu filho a assimilar as dez estratégias que se revelaram tão úteis para crianças de tantas idades diferentes. No capítulo central, você tomará conhecimento de como, quando e onde as crianças podem usar melhor as estratégias, bem como aprenderá a praticá-las para que elas se incorporem às habilidades básicas de sobrevivência de seu filho.

O restante do livro aborda uma grande variedade de circunstâncias. O Capítulo 7 está repleto de conselhos e sugestões práticas para ajudar pais e educadores a estabelecerem uma parceria eficiente de enfrentamento da provocação. O Capítulo 8 mostra às crianças como construir amizades saudáveis, que as protegerão contra a impiedade, ensinando-lhes a tolerância zero para tal procedimento; o Capítulo 9 avança mais nessa meta, apresentando maneiras de promover a solidariedade inata e o bom coração das crianças, ajudando-as a aprender a defender umas às outras. Espero que esses capítulos não deixem dúvida de que, embora o problema da provocação não possa ser inteiramente evitado, há muito o que podemos fazer para desestimulá-lo e para imprimir ao mundo um espírito muito mais condescendente e solidário e bem menos tolerante com a maldade e o sofrimento. O Capítulo 10 relata muitas histórias de sucesso contadas – e desenhadas – pelas próprias crianças; a intenção é que elas tragam um pouco de ânimo e sirvam de alento nos momentos de abatimento. O Capítulo 11 é dedicado aos pais dos atormentadores, preocupados e consternados com a descoberta de que seus filhos têm causado o sofrimento aos outros e ansiosos por fazer alguma coisa a respeito. Espero que essas ferramentas ajudem seus filhos a enfrentar melhor o problema da provocação.

1

O Que é a Provocação e Por Que Incomoda Tanto?

"Como foi seu dia na escola hoje, filha?"
"Bem, mãe. Alguns meninos que ainda não tinham visto meu aparelho me chamaram de 'boca de metal', mas tudo bem. Eles só queriam me provocar."

"Como foi seu dia na escola hoje, filho?"
"Horrível! Nunca mais vou voltar lá! Os meninos ficaram me provocando por causa do meu sotaque. Ficaram dizendo pra eu voltar de onde eu vim. Odeio esses caras!"

As crianças desses dois cenários empregaram o termo *provocar*, mas, sem dúvida, se referiam a duas experiências completamente diferentes. Será que elas eram mesmo distintas? A provocação pode ser divertida e amistosa ou cruel e ofensiva – com ampla gama de variações entre esses extremos –, mas, para os pais, nem sempre é fácil saber exatamente o que pode ter acontecido quando seu filho se queixa de estar sendo atormentado por alguém. As crianças que chamaram Nancy de "boca-de-metal" podiam perfeitamente querer chateá-la, da mesma forma que as crianças de Nova York queriam fazer pouco de Lonnie, mandando-o voltar para o Alabama. Pode ser também que tanto um grupo quanto o outro tivessem apenas a intenção de brincar com o colega. O problema, quando se interpretam esses incidentes, é que seu impacto depende, ao mesmo tempo, da resposta da vítima e da intenção do autor da provocação.

Para complicar a questão, como pais, somos comandados não apenas pelo amor e pela proteção com que queremos envolver nossos filhos, mas também por noções preconcebidas sobre a provocação, formadas a partir de nossas próprias experiências. Quando vemos nossa filha se arrastando pelo caminho de casa, como se carregasse o peso do mundo nas costas, nossa reação instintiva é, naturalmente, de preocupação. O que acontece, porém, quando ela relata aos prantos que alguém riu de seu aparelho ortopédico e a chamou de "deixa-que-eu-chuto", e que alguém fez cara de nojo com o sushi que ela trouxe para o lanche? Há pais que continuam a manifestar preocupação e a fazer o possível para reconfortar o filho, ficando também aflitos por não saber mais o que fazer. Outros manifestam sua indignação e incentivam o filho a revidar. Outros, ainda, tentam não dar importância ao incidente, aconselhando a criança a não ligar, porque o atormentador "está apenas com ciúme".

Nenhuma dessas reações vai ajudar a criança além de aliviar aquele momento específico. Elas servirão, contudo, para ajudar você a entender exatamente o que aconteceu e, então, a ensinar seu filho a desenvolver técnicas de defesa próprias para essas situações. Falarei a respeito de como explorar o incidente no Capítulo 4; já as técnicas de defesa contra a provocação serão apresentadas no Capítulo 6. Antes, porém, vamos definir um objetivo procurando entender o que é a provocação, como ela difere da intimidação e de outros tipos de agressão; e como, quando e por que ela pode incomodar tanto.

O Que é a Provocação?

A provocação pode assumir muitas formas diferentes, que vão da brincadeira à humilhação, progredindo para a repulsa e agressão. Ao explicar essas diferenças às crianças, normalmente procuro chamar a sua atenção para a intenção do autor, porque as crianças, em geral, vêem seu ato dirigido a elas. Quando magoadas, apesar de ser verdade, não querem ouvir que têm, pelo menos parcialmente, domínio sobre a maneira como se sentem – e que são, em parte, responsáveis por ela. Descobrimos ser bastante producente explicar à criança que um tipo de provocação, a da variedade divertida e amistosa, significa divertir-se *com* alguém, enquanto a outra, incluindo a do tipo fortemente ofensiva e a agressiva, significa divertir-se *à custa* de alguém.

Divertir-se com Alguém versus Divertir-se à Custa de Alguém

Divertir-se com alguém é uma provocação bem-humorada e brincalhona – à qual uma criança de primeira série chamou de "alegre". A provocação amistosa faz todo mundo rir, até mesmo o "provocado", a pessoa objeto da provocação. É como contar piada. Todo mundo acha engraçado. É um sinal de camaradagem. Não ofende e não atinge a auto-estima do outro.

A maioria das crianças sabe que se um amigo está falando coisas engraçadas, é porque está bem-humorado. Normalmente, percebem as intenções sutis do atormentador pelo tom de voz usado e suas expressões faciais, como piscar e sorrir. Enquanto Jimmy apresentava a resenha do livro para a classe, seu melhor amigo, Jonas, ficou fazendo caretas para ele. No final, os dois riram juntos, mas Jimmy poderia ter achado que as caretas o perturbavam se fossem feitas por outro aluno. A relação existente entre o atormentador e sua vítima conta muito. Dois meninos de quinta série que são grandes amigos me contaram, recentemente, que sempre implicam um com o outro de brincadeira. Um gosta do senso de humor do outro, e assim se divertem.

Acho desnecessário dizer que você não deverá ouvir seus filhos falarem muito sobre esse tipo de provocação. Obviamente, as crianças não voltam para casa aborrecidas com as piadas e as brincadeiras que em geral fazem parte de suas interações diárias com os amigos. A maioria delas, na verdade, nem incluiria esses tipos de gracejos e palhaçadas na mesma categoria das gozações, provocações e implicâncias. Quando pergunto a crianças pequenas se a provocação pode ser engraçada e camarada, muitas respondem que não. Mostram-se surpresas de saber que fazer brincadeira com alguém pode ser chamado de provocação amistosa, porque, em geral, elas percebem o ato automaticamente como negativo e ofensivo. É importante, contudo, que as crianças – e pais – entendam que existe um tipo positivo de provocação, já que muitas vezes ele faz parte do sucesso das relações sociais.

4 ELIMINANDO PROVOCAÇÕES

Uma forma especialmente benéfica de provocação pode chegar mesmo a unir um grupo. Ela envolve atrair a atenção para o lado mais leve de uma situação e contribuir para as pessoas compartilharem entre si seu lado humano. A professora pode dar um exemplo à turma, fazendo graça de si mesma: "Acho que esqueci de comer minha barrinha superpoderosa hoje de manhã", ao deixar cair no chão todos os livros que carregava. Ou então: "É, gente, nós, 'coroas', temos uma memória incrível e infalível", ao esquecer de recolher o dever de casa do dia anterior e de passar o do dia. Coletivamente, os adultos dentro de um grupo podem adotar a mesma provocação afetuosa, do tipo "estamos juntos nessa", diante de uma criança, mas precisam tomar o máximo cuidado para que todos participem com a mesma intenção e que a provocação, sob hipótese alguma, denigra seu caráter, sua personalidade ou seus defeitos físicos. Sem dúvida isso requer perspicácia e fineza, e muitos professores têm medo de tentar com receio de magoar a criança.

Os benefícios, no entanto, podem ser mensuráveis, razão pela qual todos os adultos devem ajudar as crianças a distinguir entre as formas benéficas e maléficas de provocação, adotando como modelo a provocação leve, que valorize o lado humano das pessoas. As crianças que aprendem a rir de si mesmas têm nas mãos uma arma poderosa para rechaçar a provocação alheia. Atacar os outros fazendo graça de si mesmo é uma das melhores maneiras que conheço de se proteger e conquistar o afeto e a admiração dos outros. Ser capaz de rir de si mesmo demonstra um tipo simpático de humildade. Conheço um professor chamado Bobbie Kott que descreve como esse tipo de provocação faz bem ao grupo. "Ela pode tornar mais leve o peso de um dia chuvoso e atarefado. Pode colocar um sorriso no rosto de uma criança que talvez tenha muitos problemas em casa. Relaxa a atmosfera em sala de aula, possibilitando o verdadeiro aprendizado."

Em contrapartida, se seu filho volta para casa chateado porque um colega riu dele na hora do recreio ou ficou pegando no pé no ônibus escolar, você pode presumir que ele foi vítima de provocação ofensiva ou que deu a ela uma interpretação depreciativa ou degradante. Normalmente, quando nos referimos à provocação negativa, o que queremos dizer é fazer pouco de alguém com a intenção de magoar ou de motivar uma resposta dolorida e emocional, embora seja importante entender que nem toda provocação que fere tem necessariamente essa intenção. A provocação cruel, ou agressiva, inclui deboche, xingamento, depreciação, insultos verbais e gestos obscenos, além da prática de atitudes irritantes. Ocorre quando o atormentador consegue atingir o ponto fraco de sua vítima. Diferentemente da variedade amistosa e bem-humorada, a provocação ofensiva quase sempre faz a vítima ficar sentida, com raiva, aborrecida, com medo, constrangida ou se sentindo impotente. Torna-se maléfica quando causa sofrimento e dor na pessoa-alvo.

A Escala da Provocação

Infelizmente, não há regra prática para saber quando a provocação vai se tornar perniciosa, porque nem todas as crianças interpretam as mesmas palavras, os mesmos gestos e outros comportamentos da mesma maneira. Considerando a provocação ao longo de uma escala, encontraremos em uma ponta a provocação inofensiva, afetuosa e amistosa e, na outra, a provocação hostil. No meio pode ficar a provocação que tanto pode ser amistosa quanto maldosa, dependendo em parte de como a criança-alvo reage. Certas crianças ridicularizam um colega de classe ou amigo de rua como uma espécie de teste de seu temperamento. Se a reação for equilibrada ou bem-humorada, revelando de maneira óbvia uma recusa à intimidação, a provocação pode terminar imediatamente ou virar uma brincadeira. Se a criança acuar ou chorar, o provocador, incentivado pela sensação de poder conquistada, pode se tornar cruel. Ou, se ela reagir agressivamente, o atormentador poderá se sentir desafiado e forçar a provocação para a extremidade mais perniciosa da escala.

Provocação *versus* Intimidação Abusiva

Esticando a escala da provocação um pouco mais do lado maléfico, chegamos à intimidação abusiva. Alguns especialistas vêem a diferença entre provocação e intimidação abusiva apenas como questão de grau. A diferença principal da intimidação abusiva, enfatizada na literatura, caracteriza-se pela persistência dos ataques. Quando ocorrem repetidamente durante um certo período, a provocação cruel e o sarcasmo podem ser considerados abusivos. Essa provocação hostil engloba atormentar, importunar ou intimidar verbalmente. De acordo com a literatura profissional, a intimidação abusiva é contínua e freqüente, e inclui sarcasmo verbal, xingamento, ameaças, atos sorrateiros e agressão física. Segundo Dan Olweus, que estudou a intimidação abusiva em profundidade, "o aluno está sendo intimidado de maneira incisiva quando é repetidamente exposto, durante um certo tempo, a ações negativas por parte de um ou mais colegas". A intimidação abusiva também se caracteriza por um desequilíbrio de poder. Aquele que intimida incisivamente é em geral maior, mais velho, mais forte ou mais esperto, e sua intenção é exercer poder sobre a vítima.

A intimidação abusiva pode, de fato, começar com uma provocação leve quando o importunador está procurando um alvo vulnerável. Ao perceber que consegue irritar seu alvo, sua provocação geralmente se torna mais intensa e persistente. Por isso é tão importante para os pais se empenharem para avaliar com a maior precisão possível a situação quando o filho se queixa de estar sofrendo provocação. A compreensão clara e minuciosa da situação permitirá escolher a resposta mais pertinente e eficaz. Se seu filho estiver sendo realmente perturbado de maneira ofensiva, será o caso de pôr um fim à situação antes que ela se transforme em intimidação abusiva. Crianças munidas de instrumentos e palavras que as capacite a reagir com rapidez e segurança dificilmente se tornarão vítimas de tiranos e intimidadores.

Caso seu filho esteja sendo intimidado de forma incisiva, a resposta adotada deverá ser diferente das estratégias propostas neste livro. As crianças são capazes de aprender a lidar com a maioria das situações de provocação, mas precisam da assistência ou da intervenção dos adultos quando são submetidas a comportamento hostil e agressivo repetido ou prolongado ou quando não se sentem física ou emocionalmente seguras. Converse com a professora de seu filho, com a orientadora da escola, com um profissional de saúde mental ou com alguma autoridade policial e peça ajuda para desenvolver um plano de ação que convenha ao caso, a fim de acabar com as atitudes intimidadoras ou importunas contra seu filho.

As Características da Provocação Ofensiva Típica

Em minha observação ao longo dos últimos 17 anos em escolas de ensino fundamental, as situações de provocação mais típicas envolvem chamar de coisas desagradáveis, ridicularizar e fazer pouco do outro. Esse tipo de incidente é tão comum que, quando pergunto a alunos de primeira a quinta séries quem já sofreu gozações ou deboches, quase todo mundo levanta a mão. A prevalência desse comportamento foi confirmada por praticamente todos com quem conversei: professores, funcionários de colégio e pais de outras escolas do estado de Illinois e de todos os Estados Unidos.

Os pais freqüentemente me perguntam se a prática da provocação vem de fato se disseminando. É difícil aferir. Informalmente, entretanto, percebo que o desrespeito está em alta em nossa sociedade. As crianças mostram-se mais desrespeitosas entre si e não é incomum algumas faltarem com o respeito ao falar com adultos, como pais e professores. Colegas de trabalho me disseram ter notado mais pais falando de maneira desrespeitosa com professores e funcionários da escola. Não é difícil imaginar que tipo de mensagem esse comportamento transmite a nossas crianças. (Posteriormente, nos capítulos 3 e 11, falaremos mais sobre como as crianças imitam o comportamento desrespeitoso e ofensivo – como a provocação – que vêem à sua volta e o que podemos fazer para reformular esses modelos.)

Talvez, a prevalência desse tipo de comportamento explique o motivo pelo qual a intimidação abusiva despertou tanta atenção ultimamente. Embora não faltem definições para a intimidação abusiva, não temos definições para a provocação. (Algumas matérias que a gente encontra quando lê sobre provocação e intimidação abusiva tratam os dois tipos de atitude como sinônimos. Assim sendo, mesmo se você acha que seu filho está passando por um problema que pode ser caracterizado como provocação, mas não como uma intimidação abusiva, será possível obter informações bastante úteis em artigos e livros que tratam da intimidação abusiva.) Considero que isso se dê, em parte, porque o mal causado pela provocação só recentemente tenha ganhado notoriedade. Além do mais, há que se levar em conta a natureza subjetiva da provocação. Por essa razão, quando tentamos definir esses termos, é importante descobrir o que a criança acha que eles são.

Quando peço a elas que definam provocação, ouço respostas que mencionam "chamar o outro de alguma coisa e rir dele", "implicar com o outro", "atormentar o outro", "maltratar o outro" e "falar ou fazer alguma coisa de que ele não gosta". Em sua maioria, as crianças pequenas em idade escolar explicam que zombar de alguém é "fazer pouco ou rir do outro".

O tipo de provocação com o qual você e eu – e nossos filhos – estamos preocupados é o cruel, a ridicularização com intenção de ferir. Com toda certeza as crianças entendem que essa forma de provocação é indesejável e que, em um plano ideal, não deveria continuar. O que parece ser para elas um pouco mais difícil de entender é o fato de a provocação magoar ou não depender, em grande parte, delas mesmas. Às vezes, as crianças ficam magoadas com gozações que não tinham por intenção atingi-las. E mesmo o deboche feito com intenção de magoar não precisa necessariamente fazer sofrer. Portanto, apesar de muitas das idéias deste livro procurarem desestimular as crianças a fazer chacotas umas das outras, a intenção do atormentador não é o fator mais importante a ser considerado. O foco básico das estratégias está na resposta da criança vítima de provocação. As que conseguirem desenvolver as técnicas de defesa contra a provocação se sentirão menos vulneráveis quando alguém zombar delas com má intenção e, com o tempo, aprenderão a não se importar demais com a gozação que cai na extremidade benéfica da escala dos tipos de provocação.

Por Que a Provocação Incomoda Tanto?

Não é preciso quebrar muito a cabeça para entender que a provocação faz sofrer porque nos faz sentir diminuídos, menosprezados, desvalorizados e, de certa forma, pouco aceitos. Porém, como nós, adultos, tivemos de aprender a lidar com ela na marra e, talvez, a vê-la como um dos males inevitáveis da vida, às vezes colocamos uma pedra em cima de seus efeitos e, em nossa pressa de resolver o problema, não analisamos como e por que ela nos faz sofrer tanto. Mesmo assim, uma compreensão minuciosa do motivo pelo qual as pessoas reagem provocação como o fazem é um ingrediente essencial na busca de soluções para o problema.

As experiências das várias fases da infância sedimentam as bases da personalidade e da identidade da criança. Naturalmente, uma criança que teve experiências emocionais e sociais positivas crescerá com uma noção confiante e segura de si mesma. O *feedback* construtivo dos outros alimenta e molda a identidade e a personalidade em formação da criança. Já as que são alvo freqüente de comentários maldosos e que não recebem *feedback* construtivo dos outros correm o risco de crescer com uma noção debilitada de si mesma e com pouco apreço por quem elas são. As crianças são como uma esponja seca. Absorvem rapidamente a aceitação e a aprovação e, na mesma velocidade, a rejeição e a desaprovação.

O desenvolvimento da identidade na infância depende do retorno que a criança recebe dos outros. Ela aprende a ver a si mesma como os outros a vêem. Pais, professores e colegas de classe a avaliam. Sua auto-estima é influenciada pela atitude favorável com que é tratada e pela aprovação que recebe dos outros. Crianças que ouvem observações que fazem com que elas não se sintam tão "boas" quanto as outras podem desenvolver um autoconceito frágil. É bem possível que se tornem mais vulneráveis e suscetíveis a comentários negativos e a críticas. Podem começar a ter sentimentos de inadequação e a duvidar de si mesmas. Os pais que entendem como isso pode ser prejudicial não conseguirão diminuir muito a dor que a provocação inflige, mandando que o filho "agüente firme" ou "deixe pra lá". Na hora em que a mãe e o pai ouvirem falar do problema, pode ser que seu filho já esteja acreditando demais no que o atormentador diz a ele.

Como pais, podemos achar essa possibilidade difícil de acreditar. Não nos desmanchamos em elogios e incentivos aos nossos filhos desde que eles nascem? Eles não se sentem bem com eles próprios porque nós aproveitamos toda oportunidade possível para afirmar seu valor e sua singularidade? Graças a nosso amor e carinho, muitas crianças começam a freqüentar a escola com um passado marcado pela aceitação automática e incondicional por parte de quem a rodeia. Isso as mune de força e autoconfiança, mas também as deixa despreparadas para serem percebidas ou julgadas de acordo com a própria capacidade, méritos e comportamento, sem o filtro suave do amor da família.

As crianças começam a se comparar entre si na sala de aula, no recreio, na aula de ginástica ou de dança, para avaliar suas próprias aptidões. Começam também a identificar e avaliar as aptidões dos colegas. Uma criança pode concluir que um determinado colega é ótimo na leitura, mas péssimo no esporte. Cada uma delas disputa por posições na sala de aula ou nas brincadeiras do recreio, e em outros lugares fora de casa. Precisamos explicar-lhes que todas possuem pontos fortes e fracos que lhes são exclusivos. Não podem ser boas em tudo e não devem se envergonhar de suas qualidades inatas. Ao mesmo tempo, nossa posição é muito propícia para ajudá-las a encontrar seu próprio lugar. As crianças que não o encontram ficam especialmente vulneráveis a críticas e, com toda certeza, à humilhação que sabem estar associada a qualquer provocação dirigida a elas. O ideal é aproveitar a menor suspeita de a criança estar sendo alvo de provocação para começar a reforçar sua auto-estima.

No entanto, mesmo as crianças que encontram seu lugar podem ser atingidas por uma onda inesperada de críticas ou por qualquer tipo de observação que sugira a rejeição. Precisamos nos certificar de que nossos filhos entendem que as pessoas de fora da família nem sempre têm o mesmo interesse e envolvimento por eles. Precisamos ajudá-los a navegar pelas águas turbulentas do escrutínio dos colegas, transmitindo-lhes a certeza de que eles *são* dignos de amor e afirmando com convicção que ninguém tem o direito de tratá-los com desrespeito. Mais informações sobre como abordar os filhos a respeito de estar sendo vítima de provocação encontra-se no Capítulo 5.

A sensibilidade exagerada e a sensação de deslocamento podem permanecer definitivamente com a criança quando ela crescer. Muitos adultos que carregam consigo cicatrizes emocionais causadas pela ridicularização e pela provocação sofridas na infância, ou que não se sentem bem em relação ao que são por outras razões, ficam mais vulneráveis a observações negativas na vida adulta. Por outro lado, uma mãe me contou ter sido tão perseguida no colégio durante a adolescência que, depois daquilo, todo o resto de sua vida se tornou "moleza"!

Eu gostaria de aparelhar as crianças com técnicas que fizessem a infância parecer "moleza". As estratégias do Capítulo 6, quando aprendidas e utilizadas oportuna e antecipadamente, não apenas levam as crianças a responder à provocação de maneira inteligente, como as fazem se sentir bem em relação a si mesmas de modo geral. As técnicas de defesa contra a provocação contribuem para elevar a auto-estima e a autoconfiança da criança, além de ajudá-la a integrar-se na vida e a exercer sua individualidade sem se sentir deslocada.

O Que Torna Certas Crianças Mais Vulneráveis à Provocação do Que Outras?

Susan, de 9 anos, era a única menina do time de beisebol do centro esportivo de seu bairro. Não surpreende o fato de certos garotos do time tecerem comentários, gozando-a por esconder o rabo-de-cavalo no boné e por ficar parecendo um menino com o uniforme do time. Susan respondia com um sorriso e, mais tarde, disse aos pais que achava até "legal" a atenção que os garotos lhe davam. Seu entusiasmo por jogos continuou, e ela teve uma experiência proveitosa e bem-sucedida quando passou a jogar pela liga oficial de beisebol.

Uma colega sua, Alexandra, também era a única menina do time em que jogava. Era igualmente cutucada pelos colegas de equipe, mas se incomodava com a atitude deles, e os comentários passaram a afetar seu desempenho como jogadora. Alexandra se queixou a respeito disso com os pais. Explicou que sentia como se eles estivessem sempre olhando-a, na sua vez de rebater a bola, escondendo o riso e torcendo para ela errar, o que a deixava nervosa. Acabou por pedir aos pais que a deixassem parar de jogar.

O que fez Alexandra ser tão mais sensível do que Susan? Por que ela era mais suscetível do que a colega a esse tipo de provocação, relativamente comum? Simplificando, certas crianças possuem um "couro mais duro" do que outras. O que para uma é provocação maldosa pode não ser para outra. As razões para isso podem ser várias.

Como é a Auto-Estima da Criança?

A percepção e a reação da criança diante da provocação muitas vezes dependem de sua auto-estima. Aquela cuja auto-estima é positiva ou saudável normalmente exibe técnicas de defesa mais eficazes em situações de provocação. A criança que se sente bem em relação a si mesma é, em geral, mais sociável e segura. Se seu filho foi vítima de provocação, é provável que você já esteja percebendo o paradoxo que existe na situação: ser alvo de gozação pode reduzir a auto-estima, por outro lado, crianças com baixa auto-estima são mais propensas à provocação. Caso seja possível determinar que uma eventual baixa de auto-estima manifestada por seu filho seja estritamente produto de provocação, então ela é o alvo a ser atacado. Contudo, a baixa auto-estima nas crianças pode ser causada por uma variedade de outros fatores (e, não, nem todos são culpa sua) e talvez seja interessante examinar o que mais na vida do seu filho pode estar minando seu amor-próprio. Veja o Capítulo 4.

Quando não se tem certeza de que a criança está sofrendo por causa de baixa auto-estima, alguns dos exemplos de comportamento relacionados a seguir podem servir de orientação:

- Não conseguir elogiar a si mesma.
- Apresentar dificuldade em aceitar elogios e em acreditar neles.
- Manifestar hesitação e temor em assumir riscos.
- Ter dificuldade de tomar decisões.

Crianças sensíveis, passivas e vulneráveis tendem a reagir à provocação com mágoa, choro, raiva, sintomas físicos, medo e sensação de impotência. Sua auto-estima pode ser baixa, o que significa que elas estão mais inclinadas a acreditar no que o autor da provocação está dizendo – contribuindo para reforçar ainda mais seus sentimentos negativos em relação a si mesma. Crianças que não se sentem bem em relação a si mesmas são menos seguras e mais ansiosas do que as outras. Geralmente, são pouco sociáveis ou mostram-se socialmente imaturas.

Uma Criança Pode Apresentar Tendência a Ser Mais Sensível ou a Ter um Temperamento Mais Instável?

A baixa auto-estima não é o único fator que pode aumentar a vulnerabilidade da criança à provocação. Certas crianças podem ser chamadas de "muito sensíveis" ou "temperamentais", pois exibem uma sensibilidade exagerada diante de muitas coisas – barulho, mudança de rotina e, com toda certeza, diante das críticas, que deve ser como elas vêem a provocação. A criança de temperamento instável pode se mostrar imprevisivelmente volúvel e, dependendo do momento, pode se enfurecer com uma simples brincadeira. Como faz parte da personalidade inata da criança, seu temperamento não pode ser mudado, mas a consciência de que ela tem tendência para a irritação ou a sensibilidade exagerada pode ajudar os pais a prever certos incidentes decorrentes de provocação relativamente amena. Por outro lado, pré-adolescentes e adolescentes são notoriamente temperamentais, e têm a tendência a reagir violentamente à provocação, mas esse tipo de comportamento deve passar com o tempo.

A Criança Estaria Doente ou sob Estresse?

Crianças adoentadas, debilitadas ou emocionalmente angustiadas podem reagir mais negativamente diante da provocação do que reagiriam em outra situação. A reação exagerada deve ser uma resposta passageira, a menos que a condição seja crônica.

A Criança Teria Menos Idade ou Seria Menos Madura do Que Seus Colegas de Classe e Amigos?

A falta de maturidade em relação aos colegas é outro fator que pode tornar as crianças psicologicamente mais vulneráveis à provocação. Enquanto crescem, elas desenvolvem um imenso repertório de técnicas de defesa com as quais alimentam sua própria auto-imagem e se protegem de todas as explosões de ego em potencial do mundo que as cerca. As crianças com a idade de desenvolvimento – ou idade real – um pouco mais baixa do que a dos colegas ou amigos podem ser mais propensas do que as outras a se magoar com a provocação.

A Criança é "Filha Única"?

Observamos que muitas crianças sem irmãos têm mais problemas com depreciações e insultos na escola porque não estão habituadas a isso em casa. (A exposição à provocação em casa, entretanto, nem sempre tem efeito positivo sobre a criança; veja os capítulos 4 e 11.)

Como a Provocação Evolui com a Idade

Como já mencionei aqui, antes de entrar para a escola, a maioria das crianças está acostumada a ser a menina-dos-olhos dos pais, perfeita em todos os aspectos. Começar a freqüentar o colégio pode ser um chocante despertar para elas, que vão inevitavelmente se aborrecer quando forem chamadas por apelidos ou ridicularizadas de alguma maneira. Inocentes até mesmo quanto à provocação do tipo "divertir-se com", elas podem reagir com mágoa a qualquer palavra negativa ou de crítica. Há crianças que rapidamente chegam à conclusão de que "ninguém gosta de mim" porque simplesmente não entendem o que deveria ser apenas uma piada.

Infelizmente, sua raiva e suas lágrimas podem gerar mais provocação, dessa vez com intenção mais maldosa. Embora não exista uma noção muito clara das idades em que as crianças se envolvem com comportamentos de aborrecimento, muitas são impiedosas desde bem pequenas. Certos especialistas acreditam que a provocação maldosa intencional se inicia na fase em que a criança começa a andar, enquanto outros são da opinião de que ela só inicia quando a criança está cognitivamente madura para entender os sentimentos dos outros. As crianças em fase pré-escolar dizem coisas engraçadas e absurdas que não são necessariamente dirigidas a alguém. Muitas vezes, estão experimentando palavras que acabaram de aprender. Segundo a dra. Dorothea Ross, esse tipo de provocação é muito importante e construtivo, porque prepara a criança para a fase dos apelidos a que, sem dúvida, ela será exposta quando estiver na fase de alfabetização.

Ao ingressar nos primeiros anos do ensino fundamental, a criança começa a se envolver em ocorrências de provocação que tanto podem ser inocentes quanto maldosas. Ela aprende que a escola oferece muitas oportunidades de provocação. Várias crianças pequenas não sabem o significado das palavras que usam para debochar dos outros, ou nem sempre se dão conta do impacto daquilo que dizem. Acham divertido rimar uma palavra com o nome de alguém, como no caso do aluno de segunda série que era chamado de "Pedro-peido". Uma aluna de terceira série recebeu um bilhete dizendo: "Lá em cima daquele morro, passa boi, passa boiada. Ninguém quer ficar ao lado... de quem tanto baba." Muitas crianças pequenas acham também engraçado espalhar boato de que alguém tem piolho ou vermes.

A provocação se torna mais aguçada e mais mordaz na ocasião em que as aptidões cognitivas e verbais das crianças amadurecem e seu vocabulário se expande. Quando os meninos ficam mais velhos, a provocação freqüentemente inclui desafios sobre masculinidade. Meninos mais franzinos, sem porte atlético, são os alvos preferidos, assim como o são os meninos mais criativos e artísticos. Meninas e meninos que são "apenas amigos" costumam ser motivo de provocação também. Laura e Bradley sempre foram grandes amigos, desde que se conheceram na segunda série. Na quarta série, porém, quando brincavam na hora do recreio e faziam aula de ginástica juntos, sofriam muita ridicularização, com musiquinha e tudo:

A lua vem surgindo
Redonda como um vintém
Se a Laura não se casar com Bradley
Não se casará com mais ninguém

Felizmente, para Laura e Bradley, a amizade sobreviveu, mas não tomou esse rumo.

Nos últimos anos do ensino fundamental e começo do ensino médio, a provocação pode assumir a forma de flerte entre meninas e meninos. Mesmo na quarta e quinta séries, meninos e meninas se provocam para chamar a atenção uns dos outros. O interessante é que aqueles que são o alvo da provocação quase sempre se sentem divididos. Reclamam, ao mesmo tempo em que gostam da atenção recebida.

De acordo com Frank Vitro da Texas Women's University (Universidade da Mulher, do Texas), as crianças experimentam o nível mais agudo de inibição na quarta e quinta séries. Comparam-se aos colegas em termos de aparência, de qualidades atléticas e intelectuais e de popularidade. O dr. Vitro diz que a exposição aguda aos comentários dos outros pode contribuir para torná-las insensíveis. E, pela minha observação, pode também resultar em supersensibilidade em relação à provocação.

Enquanto as crianças amadurecem, o processo de identificação continua a se desenvolver, e os alunos dos últimos anos do segundo ciclo do ensino fundamental e do início do ensino médio já se mostram menos propensos a ridicularizar características que estejam fora do controle da pessoa. Geralmente, demonstram mais sensibilidade em relação àquelas que possuem deficiências físicas ou mentais. No entanto, a provocação que persiste durante a fase da adolescência tem tendência a se tornar cada vez mais maldosa. O adolescente atormentador se torna especialista em apertar os botões que controlam os pontos especificamente vulneráveis de suas vítimas. Isso pode ser martirizante para quem recebe a provocação que, nessa fase, já deverá estar mais sensível e vulnerável a comentários negativos de colegas por causa da necessidade predominante e opressora de "se enquadrar" e ser aceito.

Os pais devem ter consciência de que os alunos na faixa dos 12 aos 15 anos, com grande freqüência, introduzem na provocação a linguagem e o comportamento sexual. Meninos de 12 e 13 anos freqüentemente concentram sua provocação e seus comentários em meninas da mesma idade. Os mesmos meninos podem ser cruéis com garotos da mesma idade mais baixos ou que ainda não chegaram na puberdade. Esse tratamento por parte do sexo oposto, no auge da puberdade, pode ter efeitos bastante prejudiciais.

A Dor do Deboche Constante

Como discutiremos no Capítulo 3, as crianças geralmente zombam umas das outras em vista da raiva ou das lágrimas que conseguem lhes arrancar, e não por se importarem verdadeiramente com o peso (baixo ou alto) da criança-alvo, com seu nome incomum ou com seu novo corte de cabelo, ou por acreditarem sinceramente que ter sotaque ou usar aparelho ortopédico faça dela uma criança inferior. Quando, então, as vítimas do deboche externam reações emocionais fortes,

O *Que é a Provocação e Por Que Incomoda Tanto?* 17

estão colocando lenha na fogueira: o ato de impertinência não apenas continua como muitas vezes se intensifica. A intenção aqui não é colocar a culpa pela agressão sofrida na própria vítima; quero dizer que é possível ensinar às crianças-alvo que elas possuem mais poder do que imaginam. Às vezes, para colocar um ponto final na provocação, basta se recusar a dar ao importunador o que ele quer mais (o objetivo da maioria das estratégias está no Capítulo 6). Outras vezes, isso é mais complicado: certos atormentadores são particularmente persistentes, ou, então, a criança-vítima não tem domínio das técnicas de defesa e deixou-se levar pela provocação.

Os efeitos discretos da provocação ocasional podem assumir proporções mais graves quando a criança se torna uma vítima de sarcasmo e agressão verbal por tempo prolongado. Indisposições podem progredir para uma doença. Dificuldades escolares esporádicas podem evoluir para problemas de aprendizado contínuos. O nervosismo e a preocupação ocasionais, frutos da provocação, podem levar à ansiedade aguda e ao estresse crônico. A raiva leve ou moderada pode se transformar em fúria e violência. A provocação persistente e crônica, o aborrecimento e a intimidação verbal podem levar ao desespero emocional e à depressão. Sentimentos de desamparo podem evoluir para a falta de esperança e, às vezes, resultar em suicídio.

Com o tempo, o que começou como sarcasmo verbal pode evoluir para exclusão, rejeição, difusão de boatos, principalmente entre as meninas. É de partir o coração ouvir uma criança dizer: "Ninguém gosta de ser meu par na aula de ginástica", ou "Assim que eu me sentei no banco do recreio, todo mundo foi para outro banco". A rejeição coletiva desse tipo pode ser arrasadora e deixar cicatrizes emocionais duradouras.

Quando as crianças são vítimas de ridicularização e provocação mais constantemente, o resultado típico e previsível é não desejarem mais ir à escola. Como *nós* nos sentiríamos indo trabalhar, dia após dia, sabendo que vamos encontrar alguém que ri e faz pouco de nós? Tentar evitar ou escapar de uma situação estressante como essa é compreensível quando ouvimos as crianças descreverem sua angústia.

Kevin, aluno da segunda série, levou uma bronca por causa do jeito que segurava a bola no jogo durante o recreio e chegou a ser proibido de jogar por alguns colegas prepotentes da classe. Os funcionários do colégio o pegaram indo embora antes do fim do recreio. Ele disse que queria ir para casa porque detestava o recreio.

Sally, de 9 anos, foi chamada de desafinada por uma colega de classe na aula de música. A colega sugeriu que Sally só movimentasse os lábios e não cantasse. De uma hora para a outra, ela passou a inventar desculpas para não ir ao colégio nos dias que tinha aula de música.

Outras crianças vão à escola, mas reagem à provocação com comportamentos que preocupam e, ao mesmo tempo, perturbam. Daniel, de 8 anos, é um menino muito esperto com distúrbio de déficit de atenção e hiperatividade. É uma presa fácil para a provocação dos outros porque, normalmente, suas reações são impulsivas e emocionais. Parar e pensar antes de agir lhe é muito difícil. As reações de Daniel contribuíram para sua frustração e isolamento. Ele passou a pagar a outras crianças para brincar com ele.

Jonathan, de 11 anos, era alvo de gozações porque ia à enfermaria com freqüência tomar remédio para seu distúrbio de déficit de atenção. Passou a evitar tomar medicação no colégio para não precisar ouvir os comentários desagradáveis de um colega de classe.

Quando riram de Paula, com 8 anos, por causa de seus óculos, ela os tirou e se recusou a usá-los na escola.

Dawn, de 13 anos, tinha muitas amigas e jamais havia tido dificuldades sociais até se tornar vítima de provocações e agressões verbais quando passou para a sétima série. As provocações se intensificaram ao longo do ano e ela acabou entrando em depressão, precisando tomar medicação e fazer psicoterapia.

Acredita-se que Eric Harris e Dylan Klebold, os dois jovens atiradores que mataram 12 alunos e uma professora da Columbine High School, em Litteton, cidade do Estado de Colorado, nos Estados Unidos, em abril de 1999, queriam se vingar da ridicularização, da provocação e dos insultos a que eram expostos. Segundo testemunhas, ao abrir fogo com suas armas semi-automáticas os dois disseram: "Isso é para vocês, que riram de nós todos esses anos" (abcnews.com). Em 25 de março de 1994, o garoto Brian Head, de 15 anos, gritou em sala de aula: "Não agüento mais!" E se matou com um único tiro. Seus pais souberam que Brian era sempre atormentado, humilhado e intimidado no colégio. Nathan Faris, excelente aluno e meio gordinho, foi alvo de implacáveis zombarias, implicâncias e humilhações quando cursou o primeiro ciclo do ensino fundamental em DeKalb, cidade do Estado de Missouri. As crianças o chamavam de "dicionário ambulante" e de "balofo" no recreio e na perua escolar. A zombaria e o assédio dos colegas aumentaram no segundo ciclo. Quando estava com 12 anos, ele resolveu se vingar, levando uma arma para a escola. Matou um colega e depois se matou durante uma aula de história.

Esses exemplos extremos ilustram o desespero, a aflição e o martírio de algumas crianças importunadas, atormentadas, ridicularizadas e agredidas com palavras durante muito tempo. O trágico é que muitos pais nunca ficam sabendo do sofrimento dos filhos. Muitas crianças que sofrem deboches e ridicularizações não contam o fato a ninguém. Algumas sentem vergonha de estar nessa situação e não conseguem admitir o que está acontecendo. Outras acham que denunciar pode ser considerado como delação, o que só piora a situação. Quando, porém, falam do que está se passando, quem ouve pode ajudar.

Por mais que seja duro ouvir essas experiências dolorosas, agradeça por estar tomando conhecimento delas, porque assim você terá a oportunidade de ajudar seu filho a desenvolver as técnicas de defesa contra a provocação, como as propostas por este livro.

Como mencionei no começo do capítulo, é difícil dizer o que está realmente acontecendo quando a criança volta para casa reclamando que alguém a está provocando ou zombando dela. É importante prestar atenção a seu humor, à situação, a outros fatores e conhecer o seu temperamento para fazer uma estimativa dos tipos de interação que podem estar ocorrendo lá fora, além dos limites do santuário da própria casa. Procure não manifestar uma reação exagerada e impulsiva. Nem minore uma queixa que, para você, pareça "boba". A variedade de motivos pelos quais as crianças fazem gozação das outras é surpreendentemente ampla e, se para você, o motivo pelo qual seu filho está sendo importunado lhe parece desprovido de sentido, isso não diminui a dor dele. O próximo capítulo abordará os motivos pelos quais as crianças se tornam alvo da provocação alheia e, assim, exporá o que o seu filho está passando.

2

Por Que Há Tanta Provocação entre as Crianças?

"Eles riram de você porque gosta de comer sanduíche com ovo cozido no lanche? Quer dizer que só por isso não vai mais comer seu sanduíche predileto? Mas que bobagem!"

"Você não quer mais usar a camiseta do Michael Jordan porque é comprida? Mas essa é a roupa que você mais *adora*! Quer saber, use-a, sim, e não ligue para o que os outros falam."

"Claro que você tem cabelo ondulado – igual a sua avó, sua mãe e todas as suas tias. Você deve ter orgulho de suas raízes e dizer isso àquelas meninas chatas!"

Alto demais, baixo demais; esperto demais, meio lento; quieto demais, barulhento demais – não deve haver um adulto vivo que tenha escapado de levar gozações por causa de algum atributo físico ou comportamento inconsciente em um momento da infância. Muitos adultos, porém, inclusive eu, se surpreendem com a quantidade de outras coisas que servem de motivo de provocação entre as crianças.

As crianças são alvo de provocação por nada e por tudo. Nenhuma peculiaridade, característica ou situação é poupada. Se seu filho está sendo alvo de gozações, pode ser um consolo saber que outras crianças também são atormentadas pelas mesmas coisas das quais seu filho está sendo vítima – ou pelo menos por algo muito parecido. Você e seu filho raramente estão sozinhos. Leia neste capítulo as frases das crianças e você verá a que grau de sutileza a provocação pode chegar em qualquer assunto.

Pode ser também que esteja lendo este livro porque seu filho tem alguma diferença que, você receia, venha a ser motivo de provocação alheia. Os especialistas concordam que as diferenças atraem comentários e implicâncias dos colegas e pode ser que você encontre a qualidade única ou incomum de seu filho nas páginas a seguir. É importante saber, contudo, que *crianças diferentes não são necessariamente perturbadas*. Se seu filho será visado, isso é uma questão que depende de muitos fatores, alguns dos quais foram apresentados no Capítulo 1, outros serão discutidos no Capítulo 4. O que não se deve perder de vista é que você e seu filho têm muito a fazer para protegê-lo, ou empregando as *técnicas de defesa contra a provocação* descritas no Capítulo 6, ou tomando providências que esclareçam com quais crianças e adultos seu filho tem contato no dia a dia.

O que apresento a seguir são minhas observações sobre quais crianças são perseguidas, juntamente com frases das próprias crianças sobre suas experiências. Se você for pai ou mãe, saber que nada é sagrado talvez o ajude a ouvir com o espírito aberto e solidário as queixas de seu filho de que andam zombando dele. Caso você seja um educador, espero que essa lista contribua para alertá-lo aos muitos casos de provocação em nossas escolas e inspire outras maneiras de enfrentar o problema.

Minha experiência com crianças de idade escolar entre 7 e 11 anos confirma o que os especialistas dizem: as diferenças estão na raiz da maioria das observações, opiniões e julgamentos que são emitidos em tom de gozação, ou assim interpretados. Além disso, contudo, é difícil quantificar quais as diferenças mais prováveis de serem alvejadas. Na falta de estudos científicos que pudessem contribuir com dados, decidi compilar uma lista, em termos de características, atributos e aptidões, das dez principais diferenças que mais são alvo da provocação alheia. Infelizmente, não consegui classificá-las segundo uma ordem de importância, motivo pelo qual optei por buscar diretamente minha fonte mais confiável – as crianças. Conduzi um levantamento com crianças de terceira, quarta e quinta séries da minha escola para descobrir quais elas achavam ser os motivos mais comuns de gozação e provocação. Um colega de outra escola pesquisou uma classe com 30 alunos de oitava série. Os resultados das duas pesquisas são fornecidos a seguir e meus comentários sobre os resultados são incorporados à discussão de cada uma das dez principais diferenças.

Antes de distribuir os questionários, esclareci especificamente o que cada item da lista significava e, então, pedi aos alunos para colocar as dez principais diferenças em ordem decrescente de importância. Como essa ordem se baseia nas percepções dos próprios alunos, talvez ela não seja muito exata, podendo refletir, ao contrário, aquilo a que as crianças são mais sensíveis. Ou pode refletir que atributos crianças pequenas em idade escolar consideram mais importantes. Pergunte a seus próprios filhos como eles ordenariam os itens, e talvez você obtenha uma resposta completamente diferente – e, de quebra, perceba coisas interessantes sobre aquelas pessoas tão especiais de sua família.

Os Dez Principais Motivos da Provocação

1. Aparência
2. Aptidões – físicas e intelectuais
3. Identidade – sexo, raça, religião, cultura
4. Comportamento
5. Circunstâncias familiares
6. Posses
7. Opiniões
8. Nome
9. Sentimentos
10. Amigos

A pergunta era: "Quais você acha que são os motivos que mais fazem as crianças (em geral) levar gozações?"

Meninas de 3ª série

1. Aparência
2. Nome (Quase empatado com o primeiro lugar)
3. Comportamento
4. Sentimentos

Meninos de 3ª série

1. Aparência
2. Comportamento
3. Nome
4. Sentimentos

5. Aptidões
6. Identidade
7. Opiniões
8. Amigos
9. Posses
10. Circunstâncias familiares

5. Aptidões
6. Posses
7. Amigos
8. Opiniões
9. Identidade
10. Circunstâncias familiares

Meninas de 4ª série
1. Aparência
2. Sentimentos
3. Aptidões
4. Comportamento
5. Nome
6. Identidade
7. Amigos
8. Opiniões
9. Circunstâncias familiares
10. Posses

Meninos de 4ª série
1. Aparência
2/3. Sentimentos/Comportamento (empatados)
4. Nome
5. Aptidões
6. Identidade
7. Amigos
8. Posses
9. Opiniões
10. Circunstâncias familiares

Meninas de 5ª série
1. Aparência
2. Aptidões
3. Comportamento
4. Identidade
5. Amigos
6. Sentimentos
7. Posses
8. Opiniões
9. Nome
10. Circunstâncias familiares

Meninos de 5ª série
1. Aparência
2. Aptidões
3. Comportamento
4. Identidade
5. Amigos
6. Posses
7. Sentimentos
8. Opiniões
9. Nome
10. Circunstâncias familiares

Meninas de 8ª série	Meninos de 8ª série
1. Aparência	1. Aptidões
2. Aptidões	2. Comportamento
3. Opiniões	3. Aparência
4/5. Sentimentos/Amigos (empatados)	4. Opiniões
	5. Sentimentos
6. Posses	6. Amigos
7. Identidade	7. Posses
8. Nome	8. Identidade
9. Comportamento	9. Nome
10. Circunstâncias familiares	10. Circunstâncias familiares

Aparência

O poder de observação das crianças é fundamental para a sua capacidade de aprendizado. É distinguindo diferenças e constatando similaridades que elas dão sentido ao mundo que as rodeia. Infelizmente, essa facilidade também significa que sua acuidade é afiadíssima quando se trata de diferenças visíveis em termos de aparência entre colegas. Seja com relação a peso, óculos, sardas ou deficiência física, as crianças são freqüentemente ridicularizadas por causa de sua aparência. De fato, em todos os grupos pesquisados, só os meninos de oitava série não classificaram a aparência em primeiro lugar entre os motivos de provocação. Seus alvos são tanto as características inatas, que não podem ser mudadas – caso da altura – quanto os fatores que podem ser controlados, como a roupa.

O interessante é que as discussões em sala de aula sempre me deixaram a impressão de que os meninos achavam que suas aptidões (ou a falta delas) mereciam mais atenção do que sua aparência, mas essas pesquisas deixaram claro que a aparência é uma forte preocupação para eles. Talvez eles simplesmente se sintam mais à vontade falando de aptidões, mas quando podem se expressar em caráter confidencial, por escrito, sentem-se à vontade para admitir que levam gozações por causa da aparência. Por se tratar de uma amostragem pequena, é difícil tirar conclusões confiáveis. As meninas, não é de surpreender, revelaram na pesquisa o que também disseram em voz alta: levam gozações mais freqüentemente por causa de sua aparência.

Uma coisa que não se vê nas pesquisas (embora, sem dúvida alguma, seja notada em nossos filhos) é que a preocupação com a aparência se aguça na quarta e na quinta séries, quando ter uma aparência "legal" é mais importante do que nunca. De fato, os números das pesquisas, que não reproduzi aqui, mostraram que mais crianças classificaram a aparência em primeiro lugar na quarta e na quinta séries do que na terceira série. De acordo com esse levantamento bastante limitado, a aparência continua a receber muita atenção das meninas, mas menos dos meninos, até a oitava série. A própria aparência é sistematicamente comparada à das outras crianças, sendo a prioridade máxima o jeito de arrumar o cabelo e as roupas da moda, de jeans de grife a sapatos e acessórios *fashion*, que muitas vezes provocam observação direta ou cochichos quando considerados diferentes.

Crianças de todas as idades falam ter virado motivo de chacota por causa de tamanho – peso ou altura. As de quarta e quinta séries começam a prestar mais atenção e a comentar se os colegas já começaram a se desenvolver fisicamente. É sempre difícil ser a primeira menina da classe a usar sutiã. Mulheres que tiveram esse privilégio duvidoso me contaram que tinham certeza de que "todo mundo" ficava olhando para elas, o que só as tornava mais sensíveis aos comentários dos outros. As de desenvolvimento mais tardio relatam histórias similares, naturalmente. Os pais de crianças que estão entrando na puberdade já devem estar preparados para quando sua filha, "perfeitamente normal", começar a sentir coisas *estranhas*. Como ilustram os comentários a seguir, porém, o tamanho é motivo de deboche em qualquer idade:

- "Tenho 6 anos, sou maior do que quase todas as crianças da minha classe. Dois meninos da terceira série me chamam de 'a gorda' no transporte escolar. Queria não ser gorda. Odeio andar naquele ônibus."
- Uma menina de 10 anos admitiu: "Sei que sou gorda, mas não posso fazer nada. As crianças sempre implicam comigo... até mesmo aquelas que nem me conhecem. Por que elas têm que ficar me gozando o tempo todo?"

- "Sou baixinho – talvez o mais baixo da classe. As crianças me chamam de 'anão' e 'tampinha'. Seria tão bom se eles me deixassem em paz..."
- "Detesto ter que andar ao lado dos meninos quando vou para a aula de educação física. Eles ficam olhando para os meus seios o tempo todo e ouço rirem alto depois que eu passo. Isso me faz sentir tão mal!"

Outros aspectos da aparência que são motivos freqüentes de provocação são óculos, sardas, orelha, cabeça e dentes. Algumas crianças recebem insultos mordazes por terem dentes tortos ou serem dentuças, ao passo que outras são ridicularizadas por usarem aparelho ortodôntico. Os comentários nessa área são muito típicos:

- "Quando eu estava na terceira série, riam dos meus óculos. Decidi então não os usar mais porque não queria que implicassem comigo."
- "Sou muito sardenta. Uma vizinha minha perguntou se ela podia brincar de 'ligar os pontos' no meu rosto."
- "Tenho que usar tampão no olho. Um menino da minha classe (primeira série) ficava implicando comigo por causa disso."
- "As crianças riam da minha orelha, meio de abano. Um disse que parecia que eu tinha asa."
- "Só porque uso cabelo comprido, as crianças dizem que pareço menina."
- "As crianças implicam comigo porque tenho dente para fora e me chamam de 'Mônica'."
- "Quando coloquei aparelho nos dentes, uns me chamaram de 'boca-de-metal'. Outros riram de mim. Um outro me chamou de 'cara-de-aparelho'.

A dra. Dorothea Ross, psicóloga que conduziu uma pesquisa minuciosa sobre provocação e intimidação abusiva, pediu a um grupo de crianças com leucemia que falasse sobre a pior dor pela qual já tinham passado. Em vez de descrever alguma dor associada ao tratamento que faziam, elas explicaram que a pior dor era voltar ao colégio e enfrentar a provocação dos colegas por causa de sua aparência – a falta de cabelo ou a forte palidez.

As diferenças de aparência são normalmente óbvias e difíceis de negar ou refutar. Crianças que não aceitaram bem sua diferença física serão mais sensíveis a respeito da característica que as distingue e, conseqüentemente, sofrerão mais com observações maldosas. Já aquelas que aprenderam a conviver melhor com sua diferença terão mais autoconfiança na hora de lidar com uma situação de provocação.

No verão de 1999, dei uma palestra para crianças vítimas de queimaduras em um acampamento anual patrocinado pela Frente de Segurança contra Incêndios do Estado de Illinois. Na verdade, a equipe de comando do acampamento se refere a elas como sobreviventes – e não vítimas – das queimaduras. Com suas cicatrizes enormes e até mesmo desfigurações, vêem toda hora gente apontar o dedo para elas, fazer cara de espanto, fitá-las e tecer comentários impiedosos e insensíveis. Um dos terapeutas me disse que, quando era pequeno, muitas crianças o tratavam sem a menor piedade e até mesmo adultos se afastavam por causa de suas enormes cicatrizes. Ele se sentiu gratificado com a oportunidade de ajudar crianças que poderiam estar passando pela mesma dificuldade. E eu espero que as estratégias deste livro equipem as crianças com as armas das quais precisam nessa situação. Sinto-me mal quando zombam de crianças por qualquer que seja o motivo, mas não agüento quando as vejo serem alvo do deboche alheio por causa de deficiências crônicas, deformidades, desfiguração ou doença com as quais têm de conviver dia após dia. Ainda bem que elas conseguem amortizar a dor mesmo sem poder esperar receber tratamento compassivo de todos que as cercam.

Aptidões e Deficiências

Crianças diferentes em termos de aptidões físicas e intelectuais também são alvos visadíssimos de alfinetadas e pouco caso.

Aptidões

Como sempre tive a impressão de que os meninos são mais zombados por causa do que fazem do que por sua aparência, surpreendi-me ao ver o resultado da minha primeira tentativa de medir essa impressão. Meninos baixos, tímidos, franzinos ou que não se enquadram na imagem de "machão" são vítimas comuns de provocação e intimidações incisivas de todos os graus. Apelidos como "bicha", "maricas" e "mulherzinha" são usados para meninos que não se encaixam no estereótipo masculino, quer sua diferença esteja relacionada à imagem ou a aptidões físicas. No entanto, como a pesquisa confirma, pode ser que, à medida que crescem, os meninos se tornem cada vez mais propensos a ser vítimas de provocações por causa de suas aptidões e cada vez menos por causa de sua aparência. Isso pode ter a ver com a baixa tolerância à falta de qualidades atléticas, uma vez que muitos meninos praticam esportes em equipe por vários anos, mas novamente é difícil tirar conclusões consistentes com essa pequena amostra. Veja o que seus filhos pensam dessas comparações.

Ouvi as seguintes queixas, entre muitas outras, de crianças que debocham das deficiências físicas de outras no parque, no campo de futebol, na aula de ginástica e na rua.

- "Perdi um pênalti e me chamaram de 'fracassado' porque o time perdeu o jogo."
- "Ninguém passa a bola para mim quando jogamos no recreio."
- "Um vizinho do meu prédio me goza porque minha bicicleta tem rodinha."
- "No colégio, quem não é bom em basquete está por fora."
- "Um garoto chato da escola me chamou de 'maricas' porque não gosto de esportes."

Também chamam atenção as aptidões motoras finas, como no caso de Brian, aluno de primeira série que se tornou desconfiado e dispersivo depois que outras crianças de sua sala riram porque ele escreveu algumas letras do seu nome viradas ao contrário. Já na segunda série, os colegas de Bianca fizeram pouco de seu tênis com velcro e ela ficou com vergonha porque não sabia dar laço.

Capacidade Intelectual

Certas crianças são alvo de deboche por causa de alguma deficiência em sua capacidade intelectual ou cognitiva, mesmo quando não demonstram dificuldades escolares no dia-a-dia e que não cometam erros crassos na frente da classe. Alunos que recebem treinamento especial em virtude de dificuldades de aprendizado ou problemas fonoaudiológicos podem ser alvo da provocação dos colegas por causa de suas diferenças. Outras crianças são depreciadas devido às suas conquistas acadêmicas. Mais uma vez, qualquer desvio em relação ao padrão atrai a atenção dos colegas.

- "Meu irmão sempre se gaba de ter notas melhores do que as minhas."
- Um menino de primeiro ano reclamou: "Quase todo mundo da minha classe lê melhor que eu. Alguns até riem quando leio."
- "As crianças me chamam de 'geninho' porque sou bom aluno e gosto de responder as perguntas que a professora faz."
- "Às vezes fico nervoso e gaguejo. As pessoas começam a rir e fico mais nervoso ainda."

Identidade

Muitas crianças são alvo de provocação por questões associadas a sexo, raça, religião e cultura. Meninos fora do estereótipo masculino e meninas que não exibem características femininas vão se tornar o tópico de comentários de alguns atormentadores, principalmente no fim do segundo ciclo do ensino fundamental e início do ensino médio. Acusações de homossexualismo, sejam elas fundamentadas no conhecimento da orientação sexual da pessoa ou apenas mera suposição, são um fato infeliz observado até entre crianças que freqüentam a escola infantil. As diferenças em termos de cor de pele, práticas e tradições religiosas e crenças culturais podem provocar comentários cáusticos e admoestações perversas. Tive conhecimento de crianças vítimas de provocação alheia porque falavam duas línguas ou por terem sotaque. Isso pode variar, contudo, em função do ambiente. Nas duas escolas nas quais as pesquisas foram realizadas, a identidade como motivo de provocação recebeu classificação muito baixa. A razão pode ser o fato de essas duas escolas serem bastante homogêneas em vários aspectos ou, talvez, por haver diversidade suficiente para as crianças se sentirem mais à vontade com essas diferenças. Não dá para saber ao certo.

O triste, porém, é que a provocação motivada por essas diferenças no ambiente escolar é um reflexo de nossa sociedade em geral. Preconceitos, estereótipos e estigmas quanto a diferenças culturais, raciais, religiosas e sexuais devem nos servir de alerta. Na qualidade de pais e professores, temos de comemorar sempre a diversidade e ensinar o apreço e o respeito por essas diferenças (leia mais sobre a força do exemplo nos capítulos 9 e 11). E caso seus filhos forem alvos em potencial da provocação e censura alheia que visem atingir sua identidade, é preciso prepará-los. É preciso fazer tudo que estiver ao seu alcance para que a auto-estima e a autoconfiança deles não seja abalada (veja o Capítulo 4). Ensine-lhes, também, as estratégias do Capítulo 6, a título de prevenção. A mãe de duas crianças chinesas adotadas explicou que as estratégias de defesa contra a provocação ajudaram as crianças a cortar o mal pela raiz antes que ele começasse a afetá-las.

Comportamento

Diferenças comportamentais, que variam da extrema timidez à agitação e desinibição exageradas, são fortes atrativos para alfinetadas e zombarias. Colocar o dedo no nariz, arrotar alto, falar sem parar, comer de boca aberta e não saber perder são apenas alguns dos comportamentos que atraem a crítica e o deboche dos colegas de crianças que freqüentam os primeiros anos do ensino fundamental. Quando o comportamento ofensivo passa a incomodar demais, os colegas costumam fazer observações duras ou excluir quem o pratica.

Em muitos casos, fazem-no por falta de opção. Sei de diversos garotos que tentaram tocar no assunto com os colegas, mas, depois de algumas tentativas mal-sucedidas, intensificaram seus comentários rudes ou sua atitude de rejeição. De fato, vi que é muito mais difícil aceitar nos colegas de classe diferenças de comportamento do que de aparência, de aptidão ou de identidade. Para as crianças, essas diferenças podem ser perfeitamente modificadas e elas não entendem por que as outras continuam exibindo comportamentos ofensivos.

Em muitos casos, estão certas: as crianças *podem* decidir parar de colocar o dedo no nariz ou melhorar seus modos durante as refeições. Às vezes, porém, a atitude é inconsciente ou então elas não sabem como mudar. Nesses casos, cabe aos pais ajudá-las na mudança. Veja, no Capítulo 4, sugestões para ajudar as crianças a superar problemas de comportamento passíveis de correção. Esses problemas também podem ser fruto de distúrbios mentais e emocionais, que podem exigir uma atitude sensível da parte de todos.

É interessante notar que as meninas da oitava série pesquisadas tenham classificado o comportamento em nono lugar, enquanto os meninos, em segundo. Talvez haja alguma relação com o fato de que, até a idade de 14 anos, a conduta pública de muitas meninas seja mais comedida e, portanto, interpretada como mais madura do que a dos meninos de mesma idade.

Circunstâncias Familiares

As diferenças em termos de circunstâncias familiares não são per-doadas por curiosos e, muitas vezes, por colegas insensíveis. Crianças que dividem seu tempo entre pais divorciados e outras que vivem com apenas um dos pais são, às vezes, alvo de observações desagradá-veis. Em todos esses anos, ouvi histórias de alunos que sofriam com ridicularizações por causa de irmãos deficientes. Maggie, de 9 anos, relutava em convidar amigas para irem a sua casa depois de ter ouvido de uma colega comentários maldosos sobre seu irmão autista.

Perguntaram a Melinda, uma menina vietnamita de 6 anos, por que sua mãe era branca e mais velha do que a maioria das outras mães. Percebi que crianças da pré-escola e da primeira e segunda séries ficam muitas vezes curiosas e não sabem como reagir quando encontram um colega com circunstâncias familiares diferentes. As dúvidas e comentários típicos que surgem são, às vezes, interpretados como observações maledicentes. É muito comum as crianças pequenas se sentirem desamparadas por não conseguirem mudar sua situação e, em geral, não sabem como reagir. É importante notar, porém, que as circunstâncias familiares receberam a décima classificação em todas as quatro séries pesquisadas. A maioria das crianças parece saber que fazer pouco da família dos outros pode ser um golpe baixo. Um aluno de oitava série acrescentou um comentário sobre esse item em sua pesquisa: "É muita maldade."

Posses

Em nosso mundo extremamente material, as crianças são alvo de provocação por causa do que têm e do que não têm – de uma caixa chique de lápis de cera ao tênis mais moderno do mercado. Até os professores tomarem as rédeas da situação e darem um ponto final ao caso, uma classe de meninas de quinta série elaborou um plano para dar gelo em qualquer colega que não fosse de jeans de uma determinada marca ao colégio no dia seguinte. Crianças pequenas chamam certas posses como "coisa de neném". Paulo, da segunda série, adorava sua lancheira com motivos de *Power Rangers*, mas determinados colegas achavam que isso era coisa de criancinha. Carrie gostava de levar seu ursinho de pelúcia favorito na mochila, porém, quando uma colega viu, riu à beça dela e contou para todo mundo que Carrie era um bebê. Jô ficou toda animada quando os pais lhe deram uma patinete. A enorme vontade de ir com ela para o colégio foi subitamente por água abaixo quando duas vizinhas lhe disseram em tom condescendente, que sua patinete não era igual à delas. Para piorar, ainda riram do seu capacete.

Como disse antes, crianças de quarta e quinta séries, principalmente meninas, são mais atentas ao que as colegas usam. Essa atenção ainda aumenta muito nos anos seguintes. Tudo ao que Catty se refere envolve roupa, bijuteria e lojas nas quais as colegas fazem compra. As crianças podem ser zombadas por não terem o mesmo estilo ou marca de roupa que todo mundo tem ou por serem "esnobes" e usar a mesma roupa e penteado consideradas mais *populares*. A mesma calça diferente que faz uma menina lançar moda e arrasar faz de outra uma "nerd". A provocação pode se dar diretamente ou pelas costas da vítima.

Ouvi recentemente em um vídeo uma frase incrível, que despertou acalorada discussão em uma turma de quinta série: "Quem está preocupado com marcas está, na verdade, rotulando a si mesmo."

Eis algumas frases que ouvi de crianças que passaram a se sentir diferentes e inferiores porque não tinham o que a maioria das outras tinha.

- "Não tenho nenhum tênis legal. As crianças dizem que meu tênis é podre."
- "Meu vizinho disse que minha bicicleta é esquisita porque não é de alumínio. Eu queria uma nova, mas meu pai não pode comprar."
- "Umas meninas me disseram que eu não podia brincar com elas porque minha calça jeans não era igual à sua."

Opiniões

Outras crianças são alvo de provocações por causa de coisas das quais gostam e das quais não gostam. É comum criticarem colegas que gostam de livros ou programas de televisão feitos para crianças menores. Outras crianças fazem pouco caso de colegas por causa de sua opinião sobre jogos, o que gostam de brincar no recreio ou o que gostam de comer. Às vezes, uns debocham dos outros por gostarem da música que não é considerada legal no momento. Depois de zombarem dele por causa de seu sanduíche de ovo, Jason se recusou a trazê-lo de novo para o colégio. Ser criticado por causa de seus gostos e aversões peculiares pode reprimir a individualidade da criança e desestimular seu crescimento pessoal. Observe como as opiniões receberam classificação mais alta na oitava série: sinal da crescente importância das conexões dos colegas que se vê no ensino médio.

Nomes

Muitos adultos nunca se esquecem dos deboches que levavam por causa de seu nome. Rimas e piadas sobre nomes podem ficar a vida inteira na cabeça da pessoa, mesmo depois de ela deixar de ver o atormentador. Uma de minhas melhores amigas, Mirna Lynch, se lembra das musiquinhas das colegas nos últimos anos do ensino fundamental: "Vamos linchar a Lynch". Conheço uma professora chamada Helena que se recorda de ser chamada de: "Helena-melena-meleca".

Minha amiga Chris se lembra de ter começado a se achar gorda na terceira série porque, mesmo sendo seu peso absolutamente normal, uma colega a chamava de "gordura na lata", que era o *slogan* de uma margarina.

As crianças continuam sendo sempre ridicularizadas por causa de seus nomes. Uma menina chamada Rosa ficava chateada quando um menino no transporte escolar lhe perguntava: "Oi, Rosa, você tem cheiro de flor?" Acho que ela se sentia pior porque tinha herdado o nome da avó. Diogo, gordinho, era chamado de "Diogo-balofo". "Mário-otário", "Ana-banana" e "André-mané" são apenas exemplos de apelidos depreciativos que podem ficar na cabeça das crianças por muito tempo.

Debochar do nome do outro, porém, não passa de uma forma bastante imatura de provocação. Observe que ela cai para a nona posição nas oitavas séries pesquisadas, tanto entre meninos quanto entre meninas.

Sentimentos

"Bebê chorão" e "mulherzinha" são maneiras comuns de chamar para fazer pouco de seus sentimentos. Ao implicar com uma criança pequena e ela começar a chorar, logo ouve chamarem-na de "bebê chorão". João está na terceira série e tem pavio curto. Explode com facilidade, principalmente quando as coisas não saem do seu jeito. As crianças começaram a chamá-lo de "João-vulcão", o que o deixou ainda mais aborrecido. Quando demonstram ter medo de alguma coisa, são logo tachadas de "medrosas" ou de "maricas". Crianças de todas as idades são alvo de provocação alheia sob a alegação de "gostar" de alguém do sexo oposto. Agora, que a sociedade passou a valorizar tanto a inteligência emocional, além da mental, a provocação por causa dos sentimentos dos outros pode resultar em efeitos inegavelmente destrutivos. Quem sofre zombaria por causa de suas emoções pode começar a negar seus sentimentos autênticos em relação a muitas situações.

Os sentimentos aparecem muito perto do primeiro lugar na classe de quarta série pesquisada, talvez porque represente uma época de transição. É o período em que começa a se desenvolver o sentimento da "paixão"; é nele que, segundo muitos professores, o espírito de cooperação e boa vontade explode em um frenesi de emoção e energia. Na quinta série, os sentimentos figuraram em sexto e sétimo lugares, mas, na oitava, já voltaram a assumir a quarta e quinta posições.

Amigos

Certas crianças são criticadas por causa de seus amigos. Sofrem gozações por falarem ou brincarem com colegas de quem os importunadores não gostam ou que consideram esquisitos ou fora do comum. "Como você pode ser amigo daquele idiota?" Nessas situações, a criança alvo da provocação pode ficar perdida. Deve defender sua amizade ou abrir mão dela para evitar as implicâncias? Trata-se de um dilema real para alguns, diante da necessidade tão imperiosa de ser aceito e de não se sentir excluído – e que piora ainda mais à medida que as crianças amadurecem e começam a estabelecer relacionamentos menino-menina.

As crianças que se sentem pressionadas a "abafar" uma paixão incipiente porque o objeto de seu amor não é "legal" ou "da hora" depreendem dessa mensagem a idéia de que os próprios sentimentos não importam muito e que os critérios da afeição são superficiais. Como sabemos, a influência exercida pelos colegas se torna cada vez maior e mais importante para a vida diária das crianças à medida que elas vão amadurecendo. Esse fato se reflete na maneira como o item amigos foi subindo de posição na lista da terceira para a oitava série, onde permaneceu mais ou menos em uma posição intermediária.

Resta-nos torcer para que as crianças que sofreram gozação por causa dos amigos saibam optar decidida e confiantemente pela amizade. Veja no Capítulo 9 conselhos para ajudar as crianças a se suportarem entre si e a resistirem à pressão dos atormentadores.

Não é preciso muita imaginação para perceber, pela lista dos dez principais motivos, que cada item representa uma área de grande importância para as crianças em seu processo de crescimento: sua aparência e aquilo que conseguem realizar ou alcançar, suas raízes e sua família, como reagem, o que possuem, o que pensam, como são chamadas, como se sentem e com quem andam – todos são aspectos fundamentais do mundo de uma criança. Rir, debochar ou fazer pouco caso deles pode destruir tudo o que a criança conhece e valoriza, além de confundir a noção que ela tem de si mesma. Por que as crianças fazem isso umas com as outras? São muitas as possibilidades – que serão analisadas no Capítulo 3, a seguir.

3

Por Que as Crianças Provocam umas às Outras?

Quando Louis voltou para casa com raiva porque Josh o atazanara o dia inteiro por causa de seu tênis novo, não foi difícil para ele e seu pai perceberem o motivo da intolerância. Josh ganhara seu tênis novo na semana anterior, e estava chamando muita atenção dos outros meninos por estar usando o último modelo Nike do mercado. Agora a atenção deles se voltara para Louis, cujo modelo *Air Jordan* fora aclamado como mais legal ainda. Josh ficou chateado e com inveja, e usou a provocação para tentar colocar Louis de volta em seu lugar.

Quando Jamie subitamente passou a implicar com Alicia – dizendo que era devagar na aula de educação física, que comia de boca aberta, que mais parecia um sapo –, esta disse à mãe, entre lágrimas, que não entendia por que Jamie fazia aquilo, principalmente porque nada era verdade. A mãe sabiamente perguntou à filha se Jamie tinha algum motivo para estar chateada com ela. Depois de alguma especulação, Alicia mencionou que Jamie era uma das poucas meninas da classe que ela não havia convidado para sua festa de aniversário, mas que tomara todo o cuidado para não distribuir os convites na presença dos não-convidados e, portanto, tinha certeza de que Jamie não sabia da festa. Na verdade, ela sabia, sim, e reagiu agredindo Alicia de maneira totalmente inesperada.

Tanto no caso de Louis quanto de Alicia, entender o porquê da provocação, da gozação que as atingia ajudou a diminuir a mágoa. Quando atacadas pelo provocador, muitas crianças têm dificuldade em se distanciar da própria dor e da injustiça do ataque. No entanto, sua mente em fase de amadurecimento possui enorme capacidade de entender como funciona a lógica e quando elas vêem que *A* leva a *B*, o aborrecimento e a mágoa em geral se dissipam.

Entender o motivo da atitude também deu às duas crianças vontade de resolver o problema. Alicia chamou Jamie em particular e lhe explicou que lamentava muito, mas que não podia convidar mais ninguém porque o número de convites era fixo. Foi o suficiente para Jamie ficar satisfeita e parar com as implicâncias.

Louis precisou de um pouco mais de criatividade e sutileza. Primeiro tentou responder às importunações de Josh dizendo: "Você está com ciúme e despeito porque meu tênis é melhor que o seu". Isso, porém, só serviu para chatear ainda mais o colega, e Louis viu como o orgulho de Josh estava ferido com a comparação entre os tênis. Depois disso, Josh empurrou Louis de lado na fila da cantina e disse: "Seu pé-de-chulé está no meio do caminho", a que Louis respondeu: "Nem ouvi você chegar, cara; deve ser porque seu tênis não faz barulho". "É isso aí", disse Josh, e saiu tocando a mão de Louis, com um sorriso de cumplicidade no rosto.

Alicia e Louis enfrentaram situações relativamente simples. As acusações que receberam tinham uma causa fácil de identificar, e conseguiram tomar medidas para resolver o problema logo. Em geral, as crianças implicam umas com as outras como vingança, para exprimir raiva, porque sentem inveja ou porque se sentiram magoadas por alguma coisa ou por alguém. Nem todo escárnio, porém, pode ser relacionado a causas tão óbvias e imediatas. As crianças zombam e provocam umas às outras por inúmeras razões.

Provocar para Conquistar Recompensas Pessoais

Para falar com toda objetividade, certas crianças provocam as outras por se sentirem bem agindo assim – ou porque pensam que vão se sentir bem.

"Ei! Estou Aqui!"

O desejo de chamar atenção é uma força poderosíssima que move todos os tipos de comportamento infantil, como constata qualquer terapeuta ou orientadora educacional que lide com crianças. Sabemos que algumas se tornam o palhaço da classe, fazem proezas físicas imprudentes e se arriscam a ser punidas no colégio ou em casa só para se colocar no centro das atenções por um momento. Todas essas atitudes parecem bobas, pelo menos para os adultos, mas, para as crianças, o riso e o aplauso dos colegas é uma recompensa muito cobiçada. Ao crescerem, todas as crianças fazem o possível para encontrar um lugar confortável em seu mundo social, em que se sintam bem em relação a si mesmas. Às vezes, demoram a encontrar um jeito de preservar uma auto-estima positiva que não esteja intrinsecamente ligada à aceitação e à aprovação dos outros e, nessa fase, chamar atenção em geral é traduzido como ser admirado, o que significa ter valor.

Para os adultos, naturalmente, existe uma diferença entre fazer careta nas costas da professora para que os colegas riam e atormentar outra criança por causa de algum defeito que possua. Na cabeça do importunador, contudo, há sempre uma chance de que provocar outra criança vá atrair a admiração dos outros, que a verão como valente e aparentemente segura de si, a ponto de se mostrar preparada para qualquer tipo de resposta que receba. Infelizmente, essa crença quase sempre se confirma, e continuará existindo até conseguirmos ensinar a nossos filhos a importância do espírito de solidariedade e do sentimento de compaixão pelos outros, que é o tema do Capítulo 9.

Muitos adultos ficam perplexos ao constatar que o escárnio só atrai atenção negativa para quem o pratica – punições dos professores e dos encarregados da disciplina do colégio, rejeição de muitas crianças que temem se tornar a próxima vítima e exclusão por parte de quem tem mais autoconfiança. Se só recebe esse tipo de reação, por que a criança continua a provocar os outros? A resposta simples é que, infelizmente, para muitas crianças, a atenção negativa é melhor do que nenhuma. A tendência das crianças é de não se esquivar de alguém que se comporta de maneira que lhes desagrada; elas costumam verbalizar muito e até mesmo, partir para o físico, em sua demonstração de desaprovação. Para o importunador, ser chamado disso ou daquilo pode muito bem ser preferível a ser tratado como não-existente – qualquer luz sobre eles é melhor do que a sombra. É por isso que uma estratégia básica – ignorar quem importuna (veja o Capítulo 6) – pode ser tão eficaz para fazê-lo calar de uma vez por todas.

Uma criança pode recorrer a atitudes de escárnio e buscar a atenção negativa por diversas razões. Pode ter aprendido que esse tipo de atenção é desejável, pela sociedade ou em casa, e abordarei essas duas situações mais adiante, neste capítulo. Pela minha experiência, contudo, a razão mais provável de quem apela para a provocação é a falta de sociabilidade da criança que, sem ela, não consegue se relacionar nem se conectar com os colegas de maneira construtiva. Muitos são os fatores que contribuem para que uma criança seja mais ou menos sociável: temperamento, inteligência, exemplo dos pais e outros modelos que ela tem para seguir, problemas de saúde mental. Nos capítulos 7 e 11 são citados alguns métodos para ajudar o importunador a substituir a atenção negativa pela competência social, mas pais e professores devem estar sempre de sobreaviso para a possibilidade de vir a precisar de ajuda profissional (orientadora educacional ou psicólogo).

"Sou Melhor do Que Você"

Certas crianças parecem precisar de muito mais atenção do que outras. Para o observador fortuito, talvez seja difícil saber o porquê. Há crianças que simplesmente têm uma auto-estima mais frágil. Pode ser que sejam tímidas por natureza e pouco seguras de si mesmas ou da posição que ocupam em seu mundo social. Podem também ter sofrido algum tipo de ataque a sua auto-estima que não transparece em seu rosto nem em seu comportamento. Qualquer que seja a raiz do problema, a necessidade de atenção pode ser convertida em uma necessidade de se sentir não apenas valorizada, mas superior.

Muitos importunadores simplesmente se sentem superiores quando menosprezam os outros. Freqüentemente se sentem melhor em relação a si mesmos quando conseguem fazer os outros se sentirem piores. Sentem-se poderosos quando suas vítimas manifestam reação emocional ou física diante de sua atitude. É como se alguns importunadores tivessem controle remoto. Sabem para onde apontar o controle e quais "botões" apertar. Sua compensação emocional é arrancar dos outros lágrimas, raiva, medo e aflição, o que contribui para alimentar seus vorazes sentimentos de poder e superioridade. Que massagem no ego para eles!

Fortes indícios nos colégios e na pesquisa apontam que ser agressivo é "legal" e que as crianças que fazem pouco dos outros e zombam deles muitas vezes recebem admiração e ganham popularidade com suas atitudes maldosas. É muito difícil para nós explicar a nossos filhos que as crianças populares nem sempre merecem nossa admiração. No Capítulo 8, discuto maneiras de ajudar nossos filhos a construir amizades saudáveis, nas quais a afeição mútua e o companheirismo sejam calcados não na compulsão de andar com gente legal ou de fazer sucesso, mas, sim, nos interesses em comum e na admiração mútua. É desanimador ver que algumas crianças optam pela prática do deboche porque o acham "legal". Podemos trabalhar em consonância com a escola para mudar essa percepção. O Capítulo 7 apresenta algumas idéias.

"Eu Só Estava Brincando!"

Muitas crianças que provocam, ridicularizam ou ficam inventando apelidos pejorativos para as outras tentam se desculpar e escapar das conseqüências de suas ações alegando que o incidente foi apenas uma brincadeira, que elas só estavam se divertindo, que não queriam ofender de verdade e que tudo não passou de um mal-entendido. "Relaxa. A gente não pode nem brincar com você?" parece ser a rota de escape pronta para alunos da sétima e da oitava séries que se dão conta de terem exagerado e querem aliviar sua barra e não prejudicar sua imagem de "legal". Nem é preciso dizer que, na maioria das vezes, os atormentadores não estão "só" brincando. A provocação é quase sempre uma maneira passiva-agressiva de se atingir o outro – travestir um insulto de piada para não ter de assumir as conseqüências de sua maldade. A melhor maneira que conheço de deixar claro para o importunador que sua vítima não está sendo enganada é não levar em conta suas desculpas de falta de intenção e dizer explicitamente como o escárnio fez o outro se sentir. No Capítulo 6 exploramos um pouco mais as mensagens em primeira pessoa.

De certa forma, porém, muitos importunadores assumem esses comportamentos só mesmo por diversão, o que se relaciona à idéia de que a provocação os faz se sentirem superiores e poderosos. Fazer escárnio de alguém e conseguir dele a reação emocional esperada é como ficar por trás puxando as cordinhas das marionetes. Não é um dos nossos instintos humanos mais admiráveis, mas algumas vezes temos que admitir: assistir à dança das marionetes é divertido e engraçado. As crianças que alegam com a mais pura inocência que provocam os demais apenas para se divertir precisam aprender que não devem manipular os outros, principalmente quando essa atitude pode fazer sofrer. O segredo está na empatia. Veja o Capítulo 9.

"Não Fique Chateado – Revide!"

Lamento dizer que conheci muitos pais que não se importam se seus filhos se metem em confusão por responder a um deboche com outro. De fato, o que eles querem é que seus filhos revidem. Pesquisas e eventos comuns indicam que muitas crianças recorrem ao comportamento violento por causa do desejo e da sede de vingança contra colegas que os ridicularizaram e atormentaram.

Nesses casos, as crianças não decidem provocar o oponente; simplesmente reagem com ressentimento, querendo acertar as contas ou vingar-se. "Chamei-o de um monte de coisas, mas ele me xingou primeiro. Eu só queria ficar quite com ele." Muitas vezes, as crianças consideram o deboche justificado, contanto que não o tenham iniciado. Qualquer pai, mãe ou professora pode confirmar que as crianças se valem dessa desculpa para se eximir da responsabilidade de todos os tipos de mau comportamento, como bater, roubar ou fazer fofoca. Às vezes, o fato de as coisas piorarem para o seu lado lhes ensina que o "Foi ele quem começou!" nunca é uma desculpa aceitável para sua atitude reprovável. Não sendo assim, cabe a nós lhes ensinar essa dura lição. Veja os capítulos 7 e 11.

Como ilustra a história de Jamie e Alicia, as crianças também partem para o deboche porque estão ressentidas ou com raiva em conseqüência de alguma ofensa, mesmo que leve. Quando o deboche é indireto, como foi o de Jamie, a vítima pode não fazer idéia do que a motivou, já que ela não está associada a nenhum mal que a vítima possa ter infligido a quem a importunou. Para Jamie, ser excluída da festa de Alicia simplesmente confirmou, em parte, a mensagem que ela concluiu ter recebido dos outros colegas: não fazia tanto sucesso porque não gostavam tanto dela quanto dos outros. Na verdade, muitas crianças gostavam de Jamie, mas a achavam meio "mimada". Quando Jamie percebeu que estava sendo menosprezada pelas outras meninas, sua tendência foi de agir com grosseria, fazendo com que seu temor de não ser tão admirada se transformasse em profecia auto-realizável. Sua sociabilidade sem dúvida precisava ser burilada. Ficar de fora de uma festa sobre a qual *todo mundo* comentava baixinho e com animação soou-lhe como uma maldade especialmente dirigida a si e, em vez de se retrair, ela passou a atacar. Alicia, infelizmente, não fazia idéia do que estava acontecendo – até conseguir descobrir com a ajuda dos pais. O episódio todo poderia ter sido evitado se Jamie tivesse sido capaz de manifestar a Alicia como se sentia por ter sido excluída, que vem a ser uma importante técnica de defesa apresentada no Capítulo 6.

"Você Me Deixa Louco!"

Muitas crianças, infelizmente, não sabem como exprimir sua raiva de modo aceitável e construtivo. Conseqüentemente, como fez Jamie, recorrem aos xingamentos e ao deboche quando se sentem magoadas. O controle deficiente da raiva é um problema comum entre as crianças e a provocação é uma maneira comum que elas encontram de extravasar sua irritação. Muitos de nós conhecemos bem adultos que nunca aprenderam a controlar sua raiva, e as repercussões de suas explosões descabidas podem ocasionar efeitos bastante nocivos. A falta de domínio sobre a raiva deve ser identificada e abordada sem demora por professores e pais, porque tende a deixar a criança presa cm um círculo vicioso difícil de ser rompido. Muitas delas precisam desaprender certos comportamentos que viraram maus hábitos. Quando se sentiu particularmente atingida por alguma afronta dos colegas, Jamie partiu para o ataque, como fez com Alicia, e seu comportamento só contribuiu para seu próprio isolamento. Quanto mais isolada se sentia, mais chateada ficava... e é fácil ver onde isso vai parar, a menos que alguém capaz de ajudar intervenha. Nos capítulos 4 e 11, são oferecidas dicas e sugestões sobre como lidar com meninos com esse problema.

Acontece, às vezes, de as crianças ficarem com raiva de alguma coisa que não tem nada a ver com o alvo de seu deboche. Quando Max, de 10 anos, de uma hora para a outra começou a se comportar mal no colégio – implicando com as crianças da primeira série com quem cruzava no corredor, perturbando os meninos por errar passes ou perder gol no jogo do recreio, chamando as meninas de "bruxas" –, os colegas ficaram sem saber como reagir. Max sempre havia sido calmo e sensato. A princípio, a professora teve algumas conversas sérias com o menino, mas ele parecia ausente, inatingível. Até que ela se deu conta de que alguma coisa devia estar errada e partiu para uma investigação, descobrindo que os pais do menino estavam passando por um divórcio complicado e que ele não estava conseguindo se ajustar bem à mudança familiar. A vida dele havia virado de cabeça para baixo. Incomodava-o muito o fato de seus pais não mais se amarem, e ele não sabia exprimir aos dois seus sentimentos porque temia que se irritassem com ele. Seus comportamentos agressivos no colégio foram um sintoma de seu profundo desagrado em relação ao divórcio.

O que os professores de Max podiam fazer? Encaminharam-no para mim, que conversei com o menino sobre o divórcio, incentivando-o a falar da situação, de como o havia afetado e de como ele se sentia a respeito.

Mostrei-lhe que compreendia seus sentimentos e lhe garanti que eram normais, dadas as circunstâncias. Embora não possamos mudar a situação pela qual a criança está passando, ouvir com interesse e demonstrar empatia pode ser algo bastante reconfortante. Como Max era relativamente maduro e inteligente, estimulei-o a conversar com seus pais sobre o que estava sentindo. Depois, então, tive um encontro com o menino e seus pais para nos aprofundarmos um pouco mais na importância de identificar e entender os próprios sentimentos. Sugeri também que Max participasse de um grupo de apoio que eu estava coordenando no colégio. Demorou, mas Max começou a se sentir melhor e, com isso, foi parando de atormentar as crianças menores. De fato, nos anos seguintes, ele se tornou um defensor dos menores que julgava estarem enfrentando dificuldades emocionais particulares, passando para elas o que havia aprendido no grupo de apoio.

Como pai ou mãe, você pode usar uma oportunidade como essa para instilar o espírito de solidariedade em seus filhos enquanto tenta resolver o problema. Se seu filho lhe diz que alguém que "era legal" mudou de repente, isso sugere que alguma coisa o está perturbando. Apresente a ele as técnicas de defesa do Capítulo 6, mas procure ver também se existe uma chance de seu filho perguntar ao colega o que há de errado. Se essa idéia será bem recebida por seu filho dependerá em grande parte da história do relacionamento que ele tem com o importunador. Não havendo alguma conexão de sua parte em relação ao importunador, seu filho poderá não se sentir à vontade em adotar esse tipo de atitude. O sucesso dessa abordagem também dependerá de um certo número de fatores, como a idade das crianças e da disponibilidade que o importunador demonstre em relação a falar sobre o que está ocorrendo. Algumas crianças são instruídas pelos pais a não discutir seus problemas familiares com ninguém, e outras não se sentem bem em falar de assuntos pessoais no colégio – e naturalmente não devem ser forçadas a fazê-lo.

Como a Sociedade Dá Seu Aval para a Provocação

As crianças também utilizam a provocação porque a sociedade lhes autoriza a fazê-lo – ou pelo menos não o condena.

O Baixo Valor Atribuído ao Autocontrole

Como as crianças aprendem a exprimir sua raiva "civilizadamente"? É uma pena que, em nossa sociedade, a expressão da raiva esteja tão em voga hoje em dia. O destempero no trânsito é um elemento alarmante nas ruas na hora do *rush*. Andar de avião parece mais arriscado agora, quando os nervos dos passageiros parecem estar sempre à flor da pele. Nossa sociedade inteira reflete pouco controle sobre a raiva. Muitas pessoas ultrajadas recorrem à violência para extravasar sua raiva intensa. O ódio e a violência cercam a nós e nossos filhos nos noticiários da televisão e do rádio, nos filmes, nos videogames. São raríssimos os modelos de resolução decente de conflitos. Não admira a agressividade que as crianças manifestam entre si. O que precisamos fazer é muni-las de modelos que, infelizmente, parecem escassos hoje. Tente transformar uma notícia ou um acontecimento do dia em um momento de reflexão. Fale com elas sobre o que aconteceu e o que poderia ter feito a pessoa sentir tanta raiva. Discuta então o que a pessoa poderia ter feito para não extravasar a raiva de modo negativo.

Um Modelo de Mediocridade: Mensagens Culturais na Televisão, nos Filmes e em Todo Lugar

Ouvimos e vemos o tempo todo como a violência na mídia influencia o comportamento de nossos filhos. São tantos os programas de TV dirigidos para o público infantil crivados de cenas de menosprezo, achaques, insultos, falta de respeito e de outras formas da famosa "esperteza", avalizadas por coros de risos e aplausos enlatados que soam ao fundo. Nossos filhos não poderiam receber uma mensagem mais estridente daquilo que, supostamente, devem aplaudir também. Os desenhos animados estão repletos de observações e ações vis. As crianças, com freqüência, imitam o humor ofensivo que vêem e ouvem na televisão e nos filmes. Na verdade, elas o entendem como aceitável, por ser uma ocorrência tão constante. É comum não haver um limite claro entre o que é engraçado e o que é desrespeitoso. Nos *talk-shows* que passam tarde da noite, os adultos são muitas vezes expostos a esse tipo de humor depreciativo. A ridicularização cruel das pessoas é supostamente engraçada. Candidatos a eleições são as primeiras iscas dos comediantes. Servem também de exemplos tristes para nossos filhos as campanhas eleitorais recheadas de trocas de agressões verbais e de ataques pessoais entre os candidatos. No Capítulo 9 são desenvolvidas algumas idéias com o intuito de conter a influência da mídia sobre as crianças e conscientizá-las da carga negativa dessas mensagens que estão recebendo.

Nosso Fracasso em Comemorar a Diversidade

Muitas crianças não convivem com diferenças culturais, étnicas e físicas, ou não as entendem, e, quando se deparam com elas, seu desconforto às vezes as leva a fazer um julgamento negativo sobre tudo isso. Certas crianças se afastam, excluem ou evitam aquelas que exibem alguma diferença, ao passo que outras as ridicularizam, insultam ou fazem comentários agressivos a respeito. A discriminação e os comentários maldosos são quase sempre fruto do medo e da insegurança.

É preciso que os pais promovam uma curiosidade saudável sobre as diferenças, procurando cultivar nos filhos o espírito da compreensão e não alimentar o medo do desconhecido. No Capítulo 7, são sugeridas leituras que os pais podem usar para motivar discussões sobre diferenças, bem como idéias para os professores promoverem o respeito à diversidade entre seus alunos. O Capítulo 9 também traz conselhos sobre como fazer as crianças se interessarem umas pelas outras. O dispositivo mais eficaz, no entanto, é o exemplo dos próprios pais. Se você trata os outros com respeito natural por suas diferenças, seus filhos, muito provavelmente, farão o mesmo.

O Exemplo de Casa e dos Vizinhos

Certas crianças tratam os colegas ou vizinhos da mesma maneira como são tratadas em casa. Imitam o que acontece com elas. Essas crianças podem ser perseguidas pelos irmãos ou, quem sabe, depreciadas pelos pais. Jessica, de 9 anos, era extremamente crítica em relação aos colegas de classe e freqüentemente os chamava de nomes feios. Fazia pouco caso deles dentro e fora da sala de aula. Era mestra em deixar as meninas de lado e falar mal delas pelas costas. Soube, por seus pais, que ela era sempre alvo de deboches e agressões verbais por parte de suas duas irmãs adolescentes. Ao que tudo indicava, Jessica estava reproduzindo as mesmas atitudes e padrões de seu relacionamento com as irmãs. Sentia-se poderosa na escola imitando-as.

Há crianças que adoram implicar com irmãos menores, e tratam os colegas de classe do mesmo jeito. Um menino de 7 anos, Alex, era o mais velho de três irmãos. Seus pais disseram que ele sempre mandava nos outros dois. Gostava de chamá-los de apelidos pejorativos e de provocá-los, e repetia esse comportamento com os amigos do prédio e do ônibus escolar.

Filhos tratados com excessivo rigor ou mesmo maltratados pelos pais podem exibir comportamento agressivo no colégio. Joey, de 9 anos, brigava muito no parquinho, usava palavreado grosseiro e sempre partia para os ataques físicos. Tive um encontro com ele para tentar explorar as possíveis causas de tanta agressividade. A princípio, permaneceu calado, mas depois irrompeu em lágrimas quando contou que o padrasto o perseguia, criticava tudo que ele fazia e sempre o ridicularizava. Joey se sentia humilhado, impotente e deprimido. Suas atitudes agressivas no colégio reproduziam as do padrasto e decorriam de sentimentos provocados pela situação que vivia em casa.

Você critica os outros com palavras ásperas e olhares recriminadores, seja diretamente ou pelas costas? Esse comportamento é um padrão em sua personalidade? As crianças não apenas se modelam segundo o modo como os pais a tratam, como também pelo modo como eles falam dos outros. Certos pais habitualmente criticam ou fazem comentários negativos a respeito da aparência, costumes e comportamento dos outros. Fazem observações grosseiras, ofensivas e agressivas sobre amigos, conhecidos e estranhos. As crianças tendem a moldar sua maneira de julgar segundo o que presenciam e observam no dia a dia.

Como pais, fazemos o possível para dar um bom exemplo aos nossos filhos e, às vezes, é doloroso acender uma luz forte dentro da gente para ver se, mesmo sem querer, estamos oferecendo a eles um exemplo que, de alguma forma, estimule-os à prática do escárnio. No Capítulo 11, há mais ajuda para pais de importunadores.

Uma Palavra sobre os Provocadores Bem Pequenos

Os deboches e as implicâncias entre as crianças têm inúmeras razões e infinitas variações. Mas é bom ter sempre em mente a idade do importunador quando se tenta determinar por que alguém anda atormentando seu filho. Pela minha experiência, crianças bem pequenas, de primeira série para baixo, freqüentemente provocam umas às outras sem nenhuma razão definida – pelo menos que elas tenham consciência ou que alguém possa apontar com certeza. Muitas, de fato, não se dão conta do poder das próprias palavras e ações. Seu escárnio, em geral, não pretende maltratar intencionalmente. Em certas situações, os pequenos nem sabem o significado das palavras que usam. Muitas vezes repetem o que ouvem os outros dizerem sem entender inteiramente o que querem dizer. Vi isso acontecer até mesmo com crianças mais velhas. Conheci um aluno de quarta série que chamava uma menina de "quenga", mas o termo não chegou a ofendê-la – ela achava que quenga era simplesmente beijoqueira.

Na minha opinião, esse tem grande chance de ser outro caso de crianças seguindo os maus exemplos que vêem. Precisamos dar ênfase à importância de estabelecer uma política de tolerância zero para a provocação maldosa em nosso próprio comportamento. Ao conversar com seu filho que vem sendo vítima de deboches e implicâncias, mostre ser inteiramente possível, se a criança que o atormenta é muito pequena, que ela não tem más intenções, caso em que a "mensagem em primeira pessoa" pode ser a resposta perfeita (veja o Capítulo 6).

Em suma, sempre é bom procurar descobrir com seu filho ou filha o porquê de uma determinada criança estar se comportando com maldade. Apesar de o motivo não servir de tolerância ou desculpa para a atitude da criança, entender a motivação do importunador costuma fazer com que o importunado veja a situação com outros olhos. Quando seus filhos entendem a motivação dos importunadores, adquirem mais certeza de que não têm culpa de nada.

Se alguém me chama de coisas feias, eu finjo que tenho uma raquete de tênis na mão e mando tudo para longe.

Cala a boca, sua boba.

4

Explorando a Provocação

Por Que Zombam de Seu Filho?

Cara Judy,

Meus filhos estão passando por uma fase muito difícil. O menino está na sexta série e a menina, na quinta. Os dois tinham muitos amigos até chegarem à quinta série. Eles sempre freqüentaram a escola católica, e eu gostaria que eles permanecessem lá, com o mesmo grupo de colegas, até a formatura da oitava série. Eu me sentia feliz por eles estarem cercados de tão boas amizades. Mas as coisas mudaram. O problema parece ter começado mesmo quando cada um deles chegou à quinta série. As crianças com as quais haviam tido uma convivência tão boa durante seis anos, de uma hora para a outra lhes viraram as costas. Meu filho sofreu várias humilhações quando os amigos o excluíram das brincadeiras e passaram a zombar dele por causa de tudo, desde a roupa que ele usa até uma lição de casa incompleta. Chegaram a ponto de chutá-lo durante um jogo de futebol e o espetarem com lápis.

Três das melhores amigas da minha filha lhe disseram, agora que chegou à quinta série, que não podem mais ser suas amigas porque ela não faz muito sucesso. Tive que ir buscá-la no colégio uns dias atrás tamanho o seu aborrecimento com o terceiro fora que levou.

Meus filhos são crianças dóceis. Meu marido e eu damos a eles muito amor e roupas boas. Eles praticam esportes, têm aula de música e de tudo que manifestam vontade de experimentar. Ainda assim, sinto que os estamos decepcionando. Não lhes demos o que mais queriam ou precisavam.

Como fiz vários cursos na área de psicologia na faculdade, aconselhei-os a, por exemplo, ignorar as gozações e provoca-

çoes, ou a dizer "e daí?" e não deixar ninguém perceber que a
situação os está perturbando. Falei também das vantagens de
adotar uma atitude construtiva e que não precisam de amigos
que tratem as pessoas desse jeito. Acho, no entanto, que nada
está adiantando. Estamos pensando seriamente em tirá-los do
colégio. Mas isso não seria ensiná-los a fugir dos problemas?
Estou extremamente abatida com tudo isso. Eu não fui uma menina do tipo popular e sempre fui alvo da provocação das outras
crianças; embora ache que acabei me fortalecendo com isso, fiquei
também meio amarga. Não quero que meus filhos cresçam com
essa dor. Como posso ajudá-los?

Cordialmente,

Tânia

Essa carta, como muitas outras que recebi ao longo dos anos,
expressa de maneira pungente a dor e a impotência que os pais sentem quando os filhos estão sendo molestados pelos colegas. Ela serve bem para ilustrar como a lembrança de os pais terem eles próprios
passado pela mesma situação pode intensificar suas reações negativas
ao ver os filhos sofrerem, fazendo crescer neles o desejo de intervir
com eficácia.

Se seu filho vem sofrendo algum tipo de deboche, mesmo que o
fato não tenha reaberto suas próprias feridas antigas, você quer "beijá-
lo e dizer a ele que vai passar". Infelizmente, um simples beijo em geral
não resolverá o problema porque a provocação pode se repetir. É preciso
descobrir exatamente o que e por que está acontecendo.

Trabalho Preliminar de Detetive

É óbvio que sua primeira fonte de informações será a criança que
volta para casa reclamando de estarem implicando com ela ou provo-
cando-a. O Capítulo 5 explica como se comunicar produtivamente com
seu filho sobre implicâncias, do fato em si e seu possível motivo até o
que os dois pais juntos podem fazer. Em muitos casos, contudo, só a
conversa com o filho não fornece todas as informações necessárias.

Brianna, uma menina da sexta série cuja mãe estava sendo chamada
de bêbada pelas outras crianças da classe, não magoaria a mãe por nada

neste mundo. Coube a sua mãe descobrir que a recente melancolia da filha se devia aos comentários traiçoeiros das colegas – e isso só foi percebido após uma persistente sondagem. Ela teve de conversar com a prima mais velha de Brianna, com quem essa se abria muito, para descobrir por que a filha parecia tão para baixo. Soube, então, que andava circulando entre as meninas a história de que ela vinha sendo vista toda hora entrando e saindo de bares durante o dia. Só que a mãe de Brianna era representante de vendas de um dos grandes fabricantes de refrigerante que abastecia toda a região dos bares; era seu trabalho visitar esses lugares. E mais, ela soube também que a líder das atormentadoras de sua filha era uma menina que havia concorrido e perdido para Brianna a eleição do grêmio estudantil, e que ouvira essa história da visita aos bares de seu irmão mais velho. Se a mãe de Brianna não tivesse procurado a sobrinha, nunca saberia o que estava acontecendo com a filha nem a origem do boato.

Nguyen, de 6 anos, voltou para casa chorando um dia, queixando-se de que todo mundo no parquinho implicava com ele e o chamava de nomes feios. Era só isso, porém, que ele dizia, apesar de o pai tê-lo pressionado, na tentativa de saber mais alguma coisa, alegando que "assim poderia ajudá-lo a resolver melhor o problema". Por fim, o pai do menino ligou à professora para perguntar se havia notado alguma coisa de anormal. Ela não sabia que o menino vinha sendo perseguido, mas podia dizer que Nguyen tinha o mau hábito de colocar o dedo no nariz, o que as crianças haviam notado. Sei de muitos casos de crianças hostilizadas por colocarem o dedo no nariz, um comportamento que as isola em qualquer idade. É claro que o menino sabia do que lhe chamavam, mas teve vergonha de contar ao pai.

Danielle não economizou informações quando os pais lhe pediram para falar do escárnio de que vinha sendo vítima há duas semanas. Puderam saber exatamente o que seus atormentadores diziam, quem eram, em que circunstâncias a aborreciam, quem presenciava a cena e qual era sua reação, em termos de palavras e atitudes. O que eles não sabiam é que a menina que eles pensavam ter ensinado tão bem a gostar de si mesma estava sumindo na sombra da irmã mais velha, excelente aluna do ensino médio e campeã de patinação no gelo – e, segundo Danielle, "mais bonita que Britney Spears". Em tudo que se comparava à irmã, Danielle ficava para trás. Passou então a desenvolver o mesmo sentimento em relação às colegas de classe: achava que todas eram "legais" e ela, uma "nerd". Não demorou muito para que as meninas concordassem e, então, uma delas começou a atormentá-la com os defeitos que a própria Danielle via em si mesma.

Em todos esses casos, a história que a criança contou aos pais estava incompleta. Nguyen contou ao pai que andavam implicando com ele, sem contudo explicar o motivo. Danielle relatou aos pais todos os detalhes das provocações que vinha sofrendo, mas não revelou como ela mesma se colocava em posição vulnerável, uma vez que não conseguia ver a situação com muita clareza. Já Brianna não conseguiu nem mesmo dizer à mãe como estava sendo tratada: só demonstrava uma mudança acentuada de humor e de atitude. Se o pai de Nguyen não tivesse conversado com a professora, não teria conseguido ajudá-lo a interromper seu mau hábito. Se a mãe de Brianna não tivesse pedido ajuda à sobrinha, jamais saberia que a filha estava sendo atormentada. Se os pais de Danielle não tivessem se disposto a observar seu comportamento em diversas situações, jamais teriam convocado a irmã mais velha para colaborar no esforço concentrado de reforçar a auto-estima de Danielle.

Às vezes, os pais precisam fazer um certo trabalho de detetive para ficar a par da história toda e buscar uma solução para o problema. Se você acha que sabe o suficiente para ajudar seu filho, passe direto para o Capítulo 6 e comece a exercitar as técnicas de defesa contra a provocação, que podem contribuir para ele enfrentar melhor a situação. Caso as estratégias não sirvam para encerrar as provocações ou para ajudar seu filho a lidar com elas, volte e investigue o motivo de seu filho ter sido escolhido como alvo. Há vários caminhos para a exploração.

Conversar com a professora (ou com o monitor do acampamento, a professora de balé, o treinador do time...)

Quando é o caso de ir falar com a professora (ou com qualquer adulto responsável pelo grupo em que a importunação está ocorrendo)? Entrar em contato com a professora pode ser a primeira coisa que você pense em fazer – ou a última, dependendo das personalidades envolvidas e de um amplo leque de variáveis. Em geral, os pais procuram os outros para conferir o problema quando um filho se queixa muito de ser vítima de algum tipo de perseguição e quando sentem que a sensação de impotência ou o estresse da criança estão aumentando. Se seu filho está exibindo os sintomas já descritos antes aqui no livro – tentando evitar ir ao colégio, reclamando de dores físicas, demonstrando mudanças de humor ou desejo de fazer outras coisas – você vai querer tomar algum tipo de providência e, para muitas pessoas, a professora, ou quem quer seja, é por onde a busca de informações deve começar.

Antes de tentar essa tática, porém, pense nos sentimentos do seu filho. Crianças mais velhas em geral têm horror de ver seus pais entrarem em contato com a professora, por qualquer que seja o motivo. Detestam a perspectiva de atrair mais atenção para si mesmas do que já estão atraindo. Ou temem que a notícia do telefonema dos pais à professora chegue aos ouvidos do autor do escárnio e só contribua para piorar ainda mais as coisas. É possível que eles vejam isso como sinal de delação e receiem ficar parecendo ainda mais desprezíveis. Caso sua intenção se limite a solicitar à professora que o ajude a entender a situação, sem pedir sua intervenção, é possível procurá-la sem seu filho saber; só você pode decidir. Alguns pais, no entanto, relutam em levar a situação ao conhecimento do colégio quando o filho implorou que não contassem nada a ninguém. Caso julgue importante conversar com as autoridades do colégio, diga-o a seu filho – enfatizando se tratar de uma busca de informação, não de delação. Também é possível pedir ao diretor ou à professora que preserve o anonimato de seu filho.

Antes de entrar em contato com a escola, pense no que você sabe sobre a professora, sobre a filosofia do colégio e em como se relaciona com ambos. Você já teve algum contato com a professora? Ela se colocou à disposição dos pais para prestar esclarecimentos? Qual foi sua receptividade quando precisou dela no passado? As questões de socialização são uma preocupação da escola? Os funcionários demonstram interesse nesse tipo de problema? Costumam tomar medidas preventivas e antecipadas com vistas ao estabelecimento de uma atmosfera acolhedora e de um clima de aceitação e tolerância dentro da escola?

Se a resposta for "não" para alguma ou para a maior parte dessas perguntas, é possível que você não obtenha a resposta que está esperando do contato com a professora. Mesmo na melhor das hipóteses, não há garantia de que o adulto a quem procurar para conversar, seja ele quem for, levará o problema a sério. Muitos adultos, inclusive professores e o pessoal administrativo, acreditam que a provocação se enquadre na categoria "crianças são crianças" e que faz parte da vida de todas elas. Talvez achem que as crianças precisam elaborar essas situações sem a ajuda dos adultos. Outras podem simplesmente responder que não observaram nada do que você lhes está descrevendo. O que fazer caso tope com um muro à sua frente? Naturalmente, é preciso buscar outras fontes de informação, como as descritas a seguir.

Em uma situação ideal, porém, a professora – ou o adulto que for – acolherá sua dúvida, explorará a situação junto com outros funcionários da escola e, com toda discrição, falará com as crianças envolvidas. Para começar com o pé direito, a primeira coisa é ligar para a professora em uma hora conveniente ou deixar uma mensagem pedindo-lhe que ligue quando puder. Muitas escolas têm sistema *on-line*, e mandar um e-mail dá a professora a chance de se preparar para conversar com você por telefone ou em um momento posterior.

Basicamente, você quer saber se a professora observou algum dos incidentes que seu filho descreveu. É muito importante evitar qualquer insinuação de que você esteja ligando para colocar a culpa no adulto encarregado de supervisionar seu filho. Adote uma atitude que demonstre sua intenção de somar esforços para resolver o problema. Uma possibilidade é dizer: "Estou preocupada com uma situação que Jackie me contou ontem, de um colega que, ao que tudo indica, fez comentários sobre sua dificuldade de aprendizado. Gostaria que me ajudasse a entender o que está acontecendo." Pedindo ajuda, você evita fazer qualquer insinuação de que o adulto responsável não deu atenção ao problema. Dizendo que está interessada em entender a situação, em vez de exigir a interrupção do problema, você oferece ao adulto a oportunidade de dar sua opinião, que talvez você não ouvisse se não fosse assim.

A sra. Graziano estava muito preocupada com uma situação sobre a qual o filho de 8 anos havia comentado com ela. Carlo vai à enfermaria todos os dias logo antes da hora do lanche para tomar medicação contra distúrbio de déficit de atenção e hiperatividade. Ele disse à mãe que um menino da turma o zombava pelo fato de ter de tomar remédio todo dia. A mãe ligou para a professora de Carlo para manifestar suas preocupações e procurar entender a situação. A professora se comprometeu a pedir às supervisoras do recreio que ficassem atentas e observassem Carlo e os colegas. Prometeu, também, entrar em contato com a enfermeira do colégio, que poderia conversar com o menino sobre a situação, agradeceu à sra. Graziano por colocá-la a par do problema e pediu que voltasse a telefonar caso a queixa continuasse.

Embora seja importante não colocar a professora, ou o adulto que for, na defensiva, diga com firmeza que você está investigando a situação, porque essa provocação faz seu filho sentir-se emocionalmente inseguro. Se ele alega ter medo de andar na condução escolar, mencione esse fato. Se volta para casa com fome porque joga fora a maior parte do lanche para poder sair logo da cantina, não deixe de relatar isso também. Caso ande recebendo maus-tratos, comunique à professora.

A provocação ocorre muito mais comumente fora da sala de aula, o que faz com que algumas professoras não tenham a menor ciência das queixas da criança de perseguição "na escola". Nesse caso, procure saber da professora se ela pedirá a colaboração das supervisoras ou monitoras da cantina e do recreio para observar o que acontece nesses ambientes. Se nenhuma tiver percebido algum comportamento importunador específico, a professora deverá pedir-lhes que observe atentamente as interações entre os colegas da criança. A provocação pode se dar durante a educação física, quando as atividades de aula são menos estruturadas. (As crianças mais velhas são com muita freqüência atingidas por atitudes de provocação na área dos vestiários e banheiros.) Muitas vezes, o professor de educação física pode ser uma fonte valiosa de informações. Pergunte à professora, por exemplo, se ela pode conversar com o professor de educação física, ou se é melhor você ligar para ele. Outra possibilidade é pedir ajuda à orientadora educacional ou à coordenadora do colégio, para que esta converse com a professora.

Esteja aberto para o que quer que venha a ouvir da professora e de outros funcionários do colégio. Embora seja incomum, você pode acabar descobrindo que seu filho não está sofrendo provocação alguma. Annie, aluna de terceira série, voltava do colégio todo dia reclamando de várias colegas que a deixavam de lado e ficavam falando de seu peso e de seu defeito na perna. Queixava-se de ficar sozinha na hora do recreio. Sua mãe se aborreceu, com toda razão, mas não sabia o que fazer. Ligou várias vezes para a professora e para mim para falar da situação da filha. Depois de muita exploração e acompanhamento na escola, percebemos que Annie estava inventando e exagerando a situação. Por que razão? Parecia ser uma maneira de chamar a atenção da mãe, que andava muito ocupada com o trabalho, e, além disso, havia assumido inclusive compromissos à noite como voluntária. A menina sentia falta da mãe e se sentia meio "de lado". Achou que reclamando de sua situação social atrairia sua preocupação e chamaria sua atenção.

A mãe de Annie aborreceu-se bastante quando ouviu as queixas da filha, insistiu que o colégio tomasse providências e mostrou-se relutante em dar o assunto por encerrado mesmo depois de ter todas as provas de que o caso havia sido investigado com toda atenção e que as queixas da menina não procediam. Por quê? Porque tinha lembranças desagradáveis de ter sido muitas vezes deixada de lado pelas amigas quando estava no primeiro ciclo do ensino fundamental. Portanto, ao decidir procurar a professora ou alguém responsável, lembre-se de que o resultado da descoberta pode, de alguma forma, trazer-lhe algum desconforto. As notícias surpreendentes podem ser mais fáceis de receber se você tiver em mente que sua prioridade número um é ajudar seu filho. A mãe de Annie justificou seu constrangimento dizendo a si mesma que ela só estava tentando ser uma boa mãe e tomando a decisão de ver o que poderia fazer para que a filha sentisse que ela lhe dava atenção.

Investigando a Cena do "Crime"

Não há nada como ver as coisas por si mesmo. Certos pais levam esse preceito ao pé da letra, e decidem observar diretamente as interações do filho, no ambiente em que ele relata ocorrer a provocação. Não é tão incomum os pais aparecerem na escola durante o recreio para constatar por si mesmos se e como os filhos estão sendo importunados.

Independentemente de o pai ou a mãe se esconder atrás da cerca ou se postar no meio da área de recreação, é praticamente certo que vai atrair atenção indesejada para o filho. "Sua mãe quer brincar com você no recreio?", as outras crianças podem perguntar. Em praticamente todos os casos, isso só faz piorar o problema.

Por outro lado, uma mãe, extremamente frustrada com a passividade da escola diante de um problema de provocação a que o filho de 6 anos vinha sendo exposto na condução escolar, acabou resolvendo servir de motorista do ônibus durante alguns dias e se confrontou com a criança mais velha que o vinha atormentando. Falou com ela sem se exaltar, mas em um tom firme e impositivo. O problema não se repetiu mais; obteve-se um final feliz, mas poderia muito bem ter piorado a situação o filho. É um tipo de intervenção que pode funcionar como último recurso, mas aconselho a tentar outros caminhos antes de optar por esse.

Observando a Criança em Outros Ambientes

Os pais de Danielle acreditam fazer tudo certo. Haviam ensinado a filha menor a ser ela mesma e a não aceitar nem compactuar com a impiedade. Ela havia aprendido o mandamento: "não faças aos outros o que não quer que te façam" e parecia usá-lo em suas interações com as outras crianças; sabia quando e como pedir a ajuda de adultos. É por isso que se mostrou tão disposta a colaborar quando passou a ser atormentada. O que deixou seus pais perplexos foi não saber por que a menina estava sendo importunada. A professora não tinha explicações, e aquilo nunca havia acontecido antes. Quando lhes perguntei se alguma coisa havia mudado em casa que pudesse afetar a maneira de Danielle agir com os outros, a resposta foi negativa. Sugeri então que eles se dedicassem um pouco a observar a filha discretamente. Foi quando notaram que Danielle vinha fazendo pouco de si mesma, de uma maneira que jamais haviam visto antes: "Eu não consigo dar aquela virada no gelo – só Beverly consegue", "Desculpa por eu ter tirado B em ciências. Acho que nunca vou tirar A em tudo como a Beverly", "Por que vocês não pedem à Beverly para fazer a leitura na igreja? Afinal, ela que é boa nisso".

Danielle havia manifestado interesse em fazer o curso de babá oferecido pelo colégio depois das aulas. Os pais acharam uma boa idéia. Imaginaram que a responsabilidade de tomar conta de crianças pequenas faria bem a ela. Compraram-lhe também um diário, para que anotasse todo dia as coisas que, segundo ela mesma, tinha feito bem durante o dia. Muitas crianças começam a se sentir melhor em relação a si mesmas quando vêem tudo o que conseguiram realizar de bom ao longo de um período. (Recomendei essa técnica para crianças pequenas também, aconselhando que a lista fosse afixada na porta da geladeira para servir de lembrete visual e como um reforço a mais.) Os pais de Danielle também a incentivaram a fazer todos os dias, por 15 minutos, alguma coisa de que ela gostasse muito.

Observar como seu filho se comporta em ambientes diferentes daquele em que a provocação ocorre pode fornecer bons indícios do motivo do problema. Preste atenção em como ele se comporta com outras crianças. É desenvolto, seguro de si? Ou mostra-se tímido e retraído? É voluntarioso ou condescendente? Transigente ou intolerante? Cordial ou agressivo? Sempre temos uma propensão favorável em relação a nossos filhos e precisamos nos esforçar para vê-los objetivamente, sem noções preconcebidas. Se, de fato, você não souber ao certo se consegue vê-lo como realmente é, experimente perguntar a um amigo ou parente como acha que seu filho interage com os outros, deixando bem claro que quer uma resposta sincera porque está tentando ajudá-lo a resolver um problema difícil.

Como seu filho se relaciona com os irmãos e outros membros da família? Prevalece um equilíbrio de poderes confortável ou uma luta constante? Há uma comunicação aberta entre todos ou uma hostilidade silenciosa? Zombam de seu filho em casa? Ele debocha dos irmãos ou irmãs?

Seu filho possui algum mau hábito que tenha adotado aparentemente sem consciência? Tem bons modos à mesa? Solta gases, arrota ou coloca o dedo no nariz na frente dos outros? Você precisa lembrar-lhe de sua higiene pessoal ou ele se responsabiliza por ela?

Seu filho se expressa dentro de um padrão próprio para sua idade e para o ambiente em que está? Ou tem tendência a interromper os outros, a rir alto, a fazer barulhos estranhos, a repetir sempre as mesmas piadas de mau gosto?

Ele se comporta sempre do mesmo jeito com todas as crianças ou você nota alguma diferença em função da idade ou sexo dos outros. Ele trata do mesmo jeito amigos novos, amigos antigos e crianças que lhe são estranhas? Ele se sente igualmente bem nessas situações e em casa, com a família?

Quando você leva seu filho à aula de futebol ou ao grupo de escoteiros, ele corre ao encontro dos colegas ou vai andando devagar, com resistência? As crianças se aproximam dele ou o deixam sozinho? Em casa, os vizinhos o procuram e o chamam para brincar ou é ele quem toma essas iniciativas?

Como ele se comporta no ônibus escolar? E na prática de esportes? E enquanto fica no banco, durante um jogo? E quando há outras crianças em casa?

Pode ser que suas observações não lhe tragam revelações, mas muitos pais começam a ver seus filhos sob um novo ângulo quando fazem um esforço concentrado para analisar seu comportamento, mais do que poderiam admitir. Pode ser que você veja alguma coisa antes despercebida, ou note alguma mudança de comportamento que não estava acostumado a ver. Qualquer modificação dos hábitos da criança ou em sua rotina diária pode indicar estresse. E pode lhe dar uma idéia do papel que ela representa dentro do contexto de provocação da qual se queixa.

Falando com Parentes e Amigos

Às vezes, avós, tios e primos podem lhe apontar uma nova perspectiva sobre o comportamento do seu filho. Por outro lado, talvez estejam ligados demais a ele para vê-lo com objetividade. Mas se você tem uma relação aberta e sincera com qualquer uma dessas pessoas, pode valer a pena perguntar como vêem seu filho – se ele faz alguma coisa que possa ser motivo de provocação ou se notaram nele alguma mudança recente de comportamento. Assim como fez a mãe de Brianna, procure alguém que seja próximo dele para tentar descobrir se algo o está perturbando. Ou converse com a pessoa que vê seu filho em situações em que há outras crianças presentes. Quem sabe sua sogra busque sua filha no colégio e a leve à aula de natação duas vezes por semana. Ou talvez seu pai fique com seu filho aos sábados e possa observá-lo brincar com os vizinhos. Pergunte como essas pessoas vêem seus filhos e talvez você consiga reformular de alguma forma a interpretação que faz deles.

Conversando com os Colegas do Seu Filho

Já houve casos de pais que me perguntaram se deviam perguntar aos colegas do filho sobre as possíveis razões de o estarem amolando. Em geral, aconselho a não fazer isso. Uma exceção pode ser um amigo antigo da família em cuja lealdade é possível confiar e que conheça bem seu filho. Em outros casos, porém, você pode estar sujeitando seu filho a uma humilhação ainda maior. Ele pode muito bem ver essa intervenção como traição da confiança entre vocês dois. A inibição própria das crianças e sua auto-estima muitas vezes baixa tornam essa tática particularmente arriscada para a faixa etária dos 7 aos 13 anos.

Procurando os Pais dos Importunadores

Certas vezes, os pais querem ir diretamente à fonte, ou seja, aos pais da criança que, supostamente, está importunando seu filho. Chamo atenção para o risco que essa medida envolve, porque muitos pais de crianças que atormentam e perseguem as outras são, eles mesmos, verbalmente muito agressivos. Os pais dos importunadores tendem a negar o problema e, quase sempre, projetam a culpa sobre o importunado. Podem dizer: "É seu filho que atormenta o meu. Ele que é prepotente. Por que seu filho não se afasta de vez?"

Esse tipo de resposta pode ser obtido mesmo quando se tenta evitar ao máximo a confrontação ao conversar com os pais do importunador. Naturalmente, os pais não gostam de ouvir que o filho pode ter cometido algum ato de maldade em relação à outra criança, e certas pessoas são instintivamente defensivas. É, portanto, de suma importância começar a conversa dizendo: "Estou muito preocupado com uma situação que meu filho está vivendo e preciso da sua ajuda para enfrentá-la." E aja, então, como faria com a professora – sem fazer acusações e exigir explicações ou soluções, mas, sim, perguntando se o pai está a par da situação e se pode oferecer alguma luz para esclarecê-la. Pode ser que você só receba uma negativa e, se o pai ou a mãe não oferecerem nenhuma outra ajuda, que o assunto termine por aí. Caso, porém, você já tenha alguma relação boa, ou pelo menos cordial, com esses pais, alimente a esperança de não apenas descobrir o que está acontecendo, como de que eles acabem servindo de mediadores para seu filho. Há pais que, inclusive, agradecem por tomar conhecimento do comportamento do filho.

Uma mãe me disse que sua filha Hannah, aluna de quarta série, com problemas de fala e dicção e dificuldade de recordar palavras, estava sendo ridicularizada havia vários dias por Jeremy, que era novo na classe. Ele se aproximava dela e dizia apenas: "humm, humm, humm..." Hannah ficava muito chateada, mas não contava com habilidade verbal e segurança suficientes para reagir com firmeza. Sua mãe ligou para a de Jeremy pedindo ajuda para que a filha pudesse freqüentar a escola sem o medo que se apoderara dela. Tentou sensibilizá-la como mãe, na esperança de que a mãe de Jeremy entendesse e colaborasse. Esta agradeceu o telefonema e disse que conversaria com o filho sobre a situação. Mais tarde, no mesmo dia, passaram na casa de Hannah trazendo-lhe um sorvete, a título de pedido de desculpas.

Quando o Comportamento do Seu Filho é a Causa da Provocação

Reitero aqui que, sob hipótese alguma, considero que a importunação intencional e maldosa tenha desculpa. A maldade não é nunca aceitável, e tanto faz o que a criança esteja fazendo para provocar o escárnio. Entretanto, às vezes, o comportamento das crianças atrai a zombaria dos outros e pode ser mudado. Eis alguns exemplos muito comuns que encontrei – e sugestões sobre como lidar com eles.

Comportamento Socialmente Inaceitável

Seu trabalho de detetive pode trazer à tona alguns comportamentos que convidam à provocação. Crianças com aparência suja e desleixada, com odor no corpo e sem modos à mesa, sujeitas a "chiliques" ou descontroles emocionais são alvos comuns de zombaria, da mesma maneira, meninos que se comportam como crianças pequenas, como uma de terceira série que chupava dedo. Conheci várias crianças que sofriam debóches por colocarem o dedo no nariz. Um menino de 11 anos com obsessão em relação a esse mau hábito acabou ficando alienado, excluído e cunhado de observações negativas.

Conheci um menino de 7 anos que, certo dia, foi para o colégio com as unhas pintadas de vermelho. Alguns colegas fizeram comentários desagradáveis que o abalaram. Ele deveria se adaptar à norma geral de que meninos não usam esmalte vermelho ou deveria insistir naquela expressão particular de sua individualidade? A resposta deve se basear em como repercutem nele os comentários e as observações e em quanto ele gosta de unha vermelha.

Danny, de 11 anos, trouxe para o colégio a lancheira da irmã de 5 anos porque perdera a sua. Embora não se saiba ao certo se foi esse o motivo das gozações que levou, acredito que a figura da Barbie em uma lancheira cor-de-rosa poderia dar ensejo a comentários dos colegas de quinta série.

Jake, de 8 anos, era extremamente competitivo e se descontrolava toda vez que perdia um jogo ou que as coisas não saíam do seu jeito. Debochavam dele e o apelidaram de "garoto-vulcão".

Sou francamente favorável ao respeito à individualidade e às diferenças e insisto que a criança não ceda à pressão dos colegas. No entanto, é importante avaliar se o comportamento da criança é inadequado ou se ele se situa fora do âmbito das expectativas "normais". Seu filho se incomoda com comentários sobre a diferença? Muitas crianças pequenas querem sentir que pertencem a um grupo mais amplo. Embora possam ter diferenças individuais, querem achar que são parecidos com os colegas em muitos aspectos. Enquadrar-se nas normas dos colegas se torna mais importante com o avançar da idade. As crianças, muitas vezes, suprimem certos traços individuais quando determinadas qualidades ou tendências são valorizadas pelo grupo de amigos. Dá-se um equilíbrio delicado entre a adaptação ao grupo e a manutenção da própria individualidade e singularidade.

Lev, de 8 anos, chamava a atenção dos colegas de classe. Normalmente usava calça de moletom e camiseta que pareciam pequenas para ele. Sua roupa contribuía para que os colegas o vissem como "diferente". A professora que lhe dava aula de inglês para estrangeiros conseguiu explicar aos seus pais com imparcialidade, sem emitir julgamentos, que talvez usar jeans e camisetas um pouco maiores o fizessem se sentir mais parecido com as outras crianças. Percebi que muitos pais de outra formação cultural não se dão conta do "estilo" dos colegas dos filhos. Há pais que recebem bem sugestões desse tipo, enquanto para outros a questão é totalmente desprovida de importância.

O menino Charlie, de 7 anos, apresenta incapacidade de aprendizado não-verbal, o que lhe dificulta a leitura de mensagens sociais dos colegas. De fato, ele achava graça quando algumas crianças o chamavam de "bafo de onça". Sua mãe se preocupava porque ele dizia que ficava sozinho no recreio e que os colegas nunca o chamavam para brincar. Quando foram discutidas preocupações sociais em uma reunião de pais e mestres, a professora mencionou à sua mãe que talvez Charlie não estivesse escovando os dentes de manhã. Ela notou seu mau hálito, aparentemente o motivo do apelido. A partir de então, a mãe passou a fiscalizar se ele escovava os dentes e bochechava com enxaguante bucal antes de ir para o colégio. No caso de Charlie, ele, ao que tudo indica, gostava da atenção que lhe davam quando o chamavam de "bafo de onça", mas sem dúvida lhe era muito mais proveitoso, dentro de uma perspectiva de tempo mais duradoura, escovar bem os dentes antes de ir à escola.

O que os pais podem fazer para ajudar os filhos a mudar um comportamento problemático

Ajudar uma criança a cessar um comportamento pelo qual esteja sendo perturbada pode ser complicado e requer pelo menos duas etapas:

1. Informar à criança que seu comportamento é a causa do escárnio alheio, mas que ele pode ser mudado.
2. Encontrar uma maneira de ajudar a criança a se lembrar de não repetir o comportamento.

A primeira exige uma certa diplomacia, e o Capítulo 5 aponta algumas diretrizes que podem ser úteis. Quanto à segunda, trata-se de uma área em que a professora pode colaborar, embora tudo dependa da idade da criança e do seu relacionamento com a professora. Mesmo quando querem mudar, certos alunos não reagem bem às sugestões que a professora dá nesse sentido. Para alguns, pode surtir efeito deixar bilhetes em cima de sua carteira.

Outros comportamentos podem ser mais prontamente corrigíveis em casa. Problemas do tipo maus modos à mesa – falar de boca cheia, pegar a comida com a mão em vez de usar o talher, fazer muito barulho enquanto mastiga – se enquadram nessa situação. Exija que todos à mesa do jantar façam uso de boas maneiras e recompense seu filho por fazer o mesmo. No caso de crianças muito pequenas, você pode fazer brincadeiras, como Mestre Mandou, ou jogar o "jogo das boas maneiras", para conscientizar a criança sobre os bons modos e incentivar seu uso.

Quando as crianças são rotuladas

É natural esperar que, se e quando o comportamento mudar, o mesmo acontecerá com a zombaria. Contudo, nem sempre é assim se a criança tiver criado essa imagem de si mesma. Às vezes, é duro mudar a percepção incorporada à mente dos colegas da criança. E pode ser mais difícil ainda em colégios pequenos. Sei de uma orientadora educacional que trabalha em uma escola muito pequena. Disse-me ela que um aluno de quinta série ainda era perseguido por uma coisa muito constrangedora que havia feito no terceiro ano. Infelizmente, a reputação da criança parece acompanhá-la. A explosiva, que se descontrola sempre que é contrariada, pode aprender, com o tempo, a manifestar sua raiva mais contidamente, mas pode acontecer de as outras crianças continuarem a deixá-la de fora das brincadeiras por causa de seu comportamento temperamental. Se isso aconteceu com seu filho, veja no Capítulo 6 estratégias que podem ensinar a criança a não deixar pequenos aborrecimentos a afetarem tanto. Nesse ponto, o humor autodesaprovador pode ajudar muito. As crianças que conseguem abandonar o comportamento anti-social e, além disso, conseguem fazer graça dos próprios erros antigos conquistam a admiração dos colegas e o rótulo rapidamente desaparece.

Uma Pessoa em Casa e Outra na Escola – "o Médico e o Monstro"

Às vezes, as crianças se comportam de modo completamente diferente quando estão longe de casa e, por isso, os pais não fazem a menor idéia de que estão fazendo algo que causa tamanha provocação. Havia uma situação, por exemplo, em que a mãe não dava muito crédito às preocupações sobre o comportamento do filho manifestadas repetidas vezes pela professora em reuniões e através de telefonemas. Segundo a professora de segunda série, a agressividade do menino fazia os colegas se afastarem. A mãe insistia em jamais ter visto nele o comportamento descrito pela professora. A professora resolveu então convocar a mãe como acompanhante em uma excursão da classe. Os protestos do menino eram inegavelmente espalhafatosos quando as coisas não saíam do seu jeito, queria ser sempre o primeiro da fila e interrompia constantemente os outros com comentários que, no fundo, só revelavam sua necessidade de chamar atenção para si mesmo. A mãe constatou aquilo que a professora presenciara durante tantos meses.

Nesses casos, outra perspectiva pode ser de grande valia. Quem não se sente inclinado a aceitar a palavra da professora em relação ao comportamento do filho pode pedir auxílio a uma terceira pessoa que esteja em condições de observá-lo com objetividade.

Deficiências e Diferenças

A maioria dos pais já prevê que terá problemas quando o filho é portador de alguma deficiência ou algum tipo de diferença. Se você receia que essas características de seu filho vão atrair o escárnio das outras crianças, haja preventivamente. A mãe de um menino com síndrome de Tourette temia que pegassem no pé dele por causa de seus tiques faciais, e pediu à professora que conversasse com a classe sobre essa sua preocupação. A professora atendeu à solicitação e assim preparou os colegas, aplacando-lhes a perplexidade e a curiosidade a respeito dos tiques e ruídos guturais do menino. Com a permissão dos pais, as informações foram também enviadas aos pais dos alunos, para que eles pudessem tirar as dúvidas dos filhos. A mesma atitude preventiva foi adotada na segunda série em relação a uma criança que começara a usar prótese por ter nascido sem um braço.

O Comportamento do Seu Filho... ou o Seu?

Por mais duro que possa ser ver o próprio filho como ele é, com todos os seus defeitos, é mais duro ainda perceber que seu próprio comportamento pode estar causando problemas para a criança. Gerry era alvo de zombarias constantes por parte dos colegas de quarta série por fazer freqüentes menções à própria inteligência, mas sempre solicitava a ajuda da professora e não demonstrava independência para realizar as tarefas de classe. Acontece que seus pais haviam lido muito sobre crianças superdotadas e achavam que a filha se enquadrava nesse perfil, embora também sempre tivessem que auxiliá-la com os deveres de casa. De fato, ela nunca conseguia fazer as lições sem a assistência de algum dos pais. Gerry desenvolvera o que chamamos de *impotência aprendida*. Fosse qual fosse seu QI, eram pequenas as chances de ela colher os verdadeiros frutos de sua inteligência enquanto não melhorasse sua auto-estima. Sem isso, ela continuaria expondo-se ao desdém dos colegas ao exaltar seu talento, mas desmentindo-se com as próprias atitudes.

Jamie estava na quinta série e todas as suas colegas tinham autorização para voltar a pé sozinhas para casa, menos ela. A mãe aparecia na porta da classe todo dia para buscá-la e acompanhá-la na caminhada de volta para casa. Chegava até mesmo a aparecer no colégio no meio da aula com um casaco para a menina quando o tempo esfriava. Se a filha tivesse um resfriado mínimo, a mãe lhe trazia algo quente na hora do lanche para substituir o sanduíche. Jamie, como Gerry, havia se tornado vítima da impotência aprendida, pedindo sempre muita ajuda à professora e dependendo da mãe para trazer lições de casa esquecidas. Jamie já havia comentado com a mãe que as crianças não gostavam dela e que sempre ficava sozinha durante o recreio. A mãe, porém, resolveu ligar para o colégio quando a filha passou a se queixar de ser chamada de "bebê" pelos colegas e de lhe perguntarem onde estava a mamadeira na hora do lanche. Ficou então mortificada de ver que estava causando problemas à filha com sua superproteção. Sabia que, em alguns momentos, não conseguia se controlar; por ser sua única filha, preocupava-se demais com a saúde e a segurança da menina. Elaboramos um plano para que a mãe de Jamie diminuísse gradualmente sua atitude superprotetora, reduzindo o número de dias em que ia buscá-la no colégio, até que mãe e filha adquirissem segurança de que Jamie podia voltar sozinha. A mãe parou também de ir ao colégio no horário de aula. Demorou um pouco, mas as outras crianças começaram a aceitar melhor a colega quando a mãe deixou de ficar sempre tão perto, permitindo que a filha se responsabilizasse mais por si mesma.

Quando a Baixa Auto-Estima do Seu Filho é a Causa da Provocação

Parte do seu trabalho de detetive, principalmente se seu filho é um alvo freqüente – e não esporádico – da provocação de outras crianças, pode requerer uma avaliação de como seu filho se sente em relação a si mesmo, de modo geral. Crianças que se sentem bem consigo mesmas não são alvos fáceis; as de baixa auto-estima muitas vezes são. Sem dúvida será preciso enfrentar a questão da galinha e do ovo. Se seu filho demonstra baixa auto-estima, seria porque fizeram pouco dele e o ridicularizaram, ou porque alguma percepção negativa de si mesmo anterior fez dele um alvo vulnerável?

Procure descobrir se seu filho está sofrendo de baixa auto-estima em geral, porque a zombaria pode piorar muito a noção que a criança tem de si mesma. Uma criança que não se sente bem em relação a quem é e acredita que haja algo de errado consigo pode acreditar em tudo que os outros digam dela. É como se interiormente estivesse machucada: as palavras maldosas funcionam como sal sobre a ferida. A grande questão é saber se você consegue ver se isso está acontecendo com seu filho. Para os próprios pais, costuma ser difícil ver os filhos com objetividade, porque suas lentes são distorcidas, aumentadas ou coloridas de cor-de-rosa.

Um profissional objetivo pode enxergar a situação com mais nitidez, mostrar o que vê e apontar direções. O pediatra, a orientadora educacional do colégio, a coordenadora ou psicóloga são profissionais que podem ajudar caso você não consiga encontrar resposta para perguntas como essas:

- Seu filho reconhece os próprios talentos e se orgulha quando faz sucesso, ou vive fazendo pouco de si mesmo?

ELIMINANDO PROVOCAÇÕES

- Ele aceita bem ou recusa elogios?
- Sente-se quase sempre inseguro ou ansioso?
- Como ele lida com as frustrações e aborrecimentos?
- Como se sente em relação a si mesmo dentro da família e em meio aos amigos?
- Ele vê a vida através de uma lente negativa?

O profissional poderá auxiliar a determinar as razões da baixa auto-estima, se achar que ela é um problema do seu filho.

No que tange a problemas de comportamento que podem estar dando ensejo às provocações, contudo, você pode começar a investigar por conta própria. Compare as descrições a seguir e analise qual é a mais apropriada para o seu filho:

Crianças com auto-estima elevada

- Sentem-se bem como são.
- Costumam ser seguras de si mesmas e se orgulham das próprias realizações – não se vangloriam, não se exibem, não demonstram vaidade nem se sentem superior aos outros, e, sim, se orgulham dos feitos dos outros tanto quanto dos próprios.
- Sabem das próprias limitações e pontos fracos e percebem com realismo seus talentos e qualidades.
- Conseguem se responsabilizar pelos próprios atos – positivos ou negativos.
- Conseguem aceitar sucessos e fracassos.
- Têm uma atitude de "acho que consigo" e se sentem motivadas a continuar quando são bem-sucedidas.
- Dão valor ao que são.

Crianças com baixa auto-estima

- Sentem e acreditam que não serão bem-sucedidas
- Possuem sentimentos e pensamentos negativos sobre si mesmas: "Sou um bobo", "Sou feio", "Sempre perco", "Ninguém gosta de mim", "Não faço nada direito". Quanto mais negativos os sentimentos, mais baixa a auto-estima.

Explorando a Provocação   73

- Sempre hesitam quanto a tentar novas experiências ou enfrentar novos desafios, têm medo de assumir riscos e muitas vezes têm dificuldade em admitir erros.
- São de modo geral inseguras, duvidam de si mesmas, sentem-se desprovidas de valor e inferior aos outros.
- Podem ser tímidas ou muito agressivas.
- Têm dificuldade em desculpar a si mesmas e em aceitar elogios.
- Às vezes, fazem pouco dos outros para se sentir melhor em relação a si mesmas.
- Costumam se comparar desfavoravelmente em relação aos outros.

Todos nós, em determinados dias, não gostamos de alguma coisa em nós mesmos. A pessoa com baixa auto-estima tem essa sensação praticamente o tempo todo. Se seu filho é pré-adolescente, porém, lembre-se de que as crianças dessa idade podem ser muito instáveis, gostando de si mesmas um dia e sentindo-se inseguras e cheias de dúvidas no dia seguinte. Isso pode não ter nada a ver com seu grau de auto-estima.

Para determinar o grau de auto-estima de seu filho, a professora pode contribuir bastante. Por que não procurá-la, seguindo os conselhos dados anteriormente, neste capítulo, sobre a maneira de abordar os professores? Não se esqueça, no entanto, de que a professora que detecta um problema de auto-estima em uma criança costuma mencionar esse fato nos relatórios de avaliação enviados aos pais ou na reunião de pais e mestres. Toda criança que não se sente bem em relação a si mesma apresenta sintomas dentro do ambiente escolar: falta de confiança em sua capacidade acadêmica, dificuldade de tomar decisões, dificuldades freqüentes ou crônicas em interagir com os colegas, dificuldade com trabalho independente, necessidade de ser excessivamente orientada e instruída, hesitação em relação a correr riscos e queixas físicas freqüentes.

Como Reforçar a Auto-Estima de Seu Filho?

Existem muitos livros que tratam exclusivamente desse assunto e, assim sendo, oferecerei apenas algumas sugestões aqui. A auto-estima pode ser melhorada, sem dúvida alguma. Na verdade, os pais podem ter papel decisivo na modificação da visão e nos sentimentos que a criança tem de si mesma. Eis algumas idéias já comprovadas:

• **Ensine a seu filho que ele não precisa ser o melhor em tudo.** Queremos incentivar as crianças a darem o melhor de si, o que não é a mesma coisa que tentar ser perfeito. Elogie as crianças realisticamente por suas conquistas, talentos, realizações e, acima de tudo, por seus esforços. O elogio falso pode levar a uma visão irreal das próprias capacidades. Aceitar as deficiências de seu filho o ajudará a aprender que ele não precisa fazer tudo extremamente bem. As crianças não devem sentir que fracassam quando cometem erros.

• **Ensine seu filho a ser responsável.** Embora nossos filhos possam reclamar das tarefas que lhes atribuímos, elas os ajudam a se sentir capazes e produtivos. Não se esqueça de demonstrar apreço por um trabalho bem-feito: "Gostei muito do jeito como você arrumou sua cama hoje", "Obrigado por lavar a louça".

• **Demonstre interesse pelo que seu filho está fazendo e valorize os interesses dele.** Peça opinião a seu filho e incentive-o a exprimir seus sentimentos. Mostre que você valoriza o que ele pensa e o modo como se sente, mesmo que ele pense ou se sinta diferente de você. (Lembre-se sempre de respeitar as diferenças.) Aceite seu filho como ele é, com seus sentimentos, opiniões e interesses.

• **Ofereça oportunidades a seu filho para que ele tome decisões e faça escolhas.** Se você toma todas as decisões, como ele vai aprender a pensar por si mesmo?

• **Não tente proteger seu filho de todos os possíveis constrangimentos e sofrimentos.** A superproteção pode transmitir à criança a mensagem de que ela não é capaz de cuidar de si mesma, o que contribui para a baixa auto-estima.

• **Ajude seu filho a exprimir a raiva com propriedade.** Sentimentos de raiva reprimidos podem contribuir para a baixa auto-estima.

• **Use a "mensagem em primeira pessoa" (veja o Capítulo 6) com seu filho.** Evite frases em segunda pessoa, que transmitem idéia de culpa e acusação.

• **Ensine seu filho a praticar a "autoconversa" de maneira construtiva** (veja o Capítulo 6).

• **Procure perceber se suas expectativas em relação a seu filho são realistas para a idade e a maturidade dele.** Certas crianças não conseguem corresponder a expectativas irrealistas dos pais, o que reforça seus sentimentos negativos.

• **Demonstre amor e respeito por seu filho.** Certamente essa mensagem soa óbvia, mas sempre vale a pena lembrá-la.

• **Dê exemplo de auto-estima salutar para seu filho.** Releia a descrição das crianças que têm baixa auto-estima. Se isso o fizer lembrar de si mesmo, procure enfrentar seus próprios problemas de auto-estima.

Buscando a Ajuda de Especialistas

Se achar que precisa de orientação, um começo é pedir ao pediatra indicação de profissionais da área de saúde mental – orientadores educacionais, psicólogos ou pedagogos. Alguns pais começam conversando com o colégio para pedir orientação e possíveis indicações. Outros preferem recorrer à lista de referência de seu plano de saúde. Às vezes, falar com a professora da criança é suficiente para confirmar que a ajuda externa é uma boa idéia. As professoras muitas vezes oferecem uma perspectiva diferente. Talvez já tenham tido experiência com crianças portadoras de problemas parecidos e, principalmente, são mais objetivos.

A leitura de livros sobre o assunto pode ajudar a colocar o problema de seu filho em perspectiva – talvez o caso não seja tão grave ou preocupante como originalmente parecia. Ela pode também fornecer informações e orientações ponderadas. Os livros de auto-ajuda podem confirmar que você já está no caminho certo. Entretanto, de modo algum um livro de auto-ajuda substitui a intervenção profissional quando necessária, da mesma forma que nenhum dicionário médico substitui um médico. Se você continua preocupada com a auto-estima de seu filho, procure a intervenção de um profissional. Sua ansiedade e preocupação podem causar um impacto ainda maior sobre a auto-estima do seu filho. E um dos maiores presentes que os pais podem dar ao filho é a oportunidade dele se sentir melhor em relação a si mesmo. É claro que há também muito material de auto-ajuda disponível na Internet. O problema, naturalmente, consiste em diferenciar entre a informação abalizada e confiável e o conselho irresponsável e infundado. O melhor é procurar sites de associações profissionais.

Simples, Porém Criativo

Às vezes, a auto-estima da criança pode dar um salto considerável com uma pequena medida oferecida por pais, professores ou outras pessoas. Muitos anos atrás, trabalhei com Teresa, de 10 anos, menina que demonstrava muita sensibilidade. Eram freqüentes suas queixas de que os colegas a magoavam e de que se sentia agredida. Teresa era obesa e apresentava dificuldades acadêmicas, o que contribuía para sua baixa auto-estima. Era muito difícil para ela dizer alguma coisa positiva sobre si mesma. Decidi incumbi-la de uma tarefa. Sugeri que pedisse à mãe, ao pai, à professora e aos parentes que escrevessem três aspectos positivos a seu respeito em um caderninho especial que fizemos na minha sala. Comecei a lista com três qualidades que eu já havia percebido. Ela voltou na semana seguinte com a tarefa cumprida. Embora parecesse satisfeita com os comentários elogiosos que recebera, não fiquei muito convencida de que tenha feito alguma diferença na maneira como ela se sentia em relação a si mesma – até que a encontrei quatro anos mais tarde. Ela ficou muito contente de me ver e perguntou se eu lembrava do caderninho, relatando, em seguida, que o guardava em sua caixa de jóias.

Quando Seu Filho Tem Dificuldade de Lidar com a Raiva

Problemas emocionais de muitos tipos podem tornar as crianças alvo de provocação. Nancy, de 8 anos, era ridicularizada impiedosamente pelas colegas de classe e acusada de ser um "bebezão". Ela tinha mesmo um leve distúrbio de ansiedade, que a deixava medrosa e preocupada com coisas que, para as outras crianças, não representavam ameaça alguma. Embora muitos distúrbios emocionais sejam tratados com medicação, o acompanhamento de um psicoterapeuta pode ser igualmente importante para crianças portadoras desse tipo de desordem. O profissional pode ajudar a criança a se ajustar à vida diária de modo a evitar que os sintomas dominem sua vida. Se o estado emocional de seu filho a preocupa, peça indicação de um psicólogo ou psiquiatra capaz de diagnosticar o problema – ou assegure-se de que não há nada de errado com ele. A orientadora educacional do colégio pode ser de grande auxílio no caso de crianças de temperamento difícil.

Um dos maiores problemas emocionais em situações de provocação é o controle da raiva. Os capítulos 3 e 11 falam de como um controle deficiente da raiva pode motivar uma criança a provocar as outras e o que os pais daquelas que estão provocando podem fazer para resolver o problema. Por outro lado, não saber lidar direito com a raiva também pode fazer da criança o alvo do escárnio dos outros. O controle da raiva, assim como a auto-estima, é tema de muitos livros, motivo pelo qual não vou entrar em detalhes nesse assunto aqui. Basta dizer que muitas crianças são condenadas ao ostracismo ou perseguidas simplesmente porque não conseguem se controlar quando se frustram ou se aborrecem. Os atormentadores, percebendo essa falta de controle, tiram partido da capacidade de "apertar os botões" da criança só para se divertir assistindo a sua reação. Se seu filho, como aquele apelidado de "menino-vulcão", exibe indícios de incapacidade de manifestar raiva com moderação, tente as seguintes idéias:

- **Ensine-lhe que sentir raiva é normal, mas o que fazemos com ela a torna positiva ou negativa.** Todo mundo sente raiva e é normal se zangar, mas demonstrar raiva com maus modos e comportamento destrutivo é contraproducente.

- **Ensine-lhe que ele é responsável pelo que faz com a própria raiva.** Muitas crianças dizem: "Ele me fez ficar com tanta raiva". Minha resposta é: "Entendo que ele o fez ficar muito chateado, mas o que você faz com essa sensação de aborrecimento é decisão sua".

- **Incentive seu filho a exprimir verbalmente seu aborrecimento, usando a mensagem em primeira pessoa.** A mensagem em primeira pessoa (explicada no Capítulo 6) pode ajudar a criança a identificar a razão da raiva. Certas crianças precisam de "permissão" ou de estímulo para exprimir seus sentimentos de exasperação, principalmente se receberam a mensagem de que "você não deve ficar com raiva".

- **Defina algumas regras básicas para a expressão da raiva.** Seriam exemplos: não gritar, não falar palavrão, não agredir fisicamente.

- **Demonstre compreensão pelos sentimentos da criança.** Isso não é a mesma coisa que concordar com os sentimentos dela. Dizer, por exemplo: "Entendo que você esteja chateado porque eu não o deixei ir ao shopping com seus amigos", valida os sentimentos da criança, sem contudo obrigá-lo a abrir mão de sua autoridade de pai ou mãe.

- **Aponte-lhe maneiras de se acalmar.** Certas crianças precisam de ajuda para "esfriar a cabeça" e poder falar com mais calma sobre seu aborrecimento. Podem contar devagar até dez, aprender e praticar técnicas de relaxamento, como respirar fundo, dissipar energia com exercícios e fazer uma pausa.

- **Aponte-lhe um método não-verbal aceitável de exprimir seus sentimentos.** Percebi que algumas crianças que não conseguem expressar com facilidade seus sentimentos com palavras podem ser capazes de desenhar o que estão sentindo. Trabalhei uma vez com um garotinho que freqüentemente se destemperava em casa e no colégio. Pedi-lhe que fizesse o desenho da raiva. Ele rabiscou um menino com um vulcão em erupção no alto da cabeça. O desenho fez com que ele se acalmasse a ponto de podermos conversar melhor sobre seus sentimentos e sobre o que o aborrecera tanto. Certas crianças são capazes de escrever sobre sua raiva.

• **Dê exemplo de modos de controlar a raiva**. O mais importante no controle da raiva é saber se expressar. Você consegue se expressar com calma, usar as mensagens em primeira pessoa e dar a si mesmo permissão para ficar contrariado sem exprimir raiva através de comportamento agressivo?

• **Discuta as maneiras de exprimir raiva que as crianças vêem na televisão e nos filmes**. Elas são apropriadas ou violentas? Infelizmente, as crianças se espelham muito no que vêem na televisão, na medida em que acreditam se tratar de uma maneira de lidar com seus sentimentos.

Outras fontes de ajuda para o controle da raiva são leitura de livros. Outra opção é consultar a professora do seu filho ou o profissional da área de saúde mental do colégio. Talvez ele saiba indicar locais onde se dão aulas de controle da raiva. Se a criança tem manifestações de mau humor muito freqüentes ou explode com muita facilidade, procure ajuda profissional.

Quando Seu Filho Reproduz um Comportamento de Vítima Aprendido em Casa

Seu trabalho de detetive pode incluir o exame de seu próprio comportamento para ver se, de alguma forma, ele está contribuindo para colocar seu filho em posição vulnerável. O exemplo de comportamento que você dá é de vítima, ou você pega no pé do seu filho indevidamente? Você costuma fazer pouco de seus filhos? Talvez você o provoque de modo brincalhão e sarcástico, mas os outros levem sua brincadeira a sério.

A criança que é alvo freqüente da provocação alheia e que reage como vítima indefesa diante dos colegas está, às vezes, reproduzindo o papel que observa ou que assume na família. Talvez ela seja o alvo do comportamento agressivo de irmãos mais velhos ou vítima de tratamento rigoroso ou inclemente dos pais. Crianças que têm pais muito críticos e julgadores costumam se sentir prejudicadas. É muito fácil para elas desempenhar o mesmo papel fora do seio da família, uma vez que têm tanta intimidade com ele: estão acostumadas.

Susan, de 8 anos, reclamava sempre de que as meninas de sua classe eram chatas. Eu soube, pela professora, que ela tinha tendência a interpretar comentários gerais ou a mais leve crítica de maneira muito negativa. Por quê? O irmão adolescente da menina usava um palavreado muito agressivo em casa. Ao que tudo indica, esse comportamento persistiu durante muitos anos sem que os pais interviessem de forma efetiva. Mais tarde, soube que o pai de Susan era extremamente mal-humorado e que muitas vezes descarregava sua raiva na filha. Susan era vítima diária em dois relacionamentos dentro da família, e reproduzia esse papel na escola – mesmo quando não estava sendo perseguida em seu relacionamento com os colegas. Crianças em situação como a de Susan têm tendência a sentir uma simples descortesia involuntária como uma rejeição proposital.

O comportamento que os pais e outros adultos dão como exemplo é extremamente poderoso. O velho ditado "os atos falam mais alto do que as palavras" deve nortear todos os pais. Nosso próprio comportamento fala mais alto do que os discursos e preleções que fazemos. Precisamos colocar em prática o que queremos que nossos filhos aprendam.

Quando Seu Filho Precisa Encontrar o Equilíbrio entre se Adaptar à Situação e Conservar Sua Individualidade

As crianças gostam de se sentir aceitas pelos colegas. Sentir-se integradas as deixa seguras e validadas. Muitas, porém, têm dificuldade em encontrar o delicado equilíbrio entre se adaptar e conservar a individualidade.

Kirsten era ignorada, ridicularizada e antipatizada pelas meninas de sua turma de sexta série por vir toda hora ao colégio com roupas, enfeites de cabelo e bijuterias iguais aos de uma das meninas populares da classe. Para Kirsten, sua atitude era uma "forma sincera de bajular a colega" e um modo de se sentir integrada. Não percebia que, ao se arrumar *exatamente* como a menina que ela tanto admirava, dava a impressão de estar tentando "roubar" as idéias criativas da colega e ficar com o crédito para si mesma. Não conseguia entender que estava cruzando uma certa fronteira e anulando sua individualidade – e que ninguém gostava dela por causa disso. Kirsten precisava de ajuda. Como sua mãe admitia não ter muito jeito para moda, sobretudo para a dessa faixa etária, indaguei se não havia outra pessoa que pudesse ajudar Kirsten. Por acaso, uma prima de 15 anos estava para chegar a sua casa para passar uns dias. A mãe de Kirsten levou as duas para fazer compras, depois de uma conversa em particular com a prima. Toda vez que Kirsten via uma roupa e dizia algo do tipo: "Essa é igual à da Stacy!", a prima procurava alguma coisa parecida, mas que ficasse bem em Kirsten: "Essa saia é legal, mas acho que essa outra aqui é mais a sua cor. E como você é alta, esse comprimento fica melhor em você." Kirsten contou toda contente que Stacy lhe perguntara na semana seguinte onde ela havia comprado a saia linda que estava usando.

O grupo de colegas costuma ter suas normas e valores próprios que influenciam as escolhas de cada membro individualmente. Quando entro em uma classe de terceira ou quarta série, não é incomum ver duas ou três meninas usando a mesma blusa, a mesma calça e os mesmos enfeites. Na verdade, elas chegam muitas vezes a ligar na véspera para combinar o que vão usar. A igualdade cria um laço e um vínculo que as ajuda a se sentir parte do grupo. Às vezes, a identifica-as como amigas. No grupo mais geral de colegas, é fácil observar as tendências da moda em termos de roupa, sapato, penteado e cor de esmalte. Os meninos também adotam modismos, como usar calças jeans cargo ou mecha no cabelo. Em alguns grupos, pode haver pressão para que todos se enquadrem nos padrões, o que os ajuda a se sentir seguros dentro da turma.

Muitas crianças se distanciam de colegas que são diferentes ou fora de sintonia com seus estilos e preferências. Os pais de Timmy, de 8 anos, começaram a ficar preocupados com o filho, que era uma criança isolada. Perceberam que ele não fazia parte do grupo e o próprio menino notou que isso estava acontecendo. O menino era uma das crianças mais novas da classe e menos maduro sob o ponto de vista social que a maioria dos colegas. Timmy geralmente usava calça de moleton e camiseta justa, o que contribuía para a percepção de que ele era diferente e mais jovem que a maioria dos colegas. Conversei com seus pais e expliquei que muitas crianças gostam de se vestir como os demais porque assim se sentem mais parecidos entre si e mais aceitos pelo grupo. Falamos, também, da possibilidade de eu trabalhar com Timmy em um pequeno grupo para procurar melhorar sua sociabilidade. Por fim, os pais me perguntaram se valia a pena passar a chamar o menino de Tim em vez de Timmy, pelo menos quando ele estivesse perto dos colegas, porque soava menos infantil. Sugeri que conversassem com o filho sobre essa idéia, e foi o que fizeram durante as férias. No acampamento, ele experimentou o "novo" nome e decidiu que gostava mesmo de "Tim". A mudança de nome também aconteceu na escola, a partir do início da quarta série. Durante aquele ano, Timmy demonstrou sinais de maior maturidade, sobretudo depois de trabalhar no fortalecimento de sua sociabilidade.

Tive muitas conversas parecidas com pais ao longo dos anos e sempre enfatizei, durante o processo de ajudar a criança a se enquadrar, a importância de incentivá-la a expressar suas preferências pessoais. Para algumas crianças, como Timmy, a maneira de se vestir não chega a ser motivo de muita preocupação, mas elas têm suas definições em matéria de gosto. Quando perguntado, Timmy disse que gostaria de usar calça jeans, como os outros meninos. Os pais o levaram ao shopping e o deixaram escolher as roupas de que mais gostava.

Nico era chamado de "nerd" pelos colegas porque era visto carregando seu violino duas vezes por semana quando se dirigia para a aula de instrumento. Música clássica não era considerada legal. Quando, porém, Nico mostrou que sabia tocar uma das músicas da moda no violino, as crianças mudaram de opinião. Nico jamais voltou a tocar nada semelhante – preferia mesmo a música sinfônica –, mas conquistou o respeito dos colegas mostrando que era capaz de tocar o tipo de música que queriam. E eles passaram a achar que Nico gostava de todos os tipos de música – o que acabou acontecendo, com o tempo.

Jasmine, de 11 anos, ficou toda animada quando foi convidada para dormir com as outras colegas na casa de uma amiga. Era nova na escola e estava ansiosa para fazer novas amizades (embora com muito medo também). Ao longo da estada na casa da colega, porém, Jasmine começou a se sentir incomodada com a maneira como as meninas criticavam e ridicularizavam várias colegas que não haviam sido convidadas. Seu desconforto aumentou quando elas decidiram assistir a um filme adulto que uma das meninas havia levado. Jasmine não sabia o que fazer. "Assisto ao filme, mesmo contra a minha vontade? Sei que meus pais vão ficar muito aborrecidos se souberem. Ao mesmo tempo, quero muito que as meninas gostem de mim..." Mas percebendo que não estava se sentindo bem com a situação, comunicou às meninas que queria descansar um pouco. Retirou-se e ligou para os pais virem buscá-la. Embora não gostasse de enganar as meninas, sentiu-se insegura demais para fazer o que não queria. Felizmente, conseguiu conversar com os pais sobre a situação e a mãe a ajudou a ver que seus valores pareciam muito diferentes dos das outras. Jasmine resolveu tentar fazer outras amizades na nova escola e, ao mesmo tempo, esforçava-se para não perder o contato com as amigas da escola antiga.

Bradley, aluno da terceira série, voltou do colégio implorando aos pais que lhe comprassem um determinado tipo de tênis que "todo mundo" tinha. Embora ninguém tivesse falado do seu tênis, ele queria muito ficar igual a tudo mundo. Os pais perceberam a importância do fato para o filho e decidiram comprar o tênis. (A propósito, *Albert's Old Shoes* [O sapato velho de Albert], de Stephen e Mary Jane Muir, é uma história interessantíssima a respeito de ser alvo de deboches por causa de sapato velho.)

Em quase todos os casos de importunação, o ponto está em saber até onde a diferença é realmente diferente e em como a criança se sente relativamente à diferença. Ela se orgulha dela ou tenta escondê-la? Assim como Timmy, LaTanya sempre usava calça de moleton em vez de calça ou macacão jeans, bem mais comuns, mas ao contrário de Timmy, isso nunca foi problema para ela, que transpirava autoconfiança. Ria junto com quem ria da roupa dela, encolhia o ombro e voltava a jogar futebol. Elizabeth, da quarta série, tinha o cabelo mais comprido do colégio e as colegas viviam insistindo para que ela fizesse um corte mais moderno no cabelo. Ela adorava o cabelo como estava e respondia aos comentários das colegas com muita propriedade: "Gosto do meu cabelo como está". Já Jenna, de 9 anos, começou a fazer trança com o cabelo, do mesmo jeito que muitas colegas estavam fazendo.

84 ELIMINANDO PROVOCAÇÕES

As crianças podem variar de ano para ano na intensidade com que querem se sentir integradas. Entre a quarta e a sexta séries, as crianças são especialmente inibidas, assim como muitas da sétima e da oitava séries. Por esse motivo, muita gente acha que quanto mais velha a criança fica, mais ela é dominada pelos colegas. À medida que crescem, as crianças também começam a se separar da família e a conquistar maior independência. No grupo de colegas, sentem-se aceitas e seguras, e se sentir seguro, muitas vezes, significa enquadrar-se às normas do grupo. Um elogio de um amigo de 12 anos freqüentemente significa muito mais do que o dado pelo pai ou pela mãe. A influência dos colegas pode atingir proporções fortíssimas e a aceitação por parte deles é de suma importância. Cabe a cada pré-adolescente decidir quanto está disposto a sacrificar ou a preservar – ou talvez a ceder um pouco adiante – em termos de individualidade. A pesquisa revela, contudo, que outras forças decisivas passam a agir logo em seguida. Se sua individualidade e seu próprio valor forem reforçados pelos adultos e crianças que as rodeiam enquanto crescem, a maioria das crianças se torna muito independente e autêntica em alguma altura da adolescência. Muitas turmas de oitava série perdem seu poder no ensino médio, principalmente quando se fundem com outras classes.

Agora que você entende o que mais comumente motiva os importunadores e por que seu filho em particular pode ter sido alvejado, você está pronto para partir para a ação. O Capítulo 5 mostrará como conversar com seu filho sobre as importunações, e o Capítulo 6 fornecerá estratégias que vão ajudar a criança a não se abater e que vão desestimular as provocações.

5

Conversando com Seu Filho sobre a Provocação

Conversar com seu filho sobre ser importunado pode ser extremamente delicado. A criança perturbada se sente ferida e, muito possivelmente, humilhada, com vergonha de falar do assunto. Pode estar aborrecida, confusa e pronta para descontar sua frustração em você – mesmo quando busca sua ajuda e seu amparo. Talvez ela esteja tão dominada pela própria mágoa que nem queira ouvir o que *ela mesma* pode fazer para sair da situação, tornando-se, então, muito defensiva caso você não se limite a simplesmente lhe oferecer um modo de salvá-la.

Somam-se a isso os sentimentos intensos com que nós, pais, tendemos a sobrecarregar conversas que girem em torno do tema da zombaria, fazendo com que elas se tornem imprevisíveis, na melhor nas hipóteses, e improdutivas, na pior. Neste capítulo, vou falar do que aprendi sobre conversar construtivamente com as crianças sobre a provocação. Logo na primeira vez em que seu filho lhe confia o problema em segredo, procure estabelecer um clima de compreensão e franqueza, que será importante para você se manter informada e tentar aplacar a profunda dor que ele está sentindo. Assim, será mais fácil enfrentar as sérias discussões sobre quem está fazendo o quê. Conversando sobre o assunto, vocês dois juntos poderão buscar a melhor solução possível para o problema.

Como Reagir à Notícia de Que Seu Filho Está Sendo Alvo da Importunação Alheia

Para os pais que querem ajudar os filhos que estão sofrendo importunação alheia, é essencial estabelecer desde o início um tom de conversa construtivo, amistoso e atento. Você quer que seu filho se sinta à vontade para exprimir seus sentimentos e se sinta seguro para lhe contar a história por inteiro, inclusive detalhes que ele pode achar humilhantes ou mesmo condenáveis. Como você conhece seu filho melhor do que ninguém, cabe a você decidir exatamente quanto falar, com que palavras, que tom de voz usar e com quais expressões faciais. É você que saberá, por um sutilíssimo movimento dos lábios ou por um minúsculo gesto, que está na hora de parar, mudar de tática ou começar a ouvir. Posso, todavia, fornecer algumas diretrizes que nós, pais, professores e terapeutas, descobrimos ser fundamentais para o sucesso da comunicação com crianças que estão sendo importunadas.

Leve a Sério o Que Seu Filho Diz

Quando seu filho relata que o estão provocando ou zombando, e que está se sentindo mal com isso, não abrevie a conversa com comentários do tipo "Esquece isso" ou "Deixa para lá... Ele não fez por mal." Antes de tudo, há uma grande chance de seu filho já ter tentado ignorar o problema ou mesmo não se importar com ele, e só procurou você porque seus esforços não foram suficientes para pararem de amolá-lo nem o fizeram se sentir melhor. Dependendo da idade, as crianças muitas vezes tentam "travar sozinhas suas próprias batalhas". Mesmo se seu filho costuma reclamar pouco com você, é preciso levar a sério relatos de qualquer tipo de perseguição, pelo menos até investigar o que pode estar acontecendo – por causa de tudo que venho falando e repetindo sobre o dano que a provocação persistente pode provocar. A última coisa que você quer é forçar seu filho a internalizar e reprimir o mal emocional, porque quando ele decidiu confiar em alguém e pedir ajuda, você não deu importância.

Às vezes, os pais fazem pouco de relatos de provocação porque vêem o objeto da zombaria de um ponto de vista adulto. Sem dúvida, para você, levar uma gozação por ter "pé do tamanho de uma canoa" é engraçado e insignificante. Para sua filha, porém, que está entrando na puberdade, isso pode ser uma afronta à sua auto-imagem feminina – sobretudo com a aproximação da festa de encerramento da oitava série. Para você, se acusarem seu filho de "menino mais burro da classe", porque ele foi o único a tirar B em uma prova em que todo mundo tirou A, não tem a menor importância, pois você sabe que ele sempre tira notas boas no boletim. Já para ele, que não é um grande atleta e que se orgulha de sua capacidade intelectual, trata-se de uma agressão à sua auto-estima.

É natural querer ensinar os filhos a "não se importar com bobagens" e a usar a cabeça para descartar as críticas sem sentido. Mas é bom lembrar que as crianças não desenvolveram ainda as perspectivas do adulto. Mesmo quando conseguimos fazê-las entender que a provocação foi vaga e absurda – e com toda certeza é o que devemos fazer –, esse não é o momento de tentar. Primeiro, é preciso averiguar a gravidade da mágoa que a criança está sentindo. Pode-se, mais tarde, investir na linha de mostrar o quanto a provocação foi infundada. O que parece insignificante para os pais pode ser um fator extremamente estressante para os filhos.

É preciso tentar ver a situação do ponto de vista da criança antes de impor o seu na conversa. Olhe bem para ela, pare o que está fazendo e ouça – com bastante atenção. Ela está mesmo muito aborrecida? Que sinais você vê que indicariam a dimensão do problema em relação a outras questões da vida dela? Ela conta o fato com naturalidade? Olha para você ou para baixo quando fala? Mostra-se evasiva quando seu normal é ser efusiva? Exagera e faz drama da situação?

Pelo menos até o momento, leve a situação tão a sério quanto seu filho parece estar levando. Isso não quer dizer, porém, que você deva se descontrolar se seu filho estiver descontrolado. Pelo contrário, mantenha a calma e procure lhe mostrar que entende como ele se sente:

- "Parece que o que a Cindy disse o magoou muito mesmo."
- "Estou vendo que isso o chateou demais."
- "Você deve ter ficado muito, muito aborrecido."

88 ELIMINANDO PROVOCAÇÕES

Ditos com calma, frases desse tipo não apenas dão a seu filho a certeza de que ele está sendo ouvido como, exatamente por causa disso, contribuem para abaixar o tom das expressões de raiva e mágoa, preparando o caminho para uma comunicação mais produtiva entre vocês. Elas também fazem parte daquilo que os terapeutas chamam de "escuta ativa", técnica que estarei advogando ao longo deste capítulo.

Dê a Seu Filho Atenção Exclusiva

Antes de começar a tocar no problema da provocação com seu filho, sugiro se sentar com ele em um lugar tranqüilo. Em nossa rotina de correria, os pais geralmente conversam com os filhos quando estão preparando o jantar, guardando a louça, pendurando a roupa no varal. Quanto mais você puder se concentrar na conversa sem distrações, mais a criança sentirá que está realmente sendo ouvida. Às vezes, sair e dar uma volta de carro é uma boa opção para uma conversa reservada. Uma mãe há pouco tempo me contou que ela e a filha tinham as melhores conversas quando levavam o cachorro para passear. Não há interrupções; ela deixa o celular em casa. O importante é que seu filho tenha atenção exclusiva quando fala e tenta explicar a dolorosa situação.

Mais uma vez, contudo, procure perceber até que ponto ele se sente bem em relação ao assunto. Muitas crianças abordam assuntos difíceis de maneira indireta ou confusa. Se seu filho está tentando escapar do assunto porque tem vergonha ou medo da sua reação, pode ser que ele não se mostre receptivo a uma atitude sua de muita expectativa. Você terá que ser o juiz. Depois de muitos anos advogando o contato visual, uma amiga se deu conta de que esse tipo de conversa flui melhor dentro do carro ou na cozinha enquanto ela está fazendo alguma coisa na pia e o filho está fazendo alguma atividade na mesa. Ele se sente mais à vontade sem contato visual direto. Embora sua atenção deva ser exclusiva, você pode procurar dar a impressão de não estar concentrada no assunto ou na criança tão deliberadamente.

Incentive Seu Filho a Falar sobre o Que Está Acontecendo

"Estou louca para saber o que aconteceu no colégio hoje; me conte alguma coisa" é uma maneira simples e direta de pedir à criança que se abra. A maioria das crianças fica contente em poder fornecer muitos detalhes sobre a situação. Há outras, no entanto, que se mostram reticentes, apesar de seu convite.

Certas crianças precisam de um "empurrãozinho" para se abrir. Talvez valha a pena admitir como é difícil falar de situações embaraçosas ou incômodas. "Sei que é difícil falar sobre isso. Talvez você fique com vergonha ou com medo de cair no meu conceito. Estou aqui para ouvir e ajudar." Contar como foi difícil falar de uma experiência desagradável do mesmo tipo ocorrida em sua infância pode ajudar a criança a se abrir. De fato, apenas falar de uma experiência sua talvez normalize a situação e transmita a idéia de que você pode ter algum conselho para dar.

Já no caso de a criança não querer falar do que aconteceu, é melhor respeitar seu desejo. Afinal, não podemos obrigá-las a falar. É comum as crianças ficarem mais resistentes quando os pais insistem na mesma tecla. Talvez outra hora seja melhor. Muitas crianças pequenas tendem a se abrir mais na hora de dormir. Outras talvez só voltem a falar do assunto se acontecer de novo.

Certas crianças se sentem mais à vontade para falar sobre o escárnio dentro de um contexto mais geral e menos pessoal. Você pode perguntar, por exemplo: "As crianças da sua classe não fazem gozações umas das outras?" ou "E no caminho da escola, costumam acontecer provocações e gozações?" Com isso, você pode abrir a porta para seu filho falar sobre uma experiência que tenha tido. Ler histórias ou livros sobre crianças vítimas de escárnio é uma maneira bastante eficaz de motivar a criança a conversar sobre como se sente quando a provocam e sobre o que fazer. É comum as crianças se identificarem com os personagens das histórias, o que pode ajudá-las a entender que outras crianças também passam pela mesma situação. Veja, no Capítulo 7, algumas recomendações de livros.

Conheço uma mãe que ficou muito preocupada quando percebeu que alguma coisa incomodava seu filho David, de 10 anos. Ele se mostrava mais irritável do que o normal, e a mãe se deu conta de que David não brincava mais com um vizinho de quem era amigo, Michael. Quando ela lhe perguntou por ele, David mudou de assunto e disse que não sabia de nada. Os contínuos esforços da mãe para incentivá-lo a exprimir o que estava sentindo foram inúteis. Uma noite, resolveu mandar um e-mail para o filho. Disse que estava preocupada, pois ele não parecia alegre como antes. Perguntou se sua amizade com Michael tinha mudado e pediu que lhe contasse o que o estava incomodando. David respondeu que há algumas semanas Michael o estava evitando no colégio e no caminho para casa, e que fazia pouco dele quando jogavam basquete na aula de educação física. Disse que Michael estava andando com outro garoto da classe. A comunicação por e-mail prolongou-se por vários dias. A mãe explicou ao filho que as amizades muitas vezes mudam na quarta e na quinta séries e mostrou que entendia como ele se sentia, já que os dois eram amigos há tantos anos. Perguntou o que ele achava de conversar com Michael sobre tudo isso. A resposta foi negativa. Ela o incentivou a fazer programas com outros meninos da classe e com um colega de acampamento, de outra escola.

Quando a criança fala, ouça paciente e atentamente. Não há problema em fazer perguntas quando um ponto importante parece confuso – "Você está dizendo que ele o forçou mesmo, ou sentiu como se ele o estivesse forçando a fazer uma coisa que você não queria?" –, mas é melhor ouvir a criança sem interrupção. Tente deixar as perguntas para o final da história.

Se seu filho não parece mesmo disposto a relatar o fato, faça perguntas com calma e tranqüilidade para tentar formar uma idéia clara de como foi a experiência. Peça-lhe que descreva a provocação. As perguntas a seguir são exemplos de indagação que podem suscitar detalhes. (Mas não faça como se fosse um questionário, uma pergunta depois da outra: a criança pode ter a impressão de estar sendo interrogada e acabar se retraindo.)

- Quem o está provocando?
- É um colega de classe, um amigo, um vizinho ou alguma criança do ônibus escolar?
- É mais velho, mais moço ou da mesma idade do seu filho?
- Qual o motivo da importunação?
- É alguma característica ou diferença física, ou é alguma coisa que ele faz ou deixa de fazer na sala de aula ou no recreio?

Conversando com Seu Filho sobre a Provocação 91

- Onde o problema ocorre? Implicam com ele ou o perseguem no recreio ou na condução escolar?
- Debocham dele em sala de aula?
- Há quanto tempo o problema vem ocorrendo?
- Trata-se de uma ocorrência razoavelmente recente ou que já vem se repetindo há algum tempo?

Reproduzo a seguir um diálogo real, que ocorreu entre uma mãe e seu filho de 11 anos:

Mãe: Conversando com a Fulana hoje de manhã, ela disse que têm ocorrido alguns problemas no ônibus escolar. As filhas conversaram com ela e disseram que a situação está muito ruim.

Filho: É mesmo? E daí?

Mãe: É verdade?

Filho: É. [Brotam lágrimas no olho dele.]

Mãe: Não entendo por que você não contou para nós ou para algum outro adulto do colégio.

Filho: Não quero falar porque não consigo nem pensar no assunto, de tão mal que me sinto.

Mãe: Posso imaginar. Mas parece que você precisa falar para que algum adulto possa ajudá-lo. Não está certo você ter que passar por isso todo dia.

Filho: Por que não?

Mãe: Bem, talvez seja por isso que você toda hora perde o ônibus. Eu morreria de medo de entrar no ônibus todo dia sabendo que as crianças vão pegar no meu pé.

Filho: É, é horrível mesmo. [E começa a chorar.]

Mãe: Por que você não conversa com S., o assistente do diretor? Ele é sempre tão legal nessas situações.

Filho: Não vai fazer nenhuma diferença e, além do mais, se as crianças descobrirem, vão ficar loucas da vida e vão debochar ainda mais de mim. A motorista é o único adulto do ônibus e ela não pode fazer nada.

Mãe: Vamos pensar em como você pode evitar de lidar com essas crianças.

Filho: Tá bem.

Mãe: Onde elas se sentam dentro do ônibus?

Filho: No fundo.

Mãe: Por que você não se senta na frente?

Filho: Porque meus amigos já estão sentados no fundo quando entro no ônibus.

Mãe: Você não pode pedir a eles que se sentem na frente?

Filho: Posso tentar.

Mãe: Eles também pegam no pé dos seus amigos?

Filho: Sim.

Mãe: Como eles reagem?

Filho: Fingem não prestar atenção. Continuam conversando.

Mãe: O que você faz quando gozam de você?

Filho: Fico louco da vida e mando eles calarem a boca.

Como a mãe explicou, os dois continuaram tentando imaginar alguma coisa mais eficaz que o menino pudesse fazer ou dizer. Conversaram sobre como a raiva pode piorar a importunação. O menino não se sentiu bem em conversar com o assistente do diretor, mas concordou que a mãe telefonasse para ele, que entrou em contato com o menino mais tarde, naquele mesmo dia. "Meu filho teve sorte", disse ela, "porque todos os adultos que lidaram com ele foram conscienciosos e solidários". O garoto relatou o incidente seguinte ao assistente do diretor, que depois falou com ele e com o provocador. Não houve mais incidentes.

Não Dê Conselhos Prematuros

Os pais tendem a interromper os filhos antes de ouvirem a história até o fim, às vezes porque querem "consertar" a situação tão depressa que não conseguem nem esperar o filho acabar de falar. Caso você, mãe, se pegue fazendo muitos comentários e dando muitos conselhos antes de seu filho acabar de falar, talvez seja um sinal de que o incidente todo a está perturbando muito, o que pode fazer seu filho se retrair e não querer mais falar. Você deve perguntar a si mesma o que a está deixando tão ansiosa antes de tentar descobrir o que fazer.

• **Você estaria revivendo antigas feridas suas?** Certos pais não conseguem se separar da dor dos filhos porque o relato de ser vítima do escárnio alheio abre feridas antigas. Eles não apenas se colocam no lugar do filho, como começam a agir por ele. Sentem-se desesperados para resolver logo o problema e fechar sua antiga ferida e curar a do filho.

• **Seu filho sofreu muito no passado?** Se seu filho já sofreu problemas do gênero antes, você pode sentir um temor familiar lhe assomar caso ele lhe traga uma nova queixa. Você sabe quanto ele sofreu e não quer que passe por tudo de novo. Antes de se precipitar com perguntas sobre se ele já tentou todos os conselhos que você deu da outra vez, considere algumas possibilidades. Se ele é vítima freqüente de escárnio, pode ser que o que você sugeriu antes não esteja funcionando. Pare, ouça e então diga a ele que vai ajudá-lo a encontrar novas maneiras de lidar com o problema. Leia o Capítulo 6. Ou, talvez, alguma coisa diferente esteja acontecendo dessa vez. Não se precipite em tirar conclusões. Ouça a história toda e então pergunte a seu filho se ele acha que se trata do mesmo tipo de coisa que já aconteceu antes.

• **Você acha que o problema pelo qual seu filho está passando se reflete de alguma forma em você?** Todos os pais querem que seus filhos sejam amados e valorizados pelo que são. Às vezes, porém, se esquecem de que há uma linha divisória entre onde a criança termina e os pais começam. É normal sentir dor quando o filho está sofrendo e angústia quando ele é humilhado. Mas se a humilhação do seu filho a humilha, você está cruzando essa linha e tenderá a se sentir compelida a fazer alguma coisa, quando deveria limitar-se a ajudar a criança a fazer algo. Controle-se e ouça.

Não Reaja com Exagero

Ao começar a ouvir detalhes do comportamento impiedoso e maldoso praticado contra seu filho, você provavelmente se sentirá revoltada e enfurecida. Talvez sinta vontade de ligar para o perpetrador e dizer a ele tudo o que está sentindo. Ou talvez ameace falar com os pais dele. É importantíssimo, porém, não ter uma reação exagerada, pois ela geralmente provoca uma reação extremada da parte da criança também. Ou, em se tratando de crianças maiores, que possivelmente hesitaram bastante antes de procurá-la, a reação exagerada pode fazer com que se fechem em suas conchas.

Quem sofreu muito com problemas de provocação quando era criança pode ter de se controlar bastante para não descambar no histerismo. Lembre-se de que você não sabe tudo o que precisa saber. Mesmo tendo ouvido a história toda do seu filho, ainda é preciso investigar para ter certeza de que entende exatamente o que está acontecendo. (Veja novamente o Capítulo 4.)

Parafraseie o Que Seu Filho Disse para Ter Certeza de Que Entendeu Direito

Grande parte das informações dadas até agora pode funcionar como um manual de instruções para a escuta ativa. Chamamos a técnica de escuta *ativa* porque requer muito mais esforço do que apenas sentar e deixar os sons penetrarem o cérebro através do ouvido. Ela exige prestar muita atenção à criança, fazer contato visual, balançar a cabeça em sinal de aprovação e usar outros gestos que revelem compreensão daquilo que a criança está tentando dizer; manifeste apreço pelos sentimentos que a criança parece estar expressando e faça perguntas para esclarecer pontos duvidosos. Parafraseie o que seu filho disse para ter certeza de que entendeu bem e dar essa certeza a ele, mas ouça antes a história inteira. Diga algo como: "Você está chateado com o Kenny, não é? Afinal, depois de tanto tempo como seu amigo, ele passou a chamá-lo de várias coisas só porque você tem que usar esse aparelho e não pode mais jogar futebol depois da aula, acertei? E você também deve se sentir chateado por ficar sozinho enquanto eles jogam. Quer que eles parem de xingá-lo e também achar um meio de ficar com seus amigos de novo depois da escola, é isso?" Nesse ponto, seu filho vai confirmar que você entendeu direito ou vai corrigir sua percepção. Agora, então, é só lhe garantir que vai procurar um jeito de lidar com o problema.

Valide os Sentimentos do Seu Filho

Pode parecer repetitivo, e de certa forma é. Ir validando os sentimentos do seu filho em vários pontos faz a conversa fluir e o faz sentir confiança em você. Agora que já sabe da história, aproveite mais uma oportunidade para comunicar que entende os seus sentimentos e demonstre empatia por ele. "Entendo perfeitamente que você fique aborrecido", "Sei quanto isso chateia", "Acho que você deve estar sentindo tanta raiva que parece que vai explodir", "É inteiramente compreensível sentir raiva quando isso acontece", "Posso imaginar como foi constrangedor para você", "É muito duro mesmo ouvir coisas tão desagradáveis." A validação dos sentimentos não faz a importunação parar, mas reconforta e consola. Manifestar compreensão pelos sentimentos da criança a ajuda a se sentir segura ao falar da situação difícil que está enfrentando. Elogie e agradeça seu filho por compartilhar seus sentimentos com você.

Como Conversar com Seu Filho sobre o Que Está Acontecendo

Depois de ouvir de seu filho que vem sendo alvo de provocações, você sem dúvida vai querer investigar melhor o assunto e poderá se

96 ELIMINANDO PROVOCAÇÕES

basear nas sugestões já dadas no Capítulo 4. Quando tiver todas as informações que julgar possíveis, desejará falar com seu filho sobre quem vai fazer o que e por quê.

Converse com Seu Filho sobre o Papel Dele na Situação de Provocação

Faz parte da sua investigação explorar como seu filho tem lidado com a provocação. Pergunte-lhe delicadamente como tem reagido. Partindo para a briga física ou trocando insultos com quem implica com ele? Chorando na frente do importunador ou segurando o choro? Ficando furioso a ponto de parecer que vai explodir ou saindo de perto, praguejando baixinho? Você precisa avaliar se as reações do seu filho atraem mais provocação. A maneira como a professora vê as coisas talvez ajude a formar uma idéia mais clara da situação se seu filho resistir muito em responder a perguntas como essas. Em vez de criticá-lo pelo jeito com que enfrentou a situação, procure ser positiva e dizer: "Vamos pensar em outras coisas que você pode falar ou fazer para se sentir melhor". É importante dar a ele a segurança de que você vai ajudá-lo.

E se algum hábito ou comportamento do seu próprio filho for a causa do escárnio? Falamos no Capítulo 4 sobre todos os tipos de comportamento que suscitam a provocação. Se andam debochando de sua filha porque ela põe o dedo no nariz ou se implicam com seu filho porque ele se veste diferente dos outros, será preciso encontrar um modo de falar – sem humilhá-los – sobre a necessidade de mudanças. É claro que, às vezes, um pouco de vergonha ou culpa motivam a criança a mudar, sobretudo comportamentos como colocar o dedo no nariz, chupar o dedo, ter maus modos à mesa, não cuidar bem da própria higiene ou praticar atitudes pouco pertinentes em sala de aula. Isso não deve ser entendido como permissão para falar com a criança punitivamente ou para brigar com ela por causa desses comportamentos. Sou favorável a uma conversa séria sobre as conseqüências do comportamento ofensivo. A última coisa que você quer fazer é provocar uma luta de poder. Seu filho deve ter certeza de que você está ao lado dele, não contra ele.

Seu filho está motivado a mudar?

O mais lógico é começar a explorar como seu filho vê o próprio comportamento e o que acha que os colegas sentem em relação a ele. "O que você acha sobre chupar dedo?"; "O que acha que seus colegas pensam sobre chupar dedo?" O primeiro grande passo para mudar um comportamento é a criança desenvolver esse desejo. Sem motivação, a tendência é o comportamento continuar. Se a criança tem propensão a ser teimosa e a resistir às sugestões e aos conselhos da família, os pais podem se sentir cada vez mais frustrados e sem saber o que fazer. Muitos pré-adolescentes adotam atitude de oposição exatamente por serem pré-adolescentes.

Qualquer que seja o comportamento, a melhor maneira de provocar uma mudança é fazer a criança pensar muito no assunto. Crianças que tomam parte da busca de solução de um problema costumam ser mais bem-sucedidas. Lorie era a única aluna da segunda série que chupava o dedo na escola. Apesar das repetidas súplicas dos pais e indiretas da professora, a mania persistia. Os comentários ocasionais dos colegas não pareciam perturbá-la, até chegar à terceira série. As críticas dos colegas a aborreceram tanto que Lorie falou com a mãe sobre o assunto. A mãe consultou um dentista que sugeriu o uso de uma placa no céu da boca que tornaria o hábito desconfortável. A motivação de Lorie para se integrar ao grupo e não dar uma impressão tão infantil na terceira série é que foi o segredo para ela parar de chupar o dedo.

Jacob, de 9 anos, fazia muito estardalhaço em sala de aula e começou a ser chamado pelos colegas de "palhaço da classe". De fato, seu comportamento acarretava sempre conseqüências negativas para a classe toda. Desnecessário dizer que ele era o alvo de muita crítica e de comentários maledicentes dos colegas. Aparentemente, Jacob gostava da atenção negativa, porque era melhor do que nenhuma. Os esforços dos pais de conversarem sobre seu comportamento foram inúteis, uma vez que ele não manifestava motivação para mudar – afinal, ele gostava de ser o centro das atenções. E, infelizmente, a atenção negativa para muitas crianças é melhor do que o que elas entendem como nenhuma atenção. Esse comportamento de Jacob é que preocupou ainda mais seus pais.

A sra. Marks, professora do menino, decidiu pôr em prática um plano de modificação de atitude destinado a reforçar positivamente o bom comportamento. Instituiu um programa de incentivo que dava pontos à classe como um todo sempre que essa se comportava bem. Explicou o que significava se comportar bem, e que, evidentemente, isso excluía provocações e deboches. Quando um certo número de pontos fosse atingido, a classe seria premiada com uma comemoração com pipoca e um recreio a mais. Ao mesmo tempo, a sra. Marks fez para a Jacob uma tabela onde marcava um ponto especial por cada meio dia que Jacob não perturbasse a classe. (Às vezes, um dia inteiro é demais e a criança pode não conseguir, principalmente no começo.) A tabela ficava guardada em um lugar reservado na mesa da professora, fora da vista dos colegas. Jacob a levava para casa ao final de cada semana. Quando ele atingia um determinado número de pontos, seus pais lhe ofereciam privilégios especiais, estipulados no início do plano.

As crianças costumam responder bem a uma "lista de prêmios" progressiva, destinada a incentivar ou a mudar comportamentos. Cinco pontos especiais, por exemplo, poderiam dar direito a uma sobremesa a mais ou a um sorvete especial. Dez dariam direito a ir dormir mais tarde durante uma semana ou a jogar algum jogo com a mãe e/ou o pai. Quinze significariam passar umas horas na loja de videogame ou convidar um amigo para ir dormir em casa. Ou, talvez, a criança queira esperar completar 20 pontos para fazer algum outro programa de que goste muito. É lógico que os prêmios vão depender da idade da criança e daquilo que realmente vai servir de estímulo. O sucesso do plano é maior quando os pais o discutem junto com o filho. Não acredito em incentivos caros nem os defendo. Além do plano de modificação de comportamento de Jacob, seus pais procuraram orientação profissional. Aprenderam maneiras de lidar com essa necessidade de atrair atenção negativa dentro da família e o inscreveram em um grupo de desenvolvimento da sociabilidade, para ele aprender maneiras de se relacionar com os colegas de maneira construtiva.

O plano de modificação do comportamento e a intervenção externa fizeram uma diferença expressiva. Os colegas de Jacob chegaram mesmo a cumprimentá-lo por sua mudança de comportamento. Ele conseguiu conquistar atenção positiva por parte dos colegas e dos pais.

A classe teve sua festa da pipoca e um recreio a mais. A professora Marks comunicou à turma que eles haviam ganhado um grande número de pontos extras e que teriam direito a uma festa com pizza!

Dion estava com 7 anos e tinha freqüentemente ataques de choro quando não conseguia o que queria. O problema o perseguia desde a pré-escola. Seus pais acreditavam se tratar de falta de maturidade e que, com o tempo, o comportamento seria superado. Explicaram-lhe repetidas vezes que não devia proceder assim, pois poderia até perder os amigos. Embora parecesse entender as possíveis conseqüências de sua reação, Dion persistia no choro. Os pais do menino se sentiam cada vez mais perdidos e frustrados. Decidiram então procurar orientação profissional para ajudar o filho. Admirei-me da segurança com que garantiram a Dion que encontrariam um modo de ajudá-lo.

É preciso conversar com seu filho sobre o valor que ele tem?

Nicki, de 10 anos, além de muito bonitinha, tirava notas excelentes no colégio. Assim, vinha sendo vítima de comentários e "olhares" de muitas colegas sobre suas roupas e notas e chegou a ser acusada de "roubar" o namorado de uma colega, o que não procedia. Quando voltava da escola para casa, Nicki quase sempre ligava para a mãe no trabalho e contava, chorando, as coisas desagradáveis que haviam feito com ela no dia. A mãe ouvia, sabendo que a filha sempre se sentia melhor depois de desabafar, mas via que os efeitos cumulativos do deboche estavam destruindo sua auto-estima. Procurava repetir sempre que ela era uma ótima menina, dona de várias qualidades especiais – era carinhosa, sensível, inteligente e atenciosa. Lembrava-lhe de seu talento para a música e de seus bons resultados na ginástica olímpica e na dança. "Amo muito você. Você é a luz da minha vida. Sei que é chato ouvir as meninas rirem do seu jeito e não a aceitarem, mas o problema é mais delas do que seu." E continuava dizendo a Nicki que as meninas eram grosseiras e mal-educadas e que, pelo jeito, tinham inveja dela.

Embora Nicki concordasse com a mãe, era difícil agüentar as observações e os comentários jocosos de crianças com quem ela convivia diariamente. A mãe e os avós precisaram repetir muitas vezes que a ajudariam a lidar com o problema das agressões verbais e da exclusão que ela sofria no colégio, e a mãe conversou com ela sobre a estratégia da visualização (veja o Capítulo 6). Explicou à filha que ela precisava

100   ELIMINANDO PROVOCAÇÕES

fingir haver um escudo bem grosso protegendo-a das palavras maldosas e zombarias dos outros, enfatizando a importância da autoconversa – através da qual lembraria a si mesma das palavras da mãe, e não as das colegas. A mãe conversou com a orientadora da escola para pedir que a mudassem de classe no ano seguinte e passou a promover uma maior aproximação da filha com as meninas da sua rua e das aulas de ginástica olímpica e de dança.

Nicki jamais hesitou em contar à mãe como se sentia em relação ao tratamento que recebia na escola, mas muitas crianças são mais reticentes. Se seu filho vem sendo constantemente perseguido, incentive-o a dizer como se sente, lembrando-se sempre de que talvez você não saiba o que o faria se sentir melhor. *Pergunte.*

Seu filho se sente bem sendo como é?

Não é fácil descobrir se as crianças sentem mesmo vergonha de ser como são ou saber o que as constrange nelas mesmas. Se andam zombando de uma criança por causa de alguma diferença ou característica física que não pode ser mudada, pergunte a ela como se sente em relação a essa característica. Se a criança se sente à vontade com o que tem de diferente, pode ser que não se incomode com os comentários ou a provocação dos outros. Por outro lado, se a criança sente pena de si mesma ou deseja ser "como todo mundo", ela estará mais vulnerável a tudo que lhe disserem. Certas crianças podem se sentir à vontade com a diferença até chegar à terceira ou quarta séries, quando começam a se comparar mais aos colegas. Brandon reclamava com a mãe de que alguns meninos diziam que ele corria muito devagar durante o jogo na hora do recreio. "Entendo que você gostaria de não andar mancando", dizia a mãe. "Sei quanto você gostaria de correr como os outros meninos." Como já disse antes, manifestar compreensão pelos sentimentos do seu filho é uma primeira mensagem muito importante. Permite-lhe esperar que seu filho fale como se sente, por mais doloroso que seja para você ouvi-lo relatar seu próprio sofrimento. Nesse caso, Brandon começou a chorar e extravasou seus sentimentos, alegando ser injusto ter nascido com aquele problema. A mãe sentiu sua dor e, mais do que isso, sentiu-se culpada pela deformidade do filho. (Às vezes, a culpa dos pais pela diferença do filho interfere na ajuda que dão a ele. Pode valer a pena recorrer a um profissional para auxiliar seu filho a conviver melhor com sua diferença.) Ela lhe disse: "Sim, parece injusto e entendo como você se sente, mas não é o fim do mundo. Pense nas crianças que não podem andar nem correr". E continuou conversando com o filho, insistindo na importância de ele dar o melhor de si mesmo e de ser o melhor que sua condição permitisse. Lembrou-lhe de Jim Abbott, o arremessador de beisebol da liga principal, que havia nascido sem uma mão.

Elogiar os esforços de seu filho é outra mensagem muito importante. "Fiquei orgulhosa de ver a arrancada que você deu para o ataque. Seu chute foi muito forte mesmo." É também importante incentivar seu filho a dar crédito a si mesmo por seus feitos e esforços.

Em alguns casos, os pais podem querer conversar com os filhos sobre a falta de compreensão das outras crianças em relação à diferença. "Acho que algumas crianças da sua classe não entendem o que é ter um defeito físico. Talvez possamos conversar com a professora e lhe pedir que explique à classe exatamente qual é a sua deficiência e o motivo de você não conseguir correr muito." Essa intervenção tem boas chances de dar certo quando a intenção é aumentar a consciência e a sensibilidade das crianças em relação a um colega diferente.

Luis voltava da escola com um ar de que o mundo lhe pesava sobre os ombros. Carregava esse fardo para o quarto quando batia a porta. Passado algum tempo, descia esbravejando que detestava o colégio e que queria voltar para a escola antiga. A mãe alegava ser comum a criança ter dificuldade de se adaptar a situações novas e garantia que em poucas semanas ele se sentiria bem melhor. Essas palavras não o consolavam. Luis continuava a reclamar da escola e a afirmar que não gostava das crianças. Ao ser indagado sobre o motivo, relutou, mas acabou admitindo que algumas crianças não o deixavam jogar na hora do recreio. A mãe respondeu de forma compreensiva e acolhedora: "Acho normal você ficar aborrecido quando não o deixam jogar. Quase todas as crianças se sentiriam da mesma maneira. Sei que é difícil ser aluno novo de quinta série". O menino apenas exclamou: "Odeio todo mundo de lá". Mais uma vez, a mãe manifestou compreensão pela raiva do filho e lhe perguntou: "Aconteceu mais alguma coisa?" Seus olhos então encheram-se de lágrimas e ele falou: "Eles disseram que '*latino*' não pode jogar. O coração da mãe se partiu de pena do filho. "Não é para menos que você não queira voltar para aquela escola".

A mãe disse ao filho que lamentava muito o ocorrido, mas que ficara contente por ele ter se aberto com ela. E continuou a demonstrar empatia pelas emoções do menino: "Entendo que você não queira ir à escola amanhã e encarar aqueles meninos grosseiros. Um lado triste da vida é que certas pessoas ofendem as outras só por elas serem meio diferentes." Luis parecia ouvir com interesse e ela prosseguiu: "Temos orgulho de nossas raízes e de quem você é. Embora seja muito doloroso ouvir palavras tão desagradáveis assim, devemos continuar sentindo orgulho do que somos. Eu também fico aborrecida quando ouço alguém falar coisas desse tipo. Vamos pensar em um jeito de você se aproximar de outras crianças." Mais tarde, quando o pai voltou do trabalho, toda a família conversou sobre preconceito e discriminação.

Alícia, menina obesa de 8 anos, era sempre alvo de implicâncias por conta disso. Os debroches ocorriam mais dentro da condução escolar, quando não havia adulto por perto. O efeito cumulativo das ridicularizações cobrou seu preço. Ela se tornou extremamente irritável, tentava não comer muito às refeições e perdeu o interesse em brincar com as amigas. Os pais precisaram fazer muitas investidas para conseguir que se abrisse. Por fim, Alícia não agüentou mais. Revelou aos prantos como detestava a si mesma e sua aparência. A mãe a apertou nos braços enquanto ela chorava. Depois disse que entendia perfeitamente como ela se sentia. "Sei bem o que você sente, Alícia. Também passei por isso quando estava na quarta série. É uma sensação muito ruim mesmo. Dá vontade de fugir e se esconder. O pai da menina também contou sua experiência de pegarem sempre no pé dele por ser o mais alto da classe e por usar os óculos mais grossos da turma.

A mãe explicou à filha que as crianças gostam muito de implicar com as outras por causa de sua aparência – implicam quando o colega é gordo e quando o colega é muito magro. As altas sofrem tanto quanto as baixinhas. Alícia disse que faria tudo para ser magra – que não se importaria de implicarem com ela por ser magra. A mãe prosseguiu dizendo que as crianças são provocadas por qualquer coisa que seja diferente, e que todo mundo é diferente em algum sentido. Ela pediu à Alícia que pensasse em como cada uma de suas amigas poderia ser considerada diferente por alguma razão – aparência, talento, cultura, família. E fizeram uma lista, que ajudou a menina a ver que não era a única a ser diferente dos outros.

O pai contou à filha que sentia muito orgulho por ela ser a pessoa amável e delicada que era. A mãe elogiou suas boas notas, sua disposição de ajudar nas tarefas de casa e com o irmão menor. Os pais a lembraram que as amigas prezavam muito sua amizade. A conversa não fez Alícia emagrecer mas, com toda certeza, aliviou seu coração "pesado". O pai perguntou o que ela achava de ele conversar com o diretor do colégio sobre a situação e ela gostou da idéia.

Conversando sobre o Atormentador

Na maioria dos casos, é tão importante falar das possíveis motivações internas do atormentador quanto do papel do seu filho na situação de atormentado. Principalmente quando quem pratica a provocação é considerado amigo de seu filho, ou seja, uma pessoa a quem admira, ele pode exprimir em tom queixoso: "Por que ele está fazendo isso comigo?" É provável que você não tenha resposta para essa pergunta, mas ela lhe oferece uma importante oportunidade para ajudar seu filho a ver que as razões podem não ter nada a ver com ele. Às vezes, você mesmo pode saber que o importunador está passando por mudanças na família, como divórcio ou morte de algum membro. Embora esse fato não sirva de desculpa para seu modo de agir, entender a motivação do atormentador muitas vezes ajuda a criança-alvo a ver a situação sob outro ângulo. Se você diz a seu filho que o importunador pode estar dizendo ou fazendo essas coisas para chamar atenção, seu filho pode conseguir imaginar modos de lhe dedicar uma atenção mais positiva.

Pergunte a seu filho se *ele* tem alguma idéia do motivo pelo qual o atormentador o está afligindo tanto. "Por que você acha que Jimmy está sendo tão desagradável?"; "Ele também está fazendo assim com outras crianças?"; "Acabo de saber que o pai dele está no hospital. Será que é a preocupação com o pai que o faz agir dessa maneira?" As crianças muitas vezes percebem mais do que a gente imagina. Quando a mãe de Nicki lhe perguntou: "Por que você acha que aquela menina a acusou de roubar seu namorado?", ela prontamente explicou que os lugares eram marcados, que o dela era ao lado do menino e que eles sempre acabavam conversando. Independentemente de seu filho ter idéias próprias ou de você oferecer as suas, é importante dizer: "Acho que nenhuma dessas razões dá a ele o direito de aborrecê-lo."

Diante dessa "prova circunstancial" tão inconsistente, a mãe de Nicki retrucou: "Fico me perguntando o que elas responderiam se você perguntasse por que falam tanto da sua roupa e das suas notas." A mãe a advertiu da possibilidade de ouvir mais coisas desagradáveis, mas Nicki resolveu correr o risco. Quando Nicki lhes fez a pergunta, pegou-as desprevenidas e elas não souberam responder nada. Depois disso, os "olhares" e comentários diminuíram.

Às vezes, não conseguimos entender por que uma pessoa é tão impiedosa. É muito difícil explicar a uma criança coisas que nós mesmos não entendemos.

Como Conversar com Seu Filho sobre o Que Pode Ser Feito

Você ouviu seu filho lhe contar como o estão amolando e quanto isso dói. Você explicou sobre o papel dele na situação e sobre a possível motivação do atormentador. Agora é hora de falar de ação.

• **Manifeste confiança da capacidade de seu filho de lidar com a situação.** Dizer: "Sei que ninguém gosta de ser caçoado, mas acho que você é capaz de lidar com essa situação" mostra que confia que ele conseguirá achar uma saída. Lidar com uma situação que é difícil ou adversa é a essência do enfrentamento. (Lembre-se, no entanto, de que se a situação for crônica e repetitiva, e se seu filho se sentir inseguro, ele poderá estar sendo intimidado, quando então a intervenção ou ajuda de adultos se faz necessária.)

• **Pergunte o que seu filho quer fazer.** Pergunte a seu filho que providência ele quer tomar. Não faça perguntas que já encerram a própria resposta, como: "Vou falar com a professora, tá?", ou "Quer que eu vá com você à quadra amanhã?" Veja, primeiro, se ele tem alguma coisa em mente e, se tiver, prometa pensar no assunto e depois propor um plano. Mas o faça logo, como depois do jantar, depois de conversar com seu marido, ou assim que tiver refletido um pouco sobre o problema. Caso ele não sugira nada – ou se apenas disser algo do tipo: "Quero que você faça ele parar!", garanta que vai ajudá-lo a encontrar jeitos de lidar com o aborrecimento e, ao mesmo tempo, veja se você consegue dar um fim à situação. Para muitas crianças, essa declaração otimista e tranqüilizadora de intenção é suficiente para aplacar a dor da criança enquanto você investiga mais a fundo a situação.

• **Seja realista.** Diga à criança que talvez não seja possível controlar o que o atormentador está fazendo. Sempre repito para as crianças que elas não podem controlar o que os outros dizem. Digo a crianças pequenas que gostaria de ter uma varinha de condão para fazer todos só usarem palavras amáveis. Elas precisam aprender que talvez aconteça de outras crianças dizerem coisas desagradáveis ou maldosas. Não podemos evitar totalmente que isso não aconteça. Como as crianças reagem às implicâncias dos outros é o que importa. Sei que pareço um disco arranhado (será que isso ainda existe?) quando digo que elas não podem controlar as palavras e as atitudes de quem as chateia, mas que podem, sim, controlar suas próprias reações. Mostro a crianças de todas as idades que cabe a elas a responsabilidade pelo próprio comportamento. Não é possível obrigar outras crianças a se comportarem de uma determinada maneira – elas só são responsáveis pelas próprias palavras e atitudes.

• **... Mas *é* possível controlar como seu filho se sente diante das zombarias.** As crianças muitas vezes se sentem "automaticamente" aborrecidas, irritadas, tristes ou ofendidas quando alguém caçoa delas. O ponto-chave das estratégias destinadas a lidar com zombarias é ajudar as crianças a aprender maneiras de controlar a expressão de seus sentimentos. A prática constante pode ajudá-las a reduzir sua raiva, medo, tristeza ou impotência. Talvez não gostem, mas podem aprender a lidar com esses sentimentos.

Digo às crianças que o que fere os sentimentos de uma pessoa pode não ferir os de todas as outras. Se a criança se sente impotente, a implicância vai perturbá-la. Caso se sinta forte (preparada para responder com eficácia), não vai sentir medo. Nenhuma criança vai gostar de ouvir comentários ridicularizadores e maledicentes, mas eles deverão incomodar bem menos aquela que demonstra domínio das técnicas de defesa contra a provocação, as quais, além de tudo, servem para diminuir o estresse.

Descobri que meninos e meninas que praticaram as estratégias de simulação de papéis – ou *faz-de-conta* – vivem com menos medo de sofrer deboches. É mais ou menos como alunos na hora da prova. Os que estudaram e estão preparados sentem-se confiantes e otimistas. Os que não estão preparados mostram-se em geral ansiosos e nervosos.

Acredito que faz bem às crianças praticar a autoconversação. Elas precisam dizer: "Só porque alguém me chama de alguma coisa ou ri de mim não significa que haja algo de errado comigo", "Posso não gostar do que certas pessoas dizem, mas posso decidir se acredito nelas ou não. Sou eu quem resolve se vou reagir com raiva e ficar chateada."

Chamamos a isso de *autoconversação positiva,* e ela é apenas uma das técnicas de defesa que ajudam as crianças a não se sentirem tão atingidas com o que dizem delas.

O Capítulo 6 traz dez técnicas desse tipo: continue lendo!

Sou uma cantora e faço as canções levarem para longe de mim todas as gozações.
Jacque Vaynberg

6

Ensinando a Seu Filho Estratégias Que Funcionam

Mandamos nossos filhos ao colégio de sapato novo, mochila nova e todo o material de que eles precisam para ter um bom aproveitamento escolar. No que tange, porém, a técnicas de defesa que podem ajudá-los a não sofrer com a provocação, que é uma parte quase inevitável da vida social das crianças, nós os deixamos completamente despreparados. A verdadeira intimidação, ou intimidação abusiva (definida no Capítulo 1), requer intervenção dos adultos. No entanto, minha pesquisa e experiência mostraram que, quando armada com as técnicas de defesa deste capítulo, a maioria das crianças consegue lidar com a provocação por conta própria.

Quando uma criança procura os pais queixando-se de problemas de deboche, o que ela quer, em geral, é que eles "dêem um jeito" no problema e "façam Steven parar de implicar" (sobretudo se a criança for relativamente pequena). Entretanto, é muito pouco provável que você esteja presente quando Steven importuna seu filho dentro do ônibus escolar, no parquinho ou mesmo na sala de aula. Como já discutimos antes, chamar os pais de Steven ou falar com a professora pode ou não resolver o problema. O que seu filho precisa é de armas que possa usar na hora certa, quando e onde o problema ocorrer.

Chamo as estratégias analisadas neste capítulo de *técnicas de defesa* porque elas são voltadas para mudar as reações e sentimentos de impotência daquele que sofre a provocação. Um princípio norteia as estratégias: simplesmente não é realista esperar que nenhuma criança consiga modificar o comportamento de agressividade verbal de outra. A moderna psicologia nos diz que, de fato, qualquer que seja nossa idade, não podemos esperar controlar ninguém além de nós mesmos. Esse princípio certamente se aplica a crianças. Quando aprendem a controlar sua própria reação diante da importunação, reduzem a intensidade da dor que sentem. Isso, em si, já é altamente desejável, ainda mais para crianças que tendem a ser muito sensíveis a qualquer coisa percebida como crítica por parte dos colegas ou quando confundem brincadeira inocente e atitudes bem-intencionadas com provocação maldosa.

Graças à natureza da provocação, contudo, o controle que a vítima dessas importunações é capaz de exercer sobre seu próprio comportamento geralmente também exerce um efeito significativo sobre aquele que as pratica, *na hora em que o incidente ocorre*. Como eu mesma já disse, muitos atormentadores querem arrancar uma resposta emocional de sua vítima. Quando não conseguem, sua tendência é abandonar aquela vítima e buscar outra, com menos autocontrole. Assim sendo, pode ser que minhas estratégias não façam o atormentador mudar de atitude, mas o obrigarão, no mínimo, a procurar outra presa.

As estratégias deste capítulo podem evitar que um determinado adepto do escárnio volte a atormentar seu filho, o que significa que elas servem ao mesmo tempo como intervenção e prevenção. Descobri também que crianças que usam essas técnicas de defesa se tornam menos propensas a virar vítimas da intimidação abusiva. Enfrentar a provocação significa cortar pela raiz qualquer impressão de que seu filho seja uma presa fácil, que é exatamente o que os prepotentes procuram.

Sem dados científicos para respaldá-las, não posso afirmar que as *estratégias de defesa* possuam um efeito amortecedor mais global sobre a provocação em si, mas vi o ambiente em sala de aula mudar quando consegui ensinar preventivamente as crianças a ficarem preparadas para quando tivessem que enfrentar xingamentos, ridicularizações ou deboches. Muitas crianças começam a perder a sensibilidade para o escárnio depois de bastante prática e diálogo. A provocação deixa de ser uma questão tão importante para elas. Teoricamente, discutir o tema da provocação em classe de forma regular acaba criando um consenso em toda a escola de que o escárnio não é uma atitude respeitável e aceitável. Isso me foi confirmado recentemente por uma classe de quinta série. Os alunos disseram acreditar que as atitudes de importunação haviam diminuído na escola toda, percepção expressa por uma menina que repetia de forma enfática que agora ninguém zombava mais dela porque todo mundo saberia que ela nem ligaria ou, se isso acontecesse, ninguém notaria. Acredito firmemente que uma atitude grupal de tolerância zero para a provocação tenda a desestimulá-la antes que sua prática se instale. Espero sinceramente que, se todas as crianças aprenderem essas estratégias, o escárnio, com o passar do tempo, se tornará uma atitude simplesmente inaceitável pela sociedade.

Ensino as estratégias a crianças na ordem que passo a descrever. Sempre me pareceu sensato começar pela autoconversação, tendo em vista que as crianças precisam repetir antecipadamente para si mesmas o que vão dizer e fazer em uma situação de importunação. Ignorar é uma segunda opção natural, já que tantos pais dão esse conselho aos filhos, só não explicam como. E a mensagem em primeira pessoa é uma boa estratégia para ser acrescentada ao repertório da criança bem cedo, porque, em muitas situações, é importante para ela saber exprimir seus sentimentos. Exceto quanto à última, pedir ajuda, as outras estratégias podem ser aprendidas em qualquer ordem. Talvez seja interessante revê-las ao final com seu filho e, depois das três primeiras, escolher aquelas que ele demonstrar mais disposição para tentar.

Gostaria de dar uma palavra sobre as idades apropriadas para essas estratégias. Nas seções a seguir, tentei indicar em que idade as crianças estão prontas para aprender cada estratégia, quais as que funcionam melhor para determinadas fases, ou como as estratégias podem ser adaptadas para atender melhor às necessidades das diferentes idades. Muito, porém, dependerá do desenvolvimento cognitivo e social e da maturidade da criança. O que funciona para uma criança de 6 anos pode ser difícil para outra. Você terá de julgar a utilidade de uma estratégia em particular, tomando por base todo o seu conhecimento íntimo das capacidades e traços de personalidade de seu filho. Não quero sugerir que seu filho *tenha de* ser capaz de usar uma certa estratégia em uma determinada idade – e que se não conseguir, é porque há alguma coisa errada com ele. (Lembra aqueles gráficos de crescimento dos livros de bebê? Eu sempre ficava nervosa quando meus filhos não

112 ELIMINANDO PROVOCAÇÕES

atingiam uma certa marca própria de uma idade. O ponto-chave deste livro e das estratégias a seguir é deixar você e seu filho *menos* – não mais – nervosos.)

A Autoconversação

A menina Joy, de 6 anos, adorava a primeira série. Pelo menos é o que ela dizia à professora, sra. Burke, e ninguém que a observasse em sala de aula diria que ela não era uma criança feliz e muito motivada a aprender. Quando, porém, descia todos os dias do ônibus escolar, a mãe percebia que a filha estava segurando o choro. Acontece que as crianças do ônibus, impiedosamente, zombavam de Joy, chamavam-na de "baleia" e riam dela.

Andy não havia começado muito bem a terceira série. Mais uma vez, havia tirado péssimas notas desde o início do ano, embora isso não o incomodasse muito. Estava acostumado a ter dificuldades nos estudos, pois era portador de distúrbio de déficit de atenção e hiperatividade e conseguir ficar sentado pelo tempo necessário para fazer as lições de casa já era uma vitória para ele. O que Andy não estava acostumado era à provocação. Mesmo sabendo de antemão de suas notas, Andy sempre perdia a cabeça e gritava com as crianças que mexiam com ele na hora em que a professora devolvia as lições corrigidas. Era ele que, inevitavelmente, criava problema com as professoras por causa de seus destemperos.

Levon adorava sanduíche de ovo. Durante toda a primeira série, era o que ele trazia de casa na lancheira preparada pela mãe. Mas, desde o primeiro dia da segunda série, Syed, um bom palmo mais alto que Levon, passou a pegar no pé dele na hora do lanche: "O que é essa *gororoba* aí? Você vai mesmo comer *essa coisa*? Olha, gente, Levon vai comer sanduíche de vômito!" Levon ficava transtornado. Sem a mãe saber, começou a jogar fora o sanduíche antes de chegar ao recreio. Quando chegava em casa morto de fome, a mãe atribuía o fato à fase de crescimento. Levon sabia que a história era outra.

Quando zombam delas, as crianças, com enorme freqüência, reagem automaticamente com choro e crise emocional. Quanto menor a idade, menor sua propensão a parar um instante e perguntar a si mesmas se o que estão alegando faz sentido. Mas quando *eu* faço a elas essa pergunta e a resposta é "não", elas imediatamente se dão conta de que não havia muito motivo mesmo para ficar aborrecidas. Essa simples percepção já pode ajudar a vítima da provocação a se livrar da raiva e do aborrecimento um pouco mais rápido do que estão acostumadas a fazer.

Uma mudança de atitude mental como essa é apenas um exemplo daquilo que considero ser uma das mais importantes estratégias de defesa que as crianças podem usar quando são alvo de provocação. Chama-se *autoconversação* e as lembra, em primeiro lugar, de que não precisam deixar o escárnio perturbá-las e, em segundo, que o escárnio pode muito bem ser de uma insensatez tão grande que não mereça nem mesmo ser ouvido.

• **A acusação feita é verdade?** A autoconversação pode assumir muitas formas diferentes, dependendo das circunstâncias da importunação e da idade da criança. A estrutura de pergunta e resposta que acabei de descrever é a forma mais básica de autoconversação e deve ser a primeira reação de qualquer criança vítima de provocação.

• **Que opinião conta?** Um segundo tipo de autoconversação envolve a criança exigir respeito para si mesma quando a resposta à pergunta "A acusação feita é verdade?" não é um "não" tão óbvio. Levon, por exemplo, não pode dizer que sanduíche de ovo é definitivamente uma delícia ou realmente um nojo porque é questão de gosto. A provocação de Syed era uma opinião. Nesse caso, Levon deveria perguntar a si mesmo: "Que opinião é mais importante, a minha ou a dele?" O sanduíche não é de Syed, e o que Levon leva de lanche não é da conta do menino. Então a resposta é clara: a opinião de Levon nesse caso é a única que importa. Quando indagamos aos colegas de Levon sobre o assunto, todos concordaram. Depois de brincar um pouco do jogo do faz-de-conta sobre o que poderia ser feito se Syed o provocasse de novo, Levon voltou a comer seu sanduíche de ovo no lanche no mesmo dia. Essa mensagem que recebera dos colegas de classe se tornou uma poderosa autoconversação para ele.

• **Pensar em coisas boas... sobre si mesmo**. Um terceiro tipo de autoconversação consiste em fazer as crianças lembrarem a si mesmas de algumas de suas qualidades mais marcantes enquanto estão sendo provocadas. Joy *é* gorda, mas quando as crianças começaram a chamá-la de "baleia" no ônibus, ela fez o possível para não chorar, tentou ignorar quem a atormentava e, olhando pela janela, pensava em alguma coisa especial sobre si mesma. Quando lhe perguntei o que era, com um largo sorriso ela explicou: "Disse a mim mesma que sou ótima amiga." E ela é – Joy tem dezenas de amigas e, ao contar essa história na frente da classe, recebeu uma salva de palmas! Pensar em coisas agradáveis pode não ajudar as crianças a voar como fez Wendy, na história do *Peter Pan*, mas certamente anima o espírito e dá mais coragem às crianças a quem ensino.

• **PARE: Pare, pense em suas opções e planeje o que fazer.** Certas crianças têm "pavio curto", são impulsivas e, em geral, têm menos autocontrole que outras. Isso aumenta seu risco de manifestar reações agressivas malvistas quando expostas à provocação, como no caso de Andy. Ensino essas crianças a prever certas situações que podem levá-las a se sentir ofendidas e ter uma reação alterada, a jogar o jogo do faz-de-conta e a repetir a palavra *PARE* para si mesmas logo que ouvem alguma gozação. Para muitos portadores do distúrbio de déficit de atenção e hiperatividade, esse método acabou se tornando bastante útil depois de muita prática e repetição.

Quando Ensinar Essa Estratégia

Como eu já disse antes, a autoconversação é uma das estratégias mais fundamentais que as crianças podem usar para lidar com a provocação. Ensino isso aos menores com quem trabalho (embora uma professora do pré com crianças na faixa dos 6 anos a tenha descrito como "difícil demais" para seus alunos, alegando que eles precisavam de lembretes constantes de não reagir com raiva ou choro). Você terá de julgar se seu filho pequeno é capaz de aprendê-la, provavelmente pela técnica de tentativa e erro. As mais velhas conseguem, por mais sofisticada e complexa que sua autoconversação possa se tornar, mas muitas crianças de 4 ou 5 anos já são capazes de fazer uso dessa estratégia. Simplesmente dizer para si mesmas: "Não vou ficar com raiva e chorar" é uma arma poderosa que ajuda a evitar o sofrimento "automático" que a maioria delas sente. Um garoto de 7 anos disse para si mesmo: "Aquele menino chato está tentando me deixar com raiva. Não vou lhe dar o que ele quer." Outro, de sexta série, disse a si mesmo que não ia dar a quem zombava dele o poder que queria.

Onde as Crianças Podem Usar Essa Estratégia

A autoconversação, como espero já ter mostrado, é aplicável a praticamente toda situação de provocação. De fato, é importante que crianças de todas as idades façam a si mesmas a pergunta: "O que posso dizer ou fazer?" como primeiro passo no momento em que a ridicularizam ou zombam dela. O segundo passo é dizer e fazer. A autoconversação mais importante para usarem é: "Não gosto quando os outros falam coisas desagradáveis de mim. Detesto quando debocham de mim, mas vou agüentar firme. Não é o fim do mundo." É exatamente isso que significa enfrentar o escárnio: lidar efetivamente com uma situação adversa.

Como Ensinar a Autoconversação a Seu Filho

Percebi que essa técnica é infalível para ilustrar a importância de as crianças perguntarem a si mesmas se a acusação feita procede, e você pode usá-la para os mesmos fins em casa. Finja que *você* é o provocador e diga a seu filho: "Sua cara está toda verde. Por que você tem uma cara tão verde assim?" Se ele for como todas as outras crianças com quem trabalhei, acabará rindo, porque essa frase, sem dúvida alguma, não é séria – além de boba demais. Agora diga a ele: "Você é um completo idiota." Antes de começar a se sentir mal por fazer seu filho sofrer, olhe bem para ele e pergunte depressa: "Isso é verdade?" Com toda certeza ele dirá algo como: "Não, claro que não!" Agora diga: "Da próxima vez que alguém te chamar de alguma coisa, pergunte a si mesmo se o que ele está dizendo é verdade e depois questione o seguinte: Se isso não é verdade, por que estou tão bravo?" O mais provável é que seu filho note que aquele sentimento de ofensa, tristeza ou raiva desapareceu mais rápido do que antes.

Para essa e também para outras formas de autoconversação, a prática e a repetição são importantes para que a *primeira* resposta instintiva da criança diante da provocação seja a autoconversação em vez do sofrimento e da raiva. Sugiro aos pais inventarem cenários de provocação para fazer o jogo do faz-de-conta com os filhos. Finja que seu filho está debochando de você e responda com autoconversação. Inverta os papéis para que ele possa treinar. Treine com ele no carro, à mesa, na hora do jantar, antes da hora de dormir ou antes de seu filho sair para a escola. Se ele for constantemente provocado por ser baixinho, você poderia dizer: "O que você acha que diria para si mesmo se alguém perturbasse você por causa da sua altura?" Uma autoconversação sensata seria: "Estou farto de levar gozações porque sou baixo, mas não vou me aborrecer com isso. Vou usar uma das estratégias que treinei." Certas crianças precisam de mais prática do que outras. Você saberá quando seu filho estiver se sentindo confiante e forte.

Às vezes, a criança fica tão transtornada que não consegue praticar a autoconversação a tempo. Nessas situações, você pode sempre praticar depois do fato para prepará-la para a próxima vez. Bobby foi espezinhado por um jogador do seu time de futebol por haver perdido um gol que lhes teria dado a vitória. Ele, que já se sentia mal por ter perdido o gol, se sentiu pior ainda com as palavras duras do parceiro. Reagiu com choro, o que o envergonhou ainda mais. Passado um tempo, naquele mesmo dia, os pais lhe perguntaram o que ele poderia dizer a si mesmo se a situação acontecesse de novo. Bobby treinou sua autoconversação em voz alta: "Vou tentar ficar frio e decidir o que posso fazer ou dizer. Posso também lembrar a mim mesmo que *eu* acabei decidindo o jogo de basquete, que nós ganhamos. Ninguém é perfeito."

Ignorar

Se alguém faz alguma observação grosseira ou ofensiva sobre você quando está andando pela rua, você por acaso pára, olha para ela com ar ofendido e irritado e lhe dá uma bela resposta? Dificilmente.

De maneira instintiva, nós, adultos, sabemos não dar a ninguém que nos insulta a satisfação de uma resposta. Entendemos que dar ao agressor a reação que ele espera só contribui para lhe dar mais poder e para atrair mais comentários desagradáveis.

Pode ser que seu filho ainda não saiba disso, dependendo de sua maturidade emocional e cognitiva e dos tipos de experiência que teve até o momento: simplesmente ignorar um escárnio e esquecer a situação pode ser uma das armas mais poderosas que a criança pode aprender a manejar para desestimular quem a atormenta.

Sam, de 8 anos, foi mandado para a sala do diretor três vezes em um mês porque ficava dando a Jared exatamente o que ele queria. Jared provocava Sam por causa de sua irmã menor, que usava óculos de lentes muito grossas em virtude de alta miopia. Invariavelmente, Sam ficava vermelho de raiva e esbravejava: "Você isso, você aquilo..." o que só fazia Jared rir cada vez mais alto. O problema chegou a ponto de Jared conseguir transformar Sam em um vulcão em erupção apenas cochichando o nome da irmã dele em seu ouvido na fila da cantina. Quando Sam resolveu partir para a briga, as idas à diretoria começaram.

Sam não conseguia entender que sua arma mais forte era o silêncio aliado a distância – ignorar Jared – porque, segundo ele mesmo, "não queria que os garotos me achassem medroso". Muitas crianças acreditam que vão perder o respeito dos colegas se não enfrentarem aqueles que os atormentam, e isso, em geral, significa se expressar de forma ruidosa e agressiva. Naturalmente, é a vítima que mais se complica nesses casos.

Ignorar uma provocação dá às crianças uma poderosa alternativa que reduz seus sentimentos de impotência e lhes confere poder para exercer o autocontrole e cortar sua resposta emocional automática. Sam não queria ignorar Jared; queria "pegá-lo". Eu e sua professora, porém, o persuadimos a simplesmente se afastar da próxima vez que Jared começasse seu ataque – do contrário, ele se arriscava a levar uma suspensão. Com o tempo, Jared cansou e parou de perturbar Sam por causa da irmã.

Acredito que ignorar não apenas dá poder à vítima do deboche e refreia seu autor como também protege a vítima de situações que lhe podem ser prejudiciais. Da mesma maneira que a gente se afasta rapidamente de uma pessoa que discursa na calçada, para não interagir de forma alguma com quem pode acabar se revelando perturbado e perigoso, ensino às crianças a ignorar quem implica com elas, pois essa pessoa pode tirar partido de sua reação e passar a agir com prepotência e brutalidade. Acredito firmemente que as crianças devam se afastar de situações que lhes deixam assustadas e inseguras – tanto física quanto emocionalmente. Trata-se apenas de bom senso. No entanto, estou também tentando proteger a auto-estima da vítima do escárnio e, possivelmente, aumentar a segurança que ela tem das próprias qualidades. Quando submetidas a ataques verbais súbitos e gratuitos, a maioria das crianças, não é de surpreender, são pegas desprevenidas. Não sabem o que dizer nem fazer, e permanecer na situação normalmente significa que o importunador continuará ou intensificará seu ataque. E a vítima acaba simplesmente se sentindo cada vez mais impotente.

Por mais certeza que eu tenha de que ignorar é uma estratégia eficaz, nem todo mundo concorda. Certos especialistas acreditam que ignorar acaba com a possibilidade de o importunador levar seu troco e, assim, desencorajar-se a continuar; enquanto outros ainda dizem que ignorar é uma reação que deixa aquele que pratica a provocação saber que sua vítima está aborrecida e tentando "escapar", podendo até mesmo chamá-la de "medrosa" por abandonar o campo de batalha. Acho que a diferença está em saber se o escárnio é um ato isolado ou parte de um padrão recorrente. Pela minha experiência, ignorar funciona muito bem em incidentes isolados. Alguns poucos especialistas são favoráveis aos pais prepararem os filhos para o fato de que ignorar não vai desencorajar ou dissuadir o atormentador imediatamente, sobretudo no caso de crianças que reagiram emocionalmente em situações recorrentes de provocação. De fato, o problema pode se intensificar quando uma criança começar a ignorar seu atormentador que, acostumado a conseguir reação, passa a não mais obtê-la de uma hora para hora; isso pode deixá-lo ainda mais irritado e instigá-lo a investir contra sua vítima de forma mais incisiva. Pode levar semanas para que ele desista. Nesses casos, o segredo é a persistência.

Quando Ignorar Não é Ignorar?

Eis uma cena bem familiar: Kyle dança em volta de Sara, fazendo pequenas provocações e até mesmo empurrando-a de leve enquanto diz: "Que cheiro ruim você tem! Você mora em uma lata de lixo?" Sara está em pé absolutamente imóvel, com os braços firmemente cruzados sobre o peito, nariz empinado, olhos fechados. Sara não está ignorando Kyle no sentido a que me tenho referido. *Está*, na verdade, reagindo emocionalmente e, em um certo sentido, provocando Kyle a romper a rígida barreira que ela ergueu com sua linguagem corporal; naturalmente, está fazendo o que ela está pedindo.

O que quero dizer por ignorar consiste amplamente em a criança se retirar da situação, se não física, pelo menos emocionalmente. Ignorar implica não olhar nem responder ao importunador, fingir que ele é invisível. Sempre que possível, a criança deve se afastar do importunador e procurar se juntar a outras crianças. É pouco provável que ele continue a perseguição diante de um grupo. Certas crianças fingem estar interessadas em alguma coisa que está acontecendo em outro lugar.

Quando Ensinar Essa Estratégia

Ignorar é uma ótima estratégia para crianças pequenas, embora não lhes seja natural. (Afinal, uma das maiores lições que tentamos ensinar a crianças na faixa dos 6 anos é prestar atenção às pessoas!) Quanto menor a criança, mais importante pode ser ignorar uma provocação, porque os pequeninos não terão ainda muitas aptidões para lidar com situações em que estejam sendo ridicularizados ou provocados. Quando a criança se retira da situação para não ficar exposta à agressão verbal, está protegendo sua auto-estima.

Crianças de todas as idades podem aprender a ignorar um escárnio que visa atingi-las. O segredo está na palavra *aprender*. Não se trata de uma técnica que elas dominem automaticamente – embora muitos de vocês possam dizer que seus filhos sabem muito bem como ignorá-los, principalmente quando recebem ordens de arrumar o quarto e fazer o dever de casa.

Onde as Crianças Podem Usar Essa Estratégia

Ignorar quando alguém provoca ou faz pouco da gente é uma atitude que pode ser praticada a qualquer hora e em qualquer lugar. Tanto faz se a importunação ocorre em sala de aula, no parquinho ou em casa; as crianças podem decidir ignorar aquele que as está atormentando em qualquer lugar. Trata-se geralmente de uma estratégia útil quando as crianças são chamadas de alguma coisa, mas apenas esporadicamente, ou quando sofrem "alfinetadas" ocasionais de um colega de classe. Para Sam, ignorar surtiu efeito com Jared, mas só porque ele persistiu. Jared já havia estabelecido uma rotina de implicância com o colega e, a princípio, quando foi ignorado, tentou "apertar todos os botões" de Sam, chamando-o de "medroso", acusando-o de ser tão insignificante quanto a irmã etc. Só depois de Sam continuar a ignorá-lo, apesar de tudo que ele pudesse tirar de sua cartola, é que Jared acabou desistindo.

Ignorar pode não dissuadir atormentadores que são persistentes em seus esforços de irritar seus alvos. Nessas situações, na verdade, ignorar pode provocar atitudes ainda mais desagradáveis e intensas. É muitas vezes difícil ignorar provocações do tipo: "Por que você não está me ouvindo? Por acaso é surdo? Por que você não compra um aparelho de audição?" e "O gato comeu sua língua? Você não sabe falar?"

Segundo o relato de alunos, o mais difícil é ignorar os atormentadores dentro da condução escolar, porque não podem ficar longe deles. Mesmo assim, fazem o possível para não olhar e não responder a nada que dizem.

Talvez você queira dizer a seu filho que alguns tipos de escárnio são um golpe tão baixo que ignorá-los é a melhor resposta. Alguns são tão vis que qualquer outra estratégia só oficializaria uma coisa que não merece reconhecimento algum. Tente falar assim com seu filho: "Quando você não souber mesmo o que dizer ou fazer, porque o que o provocador está dizendo é um insulto totalmente fora de propósito, justamente aí a melhor solução é ignorar".

Como Ensinar Seu Filho a Ignorar

"Ah, simplesmente ignore."

Quantas vezes dissemos isso a nossos filhos quando eles reclamaram de estar sendo atormentados ou injustiçados? Mandar as crianças ignorarem um escárnio é um conselho pronto, mas daqueles do tipo "falar é fácil, difícil é fazer". Precisamos lhes ensinar especificamente o que significa ignorar e como se faz. Como ilustra a situação de Kyle e Sara, ignorar não significa fazer uma encenação de indiferença; significa realmente não reagir.

Para exemplificar, brinque de ignorar com seus filhos. Crianças pequenas conseguem aprender o conceito da linguagem corporal e a se expressar sem usar as palavras. Comece pedindo a seus filhos que lhe mostrem (sem falar nada) como ficam quando estão contentes, tristes e aborrecidos. É como brincar de adivinhar. Aponte as diferenças de sua postura corporal e suas expressões faciais, inclusive seus olhos e boca. Mostre a eles essas variações. Peça-lhes que descrevam como seu corpo e rosto ficam quando você está contente, quando está triste e quando está aborrecido.

Peça-lhes que mostrem "o que o ignorar parece". Frise a importância de não deixar transparecer a tristeza, o sofrimento ou a raiva que eles podem estar sentindo por dentro. Certas crianças agem como se estivessem deliberadamente se afastando, enquanto outras se mostram indiferentes. A criança deve se afastar de quem a está chateando com a cabeça erguida e a postura ereta. Finja que você é o provocador e insista para que seu filho a ignore, depois finja que ele é o provocador e você o ignora. Em algum ponto da sua prática, mude sua linguagem corporal para que seu filho possa ver a diferença entre se mostrar confiante e se mostrar assustado, chateado ou com raiva. A mãe de uma menina de segunda série me disse que exagerava as diferentes linguagens corporais para enfatizar as nuances para a filha.

Ignorar requer prática e repetição, principalmente com crianças pequenas. Quando começo a brincar de ignorar, elas acham muita graça no começo. De fato, é muito comum crianças de 6 e 7 anos rirem durante a brincadeira. Ignorar é uma situação nova e diferente para elas. Depois de umas certas tentativas, elas em geral pegam o jeito da coisa e conseguem ignorar minhas provocações sem rir. Quase todas, na verdade, querem ter a oportunidade de mostrar como ignoram.

Como já mencionei antes, será preciso lembrar as crianças que ignorar costuma funcionar, mas não faz parar o importunador que está determinado a conseguir uma reação delas. Algumas crianças conseguem ignorar muito bem em diversas ocasiões e então, sem mais nem menos, explodem quando não agüentam mais. Se existe a possibilidade de seu filho se confrontar com uma situação assim, pode valer a pena usar a *autoconversação* (como já vimos algumas páginas atrás) como lembrete de manter a cabeça fria: "Tenho que ser mais perseverante que ele. Não vou perder a cabeça." Quando Sam tentou ignorar Jared por debochar de sua irmãzinha, Jared comçcou a falar mais alto, colocava a cara na frente da de Sam e se mostrava cada vez mais ameaçador. Para Sam, afastar-se dava realmente a sensação de estar fugindo, mas ele persistiu dizendo para si mesmo: "Controlar-me é a coisa mais corajosa que posso fazer." Foram umas semanas bastante difíceis, mas ao final desse período, Jared acabou por se convencer de que Sam não ia mais reagir mesmo e desistiu.

A Mensagem em Primeira Pessoa

Há quase 40 anos, as mensagens do "eu", ou seja, as frases em primeira pessoa vêm sendo o meio de comunicação preferido de muitas pessoas. Criada pelo dr. Thomas Gordon, ela consiste em um método comprovado de evitar conflitos quando uma pessoa quer resolver um problema que envolve uma outra. É também uma técnica muito eficaz de ajudar as pessoas a resolver conflitos latentes. A teoria que a embasa é a de que, quando estamos sofrendo ou com raiva, temos a tendência de acusar ou colocar a culpa na pessoa que vemos como a causa de nosso mal: "*Você* me deixou com tanta raiva!"; "Por que *você* sempre faz isso?" Naturalmente, isso coloca a outra pessoa na defensiva, tornando muito improvável chegar a um consenso entre as partes. Quando, ao contrário, falamos em primeira pessoa – "*Eu* fico com tanta raiva quando...", ou "*Eu* não entendo..." –, abrimos espaço para a outra pessoa entender e levar em conta nossos sentimentos, sem fazer nenhuma acusação sobre seu comportamento e suas intenções.

Outro elemento importante das mensagens em primeira pessoa é a confiança que a auto-exposição desperta. É que quanto mais as pessoas revelam sobre seus sentimentos, mais os outros se tornam inclinados a confiar e a gostar dela.

A mensagem em primeira pessoa dá poder à criança vítima de provocação porque lhe aponta uma maneira de exprimir com firmeza

Ensinando a Seu Filho Estratégias Que Funcionam   123

seus sentimentos, sem colaborar para intensificar o problema. Dizer: "Eu fico chateado quando você diz coisas desagradáveis da minha irmã" põe em evidência o esforço da vítima de articular a emoção que a situação evoca e, dessa maneira, impede a resposta automática que, no caso da maioria das crianças, veicula esses sentimentos. A mensagem em primeira pessoa pode trazer um atormentador indiferente para o lado de sua vítima, embora não necessariamente faça desistir aquele que está louco para ver o outro perturbado.

A mensagem em primeira pessoa, contudo, pode ter um efeito positivo sobre o autor do escárnio. As mensagens em primeira pessoa que ensino se subdividem em três partes.

Na primeira, ela mostra como a vítima da provocação se sente: "Fico chateado..." A segunda parte explica por que a criança possui aqueles sentimentos: "... quando você diz essas coisas desagradáveis de minha irmã". Na terceira, a criança exprime o que gostaria que seu atormentador fizesse: "Gostaria que você parasse de falar assim dela." Às vezes, a simples frase que engloba as duas primeiras partes faz a terceira parecer inegavelmente lógica. Em muitos casos (embora certamente não em todos, como vou discutir um pouco mais adiante), ela já é suficiente para fazer o importunador parar e pensar e, então, quem sabe, *parar* (de implicar ou atormentar) de uma vez por todas.

Eis alguns exemplos de mensagem em primeira pessoa:

- Uma criança com a qual implicam por causa de seus óculos poderia dizer: "Fico irritado quando você ri dos meus óculos. Quero que você pare."
- Uma criança portadora de alguma deficiência física, disse uma vez, à outra que fez pouco dela por causa de seu jeito de correr: "Não gosto quando você zomba do meu jeito de correr. Esse é o único jeito que consigo correr. Pára de implicar comigo."
- Outra criança estava aborrecida porque os colegas sempre riam quando ela dava uma resposta errada na classe. Sua mensagem em primeira pessoa foi: "Fico com vergonha quando vocês riem de mim quando erro."

Quando Ensinar Essa Estratégia

Normalmente, ensino e repito a estratégia da mensagem em primeira pessoa a alunos de todas as séries do ensino fundamental e até mesmo da pré-escola. Eles demonstram muita disposição em aprender essa técnica simples para saber como lidar com situações estressantes e desconfortáveis. Isso talvez porque as crianças pequenas se sentem muito frustradas e impotentes quando encaram pela primeira vez a hostilidade e a crítica, como no caso das zombarias. Falando de uma forma otimista, elas só aprenderam em casa virtudes como a bondade, a compreensão e a boa vontade e tendem a se chocar com qualquer coisa que destoe disso. Instintivamente, porque aprendem muito pela imitação, vão responder à zombaria na mesma moeda. Em um certo sentido, mesmo as crianças menores já precisam desaprender respostas improdutivas para a zombaria – e a mensagem em primeira pessoa constitui uma alternativa que elas acolhem muito bem.

Como têm de desaprender a resposta emocional, é fundamental que professores e pais se lembrem de incentivar as crianças a usar essa arma. A sra. Barron, professora de classe de alfabetização, viu que Will ficou muito irritado quando Tony derrubou a torre que ele havia construído com blocos de madeira. Ela via a raiva de Will rapidamente se intensificar. Depois de conversar com os dois para saber o que acontecera, perguntou a Will como se sentiu quando Tony derrubou sua torre. Ele disse que estava com muita raiva. A sra. Barron o fez lembrar da mensagem em primeira pessoa ("eu") e o incentivou a dizer a Tony como se sentia. Will disse: "Eu fico bravo quando você derruba a minha torre. Não faz mais isso, por favor." Com a ajuda da professora, Tony se desculpou. Depois desse acerto, Will e Tony começaram a construir, juntos, outra torre.

Crianças de 6 e 7 anos ficam sempre irritadas quando os colegas andam devagar na fila, atrapalhando quem vem atrás. Nossas professoras sempre lhes lembram de usar a mensagem em primeira pessoa nessas situações. "Eu fico irritado quando você anda devagar na fila. Olha para a frente e presta atenção." Essas palavras incisivas podem substituir as respostas verbais e físicas tipicamente agressivas das crianças pequenas. Um aluno de primeira série contou aos colegas da classe: "Sinto orgulho quando uso a mensagem do 'eu'. Vou usar bastante."

Conheci uma professora da turma do pré que pregou um "EU" bem grande na classe, para lembrar as crianças da mensagem em primeira pessoa. Quando uma criança quer usá-la para se dirigir a um colega, ela diz o *eu* e faz uma ligeira pausa antes de continuar a frase. Prolongar o *eu* dá mais ênfase e importância às palavras e parece dar mais força à criança. Um pai me disse que aplica a mesma idéia em casa e coloca um "eu" pendurado na geladeira para lembrar os filhos de usar a primeira pessoa.

Talvez você tenha notado que as mensagens em primeira pessoa que dei como exemplo parecem um tanto quanto formais na hora de falar, bem diferente do estilo natural da maioria das crianças de hoje. Quando ensino a mensagem do "eu" a crianças bem pequenas, em torno de 6 anos, estimulo-as a usar a linguagem direta e simples, cujo significado seja inquestionavelmente claro. Seu objetivo é articular seus sentimentos sobre o que o colega implicante fez e o que elas querem que ele faça em vez daquilo. Ensino então os pequenos a dizer: "Eu fico... quando você... Quero que você..." Pode parecer por demais educado e formal, mas o significado é claríssimo. Usar a palavra *sentir* faz as crianças conscientes de sua resposta emocional diante do escárnio. Dar a elas uma receita relativamente rígida para expressar suas mensagens em primeira pessoa evita que, acidentalmente, se desviem e recaiam nas mensagens em segunda pessoa ou externem seu aborrecimento e sua raiva emocionalmente.

Quando as mensagens em primeira pessoa na forma de roteiro são incutidas nas crianças enquanto ainda são bem pequenas, elas desenvolvem sozinhas um palavreado mais natural ao ficarem mais velhas. Crianças mais velhas que aprendem a usar as mensagens em primeira pessoa pela primeira vez conseguem, em geral, adotar suas próprias palavras, já que entendem as sutilezas da linguagem e o princípio de formação da mensagem em primeira pessoa.

Um menino de 9 anos disse uma vez a seu vizinho mal-educado e agressivo: "Sempre fico muito nervoso quando você me provoca desse jeito. Queria que você parasse com isso." Uma outra menina disse: "Não gosto quando você ri de mim. Quero que você me deixe em paz."

Uma garota de uns 12 anos disse: "Fico muito irritada quando você debocha de mim. Por que não dá um tempo, hein?" Outra, de 13, disse ao pai: "Detesto quando você não me deixa ir ao shopping com meus amigos. Queria ter pais menos rígidos." Gary, da sexta série e com dificuldade de aprendizado, também apresenta tendência a ser desastrado e, às vezes, fisicamente desajeitado. Apesar de ter a intenção de colocar a bandeja com o lanche e o suco sobre a mesa, ele deixou cair tudo no chão. Um colega considerado "legal" gritou: "Quer uma mesa maior do que essa para pôr a bandeja, é?" Gary retrucou com calma e firmeza: "Tenho dificuldade de aprendizado e às vezes não consigo saber onde colocar as coisas por não ter uma boa noção do espaço. Acho que isso não é motivo para piada." O outro se calou.

Onde as Crianças Podem Usar Essa Estratégia

As mensagens em primeira pessoa têm um ponto fraco que pode determinar sua efetividade. Para terem o efeito ideal, requerem que o importunador pare e ouça por um segundo. Só que eles costumam estar tão envolvidos em seu próprio *script* que não se mostram nada inclinados a ouvir coisa alguma. Por isso, as mensagens em primeira pessoa parecem funcionar melhor em ambientes estruturados, como a sala de aula ou em casa, quando há adultos presentes. Em ambientes não-estruturados ou pouco supervisionados, como no recreio ou na condução escolar, o importunador pode simplesmente responder a uma mensagem em primeira pessoa da mesma maneira que responderia a qualquer resposta verbal da vítima – com mais perseguição ainda. Quando seu objetivo é transtornar sua vítima, ouvir que ela está de fato perturbada pode lhe dar mais corda. Quando eu era pequena, meu irmão mandava o cachorro dele me pegar. Eu detestava. Odiava mesmo quando o cachorro pulava em cima de mim e me lambia ou me arranhava sem querer. É claro que quanto mais eu gritava, mais Harry atiçava o cachorro. Tenho certeza de que é por isso que nunca tive e nunca terei um cachorro. Se eu tivesse tentado parar de gritar e dissesse: "Tenho medo quando você faz o cachorro pular em mim e quero que pare com isso", acho que meu irmão teria rido e mandado o cachorro me pegar de novo. Talvez eu me sentisse mais forte se conseguisse ter uma reação mais moderada do que correr desesperadamente para o meu quarto aos berros, mas com certeza meu irmão continuaria todo satisfeito sabendo quanto me aborrecia.

As crianças precisam entender que as mensagens em primeira pessoa não são apenas para situações de provocação. Aprender a exprimir seu sofrimento e sua raiva na forma de mensagens em primeira pessoa é uma excelente maneira de acabar com picuinhas antes de começarem, porque a pessoa da extremidade receptora não se torna defensiva por causa de uma acusação. Crianças de todas as idades (e adultos também) variam em termos de capacidade de falar e ouvir e não é incomum que uma frase dita em tom amistoso ou neutro seja interpretada como maldosa. Nesses casos, a mensagem em primeira pessoa pode comunicar com serenidade que a pessoa está sentida. Quando Cynthia voltou ao colégio com a boca cheia de "ferrinhos" depois de uma consulta ao ortodontista, sentiu-se muito inibida. Enquanto a classe trabalhava em silêncio em uma certa atividade, Annie começou a rir. Cynthia imediatamente ficou sentida e humilhada e quanto mais pensava na amiga rindo do seu aparelho, mais chateada ficava. Depois da aula, Cynthia usou uma mensagem em primeira pessoa para dizer a Annie que estava magoada por ela ter rido. Annie rapidamente esclareceu que estava rindo de uma piadinha que outra menina tinha passado para ela. Se Cynthia tivesse partido para o confronto com a amiga com acusações raivosas, Annie poderia muito bem ter respondido também com raiva instintiva. Em vez disso, Cynthia imediatamente se sentiu melhor, e, assim, uma possível briga entre amigas foi evitada.

As mensagens em primeira pessoa ajudam a romper padrões negativos de interação em casa. Os membros da família aprendem a esperar certo comportamento e certas respostas em suas interações entre si, e pode ser difícil romper essa dinâmica quando se quer promover uma modificação. As crianças talvez hesitem em exprimir determinados sentimentos aos pais porque sabem que serão interpretados como petulância. Irmãos podem acabar evitando até a troca de um olhar por causa de um padrão de implicância que os acuou em um canto do qual não sabem sair. Nesses casos, as mensagens em primeira pessoa podem abrir uma porta para uma nova comunicação e perspectiva entre eles. Quando perguntei a alunos se tiveram a oportunidade de usar mensagens em primeira pessoa durante a semana que passara, uma menina de segunda série relatou que tinha dito ao pai: "Fico morta de medo quando você perde a cabeça. Tente se acalmar, tá?" O pai ficou perplexo e se desculpou, dizendo que não tinha a menor idéia de que assustava a filha.

Como Ensinar a Seu Filho a Mensagem em Primeira Pessoa

O primeiro passo ao ensinar seu filho a praticar as mensagens em primeira pessoa é explicar seus três componentes:

1. Eu sinto...
2. quando...
3. Eu gostaria...

O segundo passo é incentivar seu filho a falar com clareza e educação e a olhar nos olhos de quem o perturbou. Inicialmente, muitas crianças confundem a mensagem em primeira pessoa com o "contato olho a olho". Mostre-lhes o que significa olhar diretamente para o outro. Assim como a linguagem corporal é fundamental para quem quer ignorar, as crianças devem ter consciência de como ficam quando estão usando a mensagem em primeira pessoa. Estão em pé, eretas, ou encurvadas? Quando estão arqueadas, tendem a olhar para o chão em vez de olhar para a pessoa com quem estão falando. A postura ereta transmite confiança. Qual a sua expressão facial? Dá impressão de preocupação ou de segurança?

Quando estiverem cientes da impressão que devem dar, você pode voltar a atenção delas para como devem ser ouvidas. Qual seu tom de voz? Falam de forma clara e educada ou gaguejam, gritam, choram? Assim como outras estratégias descritas até agora, praticar e brincar de faz-de-conta são o segredo do sucesso. A melhor maneira de ensinar é dando o exemplo. Os pais que demonstram a técnica da mensagem em primeira pessoa no dia a dia – comunicando seus sentimentos, o que motiva esses sentimentos e o que eles, pais, gostariam que as crianças fizessem – conseguem que os filhos captem a estratégia muito mais depressa.

- "Fiquei decepcionada porque você não guardou os brinquedos quando pedi. Quero que você os guarde agora."

- "Fiquei muito preocupada porque você não avisou que chegaria mais tarde hoje. Da próxima vez, quero que você telefone avisando."
- "Fico muito triste quando você não é sincero comigo. Gostaria de saber o que realmente aconteceu."

Quando as crianças estiverem acostumadas a ouvir essas mensagens em primeira pessoa de você, então poderá tirar partido da estratégia de reforçar o comportamento desejável. Não se esqueça de que as crianças querem, mais do que tudo, a aprovação dos pais. Ouvir que o comportamento delas a deixou orgulhosa gera um efeito muito mais forte do que simplesmente agradecer ou elogiá-las.

- "Fiquei muito contente por você ter guardado os brinquedos quando pedi."
- "Estou muito orgulhosa com as suas notas! Continue assim!"

Observação final: Uma interessante saída foi a de um menino de 8 anos, que há pouco tempo me contou ter dito ao vizinho implicante: "Olha, sei que você está tentando me tirar do sério, mas não está adiantando." O vizinho retrocedeu.

Visualização

"Você não precisa agüentar, e sabe disso."

"Mas o que eu faço, então?"

Boa pergunta. Insistimos com as crianças para que não dêem ao atormentador o que ele quer. Dizemos a elas o que fazer e o que não fazer, o que devem e o que não devem dizer. No entanto, quando lhes colocamos que não precisam agüentar o martírio que lhes está sendo imposto, é melhor estarmos preparados para uma boa explicação do que devem *fazer*, em vez de apenas ficarmos nos conselhos do tipo "não precisam agüentar".

Felizmente, as crianças são donas de uma imaginação extremamente fértil. A mesma técnica que foi usada para auxiliar os adultos

130 ELIMINANDO PROVOCAÇÕES

a atingir suas metas mais elevadas pode contribuir para as crianças rebaterem o escárnio que pretende atingi-las. A visualização lhes fornece uma "imagem mental" de não ter de agüentar ou acreditar naquilo que dizem delas. Por intermédio da visualização, as crianças conseguem se imaginar protegidas de infinitas maneiras das palavras atiradas contra elas. Assim como brincar de casinha e de outras coisas, ajuda as crianças pequenas a se preparar para a vida real e a exercitar as aptidões que lhes serão exigidas, visualizar palavras desagradáveis sendo rebatidas diante delas ou um escudo protetor ao seu redor as ajuda a praticar a autoproteção mental.

Uma visualização à qual descobri que as crianças respondem muito bem é a idéia de que as provocações e zombarias podem ser "rebatidas" por elas, como bolinhas inofensivas. Outra visualização muito eficaz é a criança fingir que tem em torno do corpo um escudo protetor que desvia as zombarias e palavras desagradáveis. Os exemplos de visualização mostrados a seguir foram criados por alunos de primeira, segunda e terceira séries.

- "Vou mandar as provocações para longe com um bastão de beisebol."
- "Vou chutar para bem longe os deboches."
- "Vou derrubar os palavrões com um nocaute."
- "Vou pisar nas amolações."
- "Quando estiver patinando, vou dar um 'rodopio' nas provocações e fazer elas desaparecerem."
- "Vou jogar basquete e driblar todas as provocações."
- "Sou uma artista e vou apagar as chateações."
- "Sou uma cantora e faço as canções levarem embora todas as provocações."

- "Vou rebater as provocações com minha raquete de tênis."
- "Quero dar uma pirueta nas zombarias quando estiver fazendo ginástica olímpica."
- "Vou cavar um buraco para enterrar as provocações."
- "Vou aspirar os deboches com o aspirador de pó."
- "Vou fingir que sou um mágico e fazer as provocações sumirem."
- "Vou cozinhar as zombarias até elas se desmancharem."
- "Sempre posso jogar as chateações na privada e dar descarga."

Sopre as provocações para longe como bolhas de sabão!

Julie Brontman

Se alguém me xinga de nome feios, finjo que tenho uma raquete de tênis na mão e os rebato para longe.

Quando Ensinar Essa Estratégia

Essa é uma que criancinhas, tão adeptas a brincar de faz-de-conta e tão abertas a sugestões, podem ficar entusiasmadas a praticar. Na verdade, a visualização pode ser transformada em um jogo em que a criança é convidada a participar com suas próprias idéias de visualização. Quanto mais criativa e infantil, melhor.

Ao praticá-la, não deixe de enfatizar que as imagens mentais não devem conter nenhuma violência, mesmo quando você estiver lidando com uma criança realmente bem pequena. Quando pedi inicialmente a crianças de primeira série que desenhassem sua própria visualização, um aluno desenhou a figura de um revólver matando o importunador. Tive de frisar que a imagem mental ou a figura deveria representar o que elas queriam fazer com as *zombarias*, não com seu autor.

À medida que as crianças vão ficando mais velhas, suas visualizações costumam se tornar mais complexas, principalmente depois de usar essa estratégia por alguns anos. Muitas crianças de quinta série se recordam de visualizações que criaram quando estavam na primeira e na segunda séries. Outras ainda se lembram da analogia do escudo. Recentemente, uma orientadora educacional que estava ensinando a uma classe de sexta série as *estratégias de defesa contra o escárnio* me contou que um aluno disse haver imaginado a si próprio ignorando a zombaria. Há aí a adição de um componente visual à autoconversação. Ele estava não apenas usando a autoconversação para chamar a estratégia de ignorar, mas se imaginava colocando-a em prática. Outra menina de sexta série disse que visualizara a mãe segurando-a para impedir que reagisse com raiva. Uns outros alunos de sexta série disseram que imaginaram quais seriam as conseqüências caso revidassem. Embora não seja uma visualização do que fariam com as amolações, não deixa de ser uma visualização do resultado com base em reações ineficientes e inoportunas. Algo maravilhoso!

Onde as Crianças Podem Usar Essa Estratégia

Essa estratégia, por ser passiva e interna, pode ser usada em todas as situações de importunação. Toda vez que a criança é chamada de alguma coisa, insultada, provocada ou ridicularizada, pode imediatamente visualizar as palavras sendo rebatidas à sua frente e voltando para trás ou sendo repelidas por um escudo que ela esteja usando. Ao estarem mais familiarizadas e treinadas com as estratégias, elas podem querer visualizar o que está acontecendo com as provocações enquanto estão ignorando o importunador. Uma aluna de sétima série conjugou a autoconversação a uma visualização que a ajudou a esfriar a cabeça e acalmar-se. Enquanto lembrava a si mesma de não demonstrar sua raiva, visualizava-se relaxando na praia, curtindo o gostoso calor do sol ao som dos seus ídolos, os Backstreet Boys.

Como Ensinar a Visualização a Seu Filho

Ensinar a seus filhos a visualização deve ser uma atividade divertida. Como já disse, ela deve mobilizar todas as forças de imaginação da criança. A melhor maneira de começar pode ser dando uma ou duas sugestões. Explique que o escárnio não precisa atingi-la. Mencione as outras estratégias deste capítulo, como a autoconversação e a técnica de ignorar, que podem ajudá-la a não sofrer com essas atitudes desagradáveis dos outros. Diga, então, que outra técnica muito boa envolve a criação de uma imagem mental de como quer se defender das palavras ruins.

• **Deixando a provocação quicar e voltar.** Diga a seu filho que imagine as palavras desagradáveis como bolinhas macias que ele vai apenas rebater quando lhe forem atiradas. Essa demonstração concreta ajuda a entender que as bolinhas (e as palavras) quicam e voltam, que ele não precisa "agarrá-las", como se fosse um goleiro.

• **Erguendo um escudo.** Crianças pequenas são capazes de entender esse conceito. Uso a analogia dos coletes à prova de balas que a polícia usa para se proteger dos tiros. O escudo imaginário das crianças pode protegê-las das palavras desagradáveis da mesma maneira que o colete protege a polícia. Faça seu filho imaginar-se vestindo esse colete quando a importunação começar.

• **Criando sua própria visualização.** Crianças pequenas gostam de desenhar o que podem fingir fazer com as coisas que as aborrecem e com as palavras más. A visualização pode se relacionar a algum interesse, como o basquete, a natação, o balé, o futebol ou algum jogo. Lembre-se de chamar a atenção para aquilo que seu filho vai fazer com o *que* o está atormentando, não com *quem* o está atormentando. Uma menina de 7 anos que adora patinar desenhou, em uma figura, o *provocador* sumir em um rodopio. Depois, mudou, fazendo as *provocações* sumirem no rodopio. Verdadeiras obras de arte como essa devem ser afixadas na porta da geladeira, para ficarem sempre visíveis.

Virando a Provocação ao Contrário: Reformando e Aceitando a Provocação como Positiva

Quando era adolescente, minha irmã, 9 anos mais nova do que eu, tinha pavor de vaca. Não sei muito bem por quê. Talvez houvesse alguma relação com um quadrinho de uma vaca pulando sobre a lua que ficava pendurado na parede ao lado do seu berço. Só sei que não perdia nenhuma oportunidade de mostrar a Lesley uma *vaquinha*, e quanto mais ela gritava, mais eu ria e implicava com ela. Eu mostrava vaquinhas em revistas, nos pastos que beiravam a estrada por onde sempre passávamos para visitar amigos em uma cidade próxima, e, ainda por cima, mugia para ela quando nossos pais não estavam por perto. A pior coisa que cheguei a fazer, contudo, foi deixar o volume V da enciclopédia que tínhamos em casa aberto na página do termo "vaca", embaixo do seu travesseiro. Mal podia esperar que ela se enfiasse na cama para ouvir seu grito desesperado, pedindo socorro, e satisfazer assim ao meu mais profundo desejo. Minha reação? Rir e atormentá-la ainda mais com imagens de vaca. E se Lesley tivesse meios de responder à minha provocação agradecendo-me por colocar o livro embaixo do travesseiro dela, pois assim aprenderia bastante enquanto dormia?

Tenho certeza de que essa resposta teria feito com que eu desse uma freada na coisa. Acima de tudo, a graça estava em ouvi-la reagir com tamanha irritação. Sem isso, rapidamente deixaria de achar graça na situação.

Reformar a provocação, "trocar a moldura", virá-la do avesso para que passe a funcionar como comentário positivo, é uma maneira formidável de desarmar a importunação e o importunador.

Costumo chamar isso de "fazer a provocação virar elogio"; porém, uma menina da primeira série exprimiu melhor o efeito dessa estratégia: a reforma "meio que tira o deboche da jogada".

A reforma é uma estratégia que envolve mudar a percepção da pessoa a respeito da situação ou experiência. Uso muito a analogia de um quadro que pode estar esquecido em um canto da casa. Você o acha muito feio, mas resolve trocar sua moldura. Ao fazê-lo, fica com outra cara. Você passa a gostar tanto dele que o pendura na sala, em cima da lareira. A *troca da moldura*, isso é, a pequena *reforma*, fez com que você o visse de outro modo.

De um jeito mais simples, ao tomar a provocação como elogio, a criança simplesmente responde a qualquer tipo de provocação com o seguinte tipo de argumento:

- "Arrasou legal, hein?!"
- "Obrigada pela opinião."
- "Agradeço sua atenção."
- "Há muito tempo você não me dava tanta atenção."
- "Legal você ter notado."

A idéia é simplesmente não receber o escárnio como insulto. Uma menina de quem debocharam por causa dos óculos – "Quatro-olhos, quatro-olhos, você é quatro-olhos!" – retrucou educadamente: "Obrigada por reparar em meus óculos." Lisa, de 9 anos, era um alvo muito atraente para a colega Melanie, que gostava de fazer comentários sobre o que ela usava ou fazia. Quando Melanie criticou a blusa de Lisa, essa respondeu: "É incrível como você sempre nota o que estou usando ou fazendo." Melanie parou, então, de debochar das perguntas que Lisa fazia à professora. Quando Lisa passou a usar constantemente a técnica da troca de moldura, Melanie passou a se desinteressar por fazer suas observações ferinas.

Esse tipo de resposta normalmente surpreende e desestimula o atormentador, que (como discutimos no Capítulo 3) é geralmente motivado pelo desejo de obter uma reação emocional do atormentador – como era com minha irmã.

Reformar e tomar a importunação algo positivo pode assumir outras formas, além de apenas agradecer ao autor da implicância por notar sua vítima, como ilustram os exemplos dados posteriormente. Mais importante do que o meio da reforma, todavia, é seu efeito. A meta da estratégia é fazer o importunador parar, desencorajando-o ou pegando-o desprevenido, mas não o humilhar, muito embora uma criança provocada tenha vontade de ver o provocador sentir a mesma dor que lhe infligiu. Antes de tudo, a estratégia, como todas as outras deste livro, destina-se a fortalecer a vítima da provocação.

Quando Ensinar Essa Estratégia

Dependendo da capacidade verbal, muitas crianças de 5 anos são capazes de praticar a técnica da reforma. Crianças mais velhas costumam demonstrar muita criatividade quando pensam no que podem dizer para "trocar a moldura" da provocação. É preciso pensar muito rápido – ou, mais realisticamente falando, muita prática e brincadeira preparatória de faz-de-conta – para saber dar uma resposta espontaneamente quando importunado.

Mesmo assim, há algumas possibilidades. Uma criança de 5 anos poderia ser ensinada a dizer apenas: "Obrigada por notar." Essas palavras simples dão força aos pequenos. Já Michelle, que era extremamente esperta, foi chamada de "dicionário ambulante" e de "xodó da professora". Diante dessas provocações, replicou com toda segurança: "Para mim, isso é um elogio." O que mais o importunador pode dizer? Kelly, de 12 anos, foi alvo de sarcásticas ridicularizações por parte de um antigo amigo invejoso do fato de ela ter tantos amigos meninos. Kelly respondeu: "Isso é pura inveja mesmo. Eu estou feliz assim e tenho orgulho de ter tantos amigos meninos."

Onde as Crianças Podem Usar Essa Estratégia

A reforma pode ser usada em resposta às provocações que são verdadeiras afirmações ou opiniões. Eis alguns exemplos:

Autor: "Seu lanche parece vômito. Você consegue comer isso?"

Vítima: "Puxa, mas como você se interessa pelo que eu como!"

Autor: "Tampinha! Anão!"

Vítima: "Ainda bem que sou baixinho, porque assim posso lhe admirar de baixo para cima."

Autor: "Seu vira-lata!"

Vítima: "Sabia que os vira-latas são os cães mais fiéis e corajosos?"

Um menino me disse: "Minha turma me chama de 'geninho' porque sou bom aluno e gosto de responder às perguntas da professora. Digo a eles que tenho orgulho de ser desse jeito." Uma menina descreveu como reformou uma provocação: "Sou ruiva e tenho cabelo enrolado. Um menino do ônibus disse que meu cabelo parecia macarrão, mas eu respondi que adoro macarrão."

Eis um ótimo exemplo de pegar o provocador desprevenido. Em tom de muito desprezo, um menino disse à colega que se sentou a seu lado na aula: "Deu para ver que você tirou uma nota horrível na prova." E ela respondeu: "E dá para ver que você está mesmo muito preocupado com as minhas notas." É claro que o menino não queria passar a idéia de estar preocupado com isso, já que retomou imediatamente à atividade que devia fazer.

Enquanto revia as estratégias com uma classe de segunda série, um dos alunos pediu que eu lhe provocasse por ser baixo. (Era um dos mais baixos da classe.) Quando atendi ao seu pedido, a resposta foi um largo sorriso: "Fico tão contente quando sou provocado por ser baixinho. Continua, vai." Ele estava orgulhoso de ter conseguido juntar em uma só resposta tanto a mensagem em primeira pessoa quanto a da reforma.

Como Ensinar a Reforma a Seu Filho

A reforma, ou "a troca de moldura", exige muita prática e ensaio porque pouquíssimas crianças têm a presença de espírito para rapidamente formular uma resposta elaborada. Você pode, contudo, ajudar seu filho a pensar em várias situações e se preparar para enfrentá-las.

Explore os comentários da reforma na hora do jantar, por exemplo, fazendo uma lista e acrescentando-lhe novas idéias que possam surgir. De que comentário seu filho gosta mais? O apoio que as crianças sentem quando a família adere à busca de soluções estratégicas é reconfortante e tem enorme significado.

Os pais devem praticar e ensaiar essa estratégia com os filhos, mas o processo deve ser sempre natural e condizente com a singularidade da personalidade da criança, com suas qualidades e defeitos. Como pai ou mãe, você perceberá logo com que estratégia seus filhos se sentem melhor, mais à vontade. Acredito que a revisão e a prática contínuas acabam deixando-os menos sensíveis e aliviando uma certa ansiedade inicial e automática diante da provocação. Recapitular e praticar fazem aumentar a confiança. Pode ser necessário rever a estratégia periodicamente, porque os desafios sociais aumentam à medida que a criança vai crescendo.

Depois de praticar, você pode tentar surpreender a criança para lhe dar oportunidade de treinar as respostas rápidas. (Mas sempre de leve, para não magoá-la sem querer com uma brincadeira!) Você pode armar um jogo muito divertido para ambos. Mostre admiração quando ele estiver escovando os dentes e diga: "Mas que dentões você tem!" Veja quanto tempo ele leva para reformar essa provocação e transformá-la em elogio. Observe também como suas respostas vão se tornando criativas com o tempo. Pode ser que ele comece com: "Obrigado por reparar nos meus dentes" e progrida para "Obrigado. Parecendo um coelho, fico mais bonito!"

Concordando com o Autor da Provocação

"Diga ao menino que ele está certo."

"O QUÊ?!"

Quando digo às crianças que simplesmente concordem com o autor da provocação, a reação é sempre a mesma: absoluta incredulidade. Depois de ensinar-lhes tantas estratégias para fortalecê-las e desestimular o importunador, venho agora aconselhar que sejam passivas e que falem para o importunador – apesar de tudo que ele possa ter dito –: "Você está certo!" Naturalmente, ninguém acredita que isso seja sério, até eu mostrar o resultado.

- O implicante diz: "Nossa, quanta sarda você tem!" A criança responde: "É mesmo, tenho um monte."
- O implicante ridiculariza uma criança porque ela está chorando: "Você é um bebê chorão." E ela pode responder: "É, eu choro à toa mesmo."

Concordar com os fatos normalmente acaba com os sentimentos defensivos e constrangedores de querer esconder as sardas e o choro. Essa estratégia normalmente faz desaparecer o motivo daquela implicância específica.

É surpreendente que, para muitas crianças, essa estratégia seja uma revelação tão grande. Elas se acostumam de tal forma a automaticamente ficar na defensiva que, em geral, não se dão conta de que podem muito bem dizer: "É, você está certo", ou "Eu sei." Vi muitas crianças se sentirem aliviadas ao perceber como é fácil concordar com os fatos. Uma menina de 8 anos, que aprendera essa estratégia na primeira série, disse-me há pouco tempo que um colega comentou que ela lia muito devagar, ao que respondeu: "É, não sou muito rápida para ler mesmo." O importunador nunca mais disse nada sobre sua leitura. Quando eu treinava essa estratégia com crianças de segunda série, um menino bem baixinho sempre se oferecia para a brincadeira de faz-de-conta. Implorava-me para provocá-lo por causa de sua pouca altura, pois, com o treino, suas respostas iam ficando cada vez mais seguras. Com um excelente contato olho a olho, um tom de voz firme e um sorriso nos lábios, ele dizia: "Sou baixo mesmo. Acho que sou a pessoa mais baixa da minha série e da minha família."

Quando Ensinar Essa Estratégia

Crianças de todas as idades conseguem captar essa estratégia muito depressa, mas nem todas abaixo de 6 anos vão apreciá-la tanto quanto as de mais idade. Certas crianças pequenas simplesmente não acham certo concordar com alguém que os está insultando e não conseguem se distanciar o suficiente ao ser chamados de "baixinhos", por exemplo, e lembrar que não há nada de errado em ser baixo. Às vezes, essas crianças ficam sentidas demais para entender por que alguém zomba delas por causa de uma característica sobre a qual não têm nenhum domínio; nesse caso, uma técnica que lhes confere força maisdiretamente, como a autoconversação, seria uma primeira opção mais eficaz.

Já as crianças mais velhas podem se divertir muito com ela. De fato, conheci alunos espirituosos de sétima e oitava séries e primeiro ano do ensino médio que conseguiam virar o episódio inteiro de implicância a seu favor, não apenas concordando com a provocação em si, mas a levando a extremos de fazer graça de si mesmos. Acho que nem preciso mencionar como o implicante se sente quando a platéia desloca sua atenção e sua admiração do provocador para o provocado.

Quando as Crianças Podem Usar Essa Estratégia

Essa estratégia funciona melhor em situações nas quais a importunação gira em torno de alguma característica física ou inata. Não há nada mais desconcertante do que um simples e sucinto "Sim, enxergo mal mesmo", ou "Eu sei. Matemática não é o meu forte", ou "É, com certeza sou o jogador mais desajeitado desse time." Com esse tipo de resposta, o atormentador em geral fica sem fala – o que pode ser a deixa para o provocado sair de cena. Muitos atormentadores ainda permanecem lá por algum tempo, esperando sua vítima ceder e soltar alguma resposta inflamada ou emocional que vá lhe dar a chance de continuar a espezinhá-la. Se houver gente olhando, o mais provável é que o importunador fique com vergonha e desista de sua vítima.

Não defendo a tese de concordar com o atormentador se o que ele diz não for verdade. Entretanto, concordar com uma falsa acusação pareceu funcionar para Andy, com 19 anos. Quando alguém lhe disse que sua jaqueta era "ridícula", ele simplesmente retrucou: "Eu também não gosto dela, não." O provocador nunca mais fez referência ao casaco do colega. Embora gostasse de sua jaqueta, Andy achou que era melhor concordar com o importunador do que continuar a conversa. Sentiu-se no controle da situação. Entretanto, ficaria preocupada com qualquer criança que hesitasse em defender suas crenças e gostos com convicção por medo de perder os amigos.

- Samantha foi chamada de "gatinha medrosa" durante um filme assustador. Ela respondeu que era assustada mesmo.
- Uma menina de 7 anos com quem implicavam por ser baixinha, disse: "Acho que sou mesmo a criança mais baixa da nossa série. Quer saber a minha altura?"
- Quando Laura, de 9 anos, foi chamada de "boca-de-metal", sua resposta foi: "Tenho mesmo um monte de metal na minha boca."
- Quando foi chamada de "quatro-olhos", Tracy, de 8 anos, disse de modo espirituoso: "Enxergo tão mal que eu bem que queria mesmo ter quatro olhos."

Como Ensinar Seu Filho a Concordar com Quem Mexe com Ele

Essa é uma das estratégias mais fáceis de ensinar a seu filho. A maioria das crianças vítimas do escárnio alheio por causa de alguma característica, qualidade ou diferença própria em geral se sente aliviada quando pode simplesmente dizer: "Tá certo", ou "É verdade." É uma ótima idéia envolver as crianças no processo de pensar em respostas que concordem com os fatos. Talvez seu filho surja com alguma coisa do tipo:

- "Você percebeu bem."
- "É o que todo mundo diz."
- "Tá certo."
- "É, faço muito isso."
- "Sou mesmo."
- "É verdade mesmo."
- "Você tem toda razão."
- "Absolutamente certo."

Assim como com as outras estratégias, praticar e brincar de faz-de-conta dão muito certo. Não se esqueça de lembrar as crianças de manter a postura ereta, olhar nos olhos do outro e falar com um tom de voz firme.

142 ELIMINANDO PROVOCAÇÕES

Quando a criança não se sente bem com a característica ou comportamento de que trata a provocação, pode achar difícil concordar com os fatos. Será preciso ajudá-la a aceitar o atributo ou a condição, até ela chegar a ponto de conseguir concordar com os fatos sem se sentir constrangida e humilhada. Se seu filho não consegue atingir um nível de bem-estar em relação a uma determinada característica ou condição, essa estratégia não deve ser estimulada. Amanda, de 8 anos, estava muito gordinha, o que a deixava muito inibida. De vez em quando, ouvia comentários sobre seu peso. Disse que preferia ignorar a concordar com o que lhe diziam. Achava que se consentisse com os fatos, sentir-se-ia pior. Por outro lado, quando Thomas, de 11 anos, foi ridicularizado sobre seu peso, replicou com toda calma: "Sei que sou meio grandão mesmo." Recentemente, em uma apresentação para pais, uma mãe explicou acreditar que concordar com o importunador é oficializar que a característica ou atributo é negativa. Se ela é negativa para a criança, essa estratégia não deve ser usada. Concordar com os fatos é oficializar a concordância com a *realidade* da característica ou da situação.

Eric, que está na terceira série, tem dificuldade com a maioria de suas tarefas acadêmicas por causa de uma deficiência de capacidade de aprendizado. Um colega o chamou de "burro". Embora admitisse para os pais que às vezes se sente "burro", concordar com essa acusação especificamente não seria conveniente nem aconselhável. Ele pode usar outras estratégias ou apenas admitir que certas tarefas de escola são difíceis para ele.

Talvez se minha irmã tivesse me dito com serenidade: "Tenho, sim, medo de vaca", eu teria parado de atazaná-la de uma vez por todas.

"E Daí?"

Quando Peter foi ridicularizado durante o recreio por usar a camiseta de um time que estava muito mal colocado no campeonato, sua resposta foi: "E daí?" Seu tom de voz foi sereno e natural, e ele não pareceu perturbado. Não se colocou em posição defensiva. A resposta "E daí?" comunica que a pessoa atingida pela provocação não se importa com aquilo. É como dar de ombros, e quase sempre desarma o importunador. Deve ser dito em tom de indiferença, não de sarcasmo. Na maioria das vezes, o importunador não sabe como responder a "E daí?" Outras respostas que transmitem indiferença são "Não estou nem aí", "Qual o problema?", "É mesmo?", "Que tem isso demais?" As crianças costumam achar essa estratégia simples, eficaz e divertida.

Quando Ensinar Essa Estratégia

Crianças de todas as idades podem dizer "E daí?" Trata-se de uma das técnicas mais fáceis para crianças menores por ser simples de lembrar. A resposta "E daí?" fica no meio do caminho entre ignorar e concordar com o atormentador. O provocado expressa desinteresse, mas também uma concordância tácita. Portanto, embora seja fácil para as crianças pequenas lembrarem, pode também ter mais apelo para crianças maiores do que ignorar ou concordar, porque encerra essas duas reações.

Quando Alex, menino de terceira série, recebeu seu boletim mensal, o irmão mais velho gabou-se: "Minhas notas foram melhores que as suas." Alex deu de ombros e respondeu: "E daí?" O irmão ficou sem graça e Alex não se alterou.

Gary lembra do primeiro dia em que ia participar do campeonato. Estava todo animado com o uniforme novo. Mas o boné fazia seu cabelo enrolado parecer mais comprido do que realmente era. Frank, jogador do mesmo time, comentou: "Ei, cara, você parece uma menina." Gary respondeu: "Tenho cabelo comprido mesmo. Grande coisa."

Onde as Crianças Podem Usar Essa Estratégia

As crianças podem dizer: "E daí?" para qualquer provocação, gozação, comentário, ridicularização ou deboche, e em qualquer ambiente. Essa estratégia fácil e eficaz pode ser usada em sala de aula, no recreio, no acampamento, na condução escolar e com os vizinhos. Mas sempre friso bem para as crianças que essa estratégia não deve ser usada quando os pais lhes chamam atenção por não terem feito os deveres de casa ou limpado o quarto!

Como Ensinar as Crianças a Dizer "E Daí?"

Os pais, em sua maioria, gostam de ensiná-la porque as crianças a acham fácil de aprender e de usar. É uma estratégia que se presta bem a simulações e é divertida de treinar na hora do jantar, no carro ou antes de dormir. Pergunte a seu filho com o que ele quer que você o provoque. De modo geral, a resposta dada em tom jocoso é "E daí?" Crianças pequenas adoram ouvir a história *The Meanest Thing to Say* (*A Pior Coisa de Se Dizer*), de Bill Cosby, que retrata com humor essa estratégia.

Se minha irmã tivesse dito "E daí?" quando eu a acusava de ter medo de vaca, eu ficaria tão desconcertada com sua indiferença, que isso teria o mesmo efeito de uma ducha de água fria em cima de mim – e acho que teria parado de implicar com ela.

Elogiando o Autor da Provocação

Implicavam com Philip por causa de sua maneira de correr. Ele era portador de uma leve deficiência física que fazia com que corresse mais devagar que os colegas. Quando um menino da aula de educação física lhe fez um comentário a esse respeito, ele disse: "E você corre muito. Ainda bem que está no nosso time." Elly, com quem implicavam por usar aparelho ortodôntico, respondeu: "Seus dentes são bonitos. Espero que os meus fiquem assim quando o tratamento acabar." Pedro, de 10 anos, era um alvo fácil por ser gordinho e muito sensível. Tinha sempre reações exageradas. As crianças implicavam com ele por causa de muitas coisas, inclusive seu nome. Quando foi chamado de "Pedro-peido", respondeu (depois de praticar bastante): "Que poeta criativo você é!" E quando implicaram com Theresa, de 11 anos, por ser gordinha, veio com essa: "Sorte sua não precisar fazer regime."

Responder a uma provocação com um elogio desconcerta o provocador, da mesma maneira que concordar com ele, mas ainda vai além. A concordância está implícita no elogio. Nesse caso, porém, a vítima do escárnio não apenas concorda com quem o está atormentando, como desvia o foco da atenção para o atormentador. O que realmente pega o atormentador de surpresa, contudo, é que a atenção que vem de quem foi atormentado é positiva! Crianças que provocam ou implicam geralmente têm suas próprias regras, mesmo quando não conseguem articulá-las com clareza, sobre onde se situa o limite entre a provocação e a maldade pura e simples. Para muitas delas, continuar a provocar uma criança que acaba de cumprimentá-la equivale a chutar alguém que já está caído. Não conseguem ir adiante.

Quando Ensinar Essa Estratégia

Embora eu tenha visto crianças de pré-escola aprenderem essa estratégia, ela não está entre aquelas que eles selecionam em nossos treinos. Crianças de primeira e segunda séries e também mais velhas conseguem aprender bem a responder com elogio. A maioria delas precisa de um pouco de explicação para entender que isso é diferente da reforma, da "troca de moldura" – que é aceitar o escárnio como se fosse um elogio. Os exemplos esclarecem a diferença.

- Uma menina de segunda série acusada de ler devagar disse ao colega: "Não sou eu que leio devagar, é você que lê muito bem mesmo."
- A mesma menina ainda usou a estratégia quando alguém criticou seu talento para o futebol: "Você é um ótimo jogador".
- Um menino de 9 anos que foi alvo de provocação de um colega por ter errado três vezes em seguida no basquete retrucou: "Fiquei mal por ter errado. Quem dera eu conseguisse acertar como você, que é um jogador e tanto."

Onde Usar Essa Estratégia

Responder com um elogio é uma excelente estratégia para ser usada quando o motivo da importunação é uma característica, atributo, comportamento ou condição que seja diferente, mas que seja percebida pelo importunador como negativa ou inferior. Assim como a reforma, ela pode ser usada em resposta a provocações que, na verdade, não chegam a ser afirmações nem opiniões. A tática de responder com elogio pode ser usada junto com a estratégia de concordar.

Como Ensinar Seu Filho a Responder com Elogio

Como no caso da reforma, as crianças geralmente mostram muita criatividade quando são incentivadas a pensar em respostas com elogios. Saber o que dizer espontaneamente quando provocada requer muito prática e brincadeira de faz-de-conta preparatória, principalmente no caso dessa estratégia, porque, no início, quem sofreu a provocação não tem vontade de dizer nada de agradável à pessoa que a ofendeu ou insultou. Praticar vai ajudar seu filho a entender como elaborar essas respostas e como a estratégia vai desconcertar o provocador. Nos ensaios, não se esqueça de lembrá-lo de olhar no olho do outro e demonstrar segurança ao falar. Não se preocupe se seu filho parecer sem jeito ou sem naturalidade no começo. A repetição e os ensaios lhe darão familiaridade, conforto e segurança. Frise bem, também, que ele não deve demonstrar submissão nem parecer servil. Somente vai mostrar ao provocador que conquistou um pouco mais de poder.

Se minha irmã tivesse me dito: "Você tem tanta sorte por não ter medo de vaca. Quem sabe pode me ajudar a não ser tão medrosa", duvido que eu continuaria a implicar com ela – embora precise admitir que não sei se a teria ajudado a superar seu medo. Explique bem a seu filho que elogiar o atormentador não significa necessariamente fazer dele seu melhor amigo, nem mesmo passar a se dar bem com ele. A intenção é apenas fazer com que pare de implicar.

Humor

O humor é um ótimo redutor de estresse e pode muitas vezes atenuar a tensão de provocação. Muitas das estratégias já discutidas podem se tornar engraçadas. A criança provocada pode responder com alguma coisa espirituosa ou ainda rir ou sorrir. Pode dizer, por exemplo: "Que engraçado. Você me faz rir." O provocador, que está esperando uma resposta raivosa ou cheia de mágoa, se surpreende quando sua vítima reage com um riso ou humor. Há crianças que riem ou sorriem quando se afastam do provocador. Uma aluna me contou que ensaiou diante do espelho para decidir que tipo de sorriso ia usar. Assim como nos outros casos, prática e ensaio são fundamentais para o sucesso dessa estratégia.

- Um menino portador de deficiência física corria mais devagar que os outros. Quando zombavam dele, sua resposta era: "Acho que corro como uma tartaruga, não?"
- Brian, que sempre levava gozações por causa do tamanho avantajado de seu nariz, começou a fungar e a mexer o nariz, o que desarmou a situação.
- Angela, cujas sardas não eram perdoadas, perguntou ao implicante se ele queria brincar de ligar os pontinhos em seu rosto.
- Alyssa, ao ser chamada de "quatro-olhos" quando foi de óculos para o colégio pela primeira vez, retrucou assim: "Os óculos são para os meus olhos, e só vejo dois aqui. Você vê quatro? Então precisa de óculos, também."
- Quando Jake foi ridicularizado por ser sempre o último a terminar a tarefa de classe, saiu-se com essa: "Venho de uma família de lesmas."

Quando Ensinar Essa Estratégia

Todas as crianças gostam de humor, mas nem todas sabem praticá-lo, principalmente sob pressão. Pode ser particularmente difícil para crianças menores rir ou mesmo sorrir quando já estão fazendo um esforço enorme para parecer impassíveis em vez de sentidas ou com raiva. Eu reservaria essa estratégia para crianças que já exibem presença de espírito para rir sob pressão, qualquer que seja sua idade.

Onde as Crianças Podem Usar Essa Estratégia

O humor é o grande equalizador, podendo ser eficaz em quase todas as situações. Faria uma ressalva, contudo, no caso de incidentes de desmerecimento e demonstração de menosprezo pura e simples. Intolerância, zombaria de deficiências físicas e mentais e maldades do gênero não são nunca motivo de riso, e as crianças não devem ser incentivadas a sorrir ou, de nenhuma outra maneira, aceitar que façam pouco delas. O humor deve ser eficaz no caso em que a concordância, a reforma e o elogio sejam convenientes. Na verdade, essas estratégias já se baseiam bastante no humor não malicioso.

Como Ensinar as Crianças a Ter Humor

Ser espirituoso é um dom, e nem todas as crianças o são em igual medida. Não acredito haver uma maneira de ensinar alguém a ser engraçado, a não ser por meio do exemplo. Chame atenção de seu filho para o tipo de humor delicado, não desmerecedor, que você gostaria que ele usasse, ao notá-lo em filmes e na televisão. Leia histórias engraçadas e livros de humor sutil.

Outra possibilidade é treinar bastante com seu filho. Pode ser até muito divertido sentar com ele e ficar imaginando maneiras de tirar o veneno da provocação com respostas engraçadas, partindo de importunações que ele tenha recebido ou seja capaz de prever.

Quando Pedir Ajuda

Quase todos os tipos de provocação podem ser enfrentados pelas próprias crianças com eficácia, se não forem crônicos ou se não se repetirem por um tempo mais prolongado. Entretanto, às vezes, é necessário que a criança peça auxílio ou intervenção quando a situação se prolonga demais ou ocorre com muita freqüência ou se ela sente algum tipo de insegurança emocional ou física.

Como Ensinar Seu Filho a Pedir Ajuda

Temos de ajudar as crianças a entender que pedir ajuda ou "denunciar" essas situações não é "delatar". Denuncia-se é quando uma criança conta a um adulto que alguém está fazendo alguma coisa que repetidamente a perturba ou lhe faz mal. Delatar normalmente ocorre quando uma criança tenta chamar a atenção de outra pessoa ou tenta colocar outra criança em apuros por um comportamento que não era assim tão significativo. Converse com seu filho a respeito de quem ele procuraria para pedir ajuda, se necessário. Quando pergunto aos alunos a quem pediriam ajuda, eles mencionam pais, professores, supervisores de recreio, o diretor, a orientadora educacional, a coordenadora, avós, empregadas, irmãos e irmãs. É também importante para as crianças lembrar que podem pedir ajuda a amigos e colegas de classe. A união faz a força. O apoio dos colegas pode muitas vezes servir de pressão construtiva poderosa dos pares, o que é bastante eficaz na hora de apaziguar uma situação de provocação, deboche ou implicância. As crianças podem efetivamente usar a mensagem em primeira pessoa para pedir ajuda. Um aluno de segunda série disse à professora: "Fico muito chateado quando algumas crianças riem do meu jeito de falar. Pedi que parassem, mas não adiantou. Eles ficam me imitando. Você pode me ajudar?"

Concluindo

A eficácia e o sucesso das estratégias de defesa contra a provocação geralmente dependem de a criança se sentir à vontade e segura para usá-las – requisitos que são desenvolvidos com muito treinamento, repetição e recapitulação. Assim como as crianças precisam constantemente relembrar a tabuada e a grafia de certas palavras, também precisam praticar essas técnicas. Conversar sempre e brincar de faz-de-conta fomentam e promovem o sucesso da criança no uso dessas estratégias.

Depois de ensinar as dez estratégias às crianças, dedico uma última aula exclusivamente à prática. Faço o papel de provocador, e as crianças têm de decidir que estratégia usar. Elas se entusiasmam muito com esse exercício. Uma aluna me procurou uns dias atrás, antes de nossa sessão marcada de "provocação", com um largo sorriso no rosto e me perguntou: "Judy, você virá à nossa classe para nos provocar semana que vem?" Quando respondi: "É claro", ela retrucou: "Não vejo a hora de você chegar!" Os alunos adoram voltar para casa e contar para os pais que a orientadora educacional veio à aula para provocá-los!

Começo a sessão de provocação perguntando às crianças quem gostaria de ser importunado e qual provocação deseja. A maioria se oferece para as brincadeiras. Simulamos insultos e demonstrações de menosprezo. Eles respondem com uma estratégia apropriada ao caso e, às vezes, querem repetir com duas ou três respostas diferentes para o mesmo escárnio. Debochei de uma menina de 8 anos, Cody, por causa de seu aparelho. Chamei-a de "cara-de-aparelho" e ela retrucou com três estratégias juntas: "Obrigada por notar, mas prefiro ser chamada de 'trilho de trem'; espero que meus dentes fiquem tão bons quanto os seus." Acho que a análise e a prática contínuas contribuem para tornar menos sensível e aliviar uma certa ansiedade inicial e automática causada pelo escárnio.

As estratégias de defesa contra a provocação normalmente fortalecem as crianças e reduzem seus sentimentos de impotência nas situações de importunação. Mesmo assim, as crianças em geral as desenvolvem por conta própria e as experimentam até encontrar aquela que se mostra mais eficaz para deixar de ser amolada. Às vezes conseguem. Caso seu filho não consiga e se as técnicas de defesa deste capítulo não lhe confiram a capacidade de não se aborrecer tanto com as provocações, é possível que ele esteja sofrendo o estresse ou a ansiedade decorrentes do escárnio crônico. Nesse caso, é importante consultar o pediatra, a professora, a orientadora educacional, a psicóloga ou a coordenadora do colégio para trocar idéias e pedir conselhos.

Meu irmão estava implicando comigo e eu então perguntei: "Qual é o seu problema?" Ele ficou sem graça e foi embora.

Quando começo a ficar chateada, eu ignoro quem me chateia e jogo meus sentimentos fora.

7

Como Enfrentar o Problema da Provocação no Colégio

Como Pais e Professores Podem Agir em Conjunto

A literatura confirma o que sempre ouvi em minhas palestras. A maioria das escolas não conseguiu instituir um plano ativo, consistente e efetivo de lidar com atitudes de intimidação abusiva e de provocação. E é compreensível que não tenha conseguido. A sabedoria convencional prega que as crianças "resolvam seus próprios conflitos" e se entendam sozinhas. Toda vez que alguém da escola procura interferir com isenção, ouve a acusação de que está tomando partido. Professores e auxiliares raramente se sentem seguros sobre como agir.

Uma medida justa da verdade está nas entrelinhas dos grandes clichês populares; os que afirmam que "meninos são assim mesmo" e que comportamentos de prepotência e deboche "fazem parte do processo de amadurecimento das crianças" não são exceções. Porém, também é verdade que a criança vítima desses comportamentos, além das técnicas de defesa contra a provocação ensinadas no Capítulo 6, freqüentemente precisa de apoio no colégio. Conheci centenas de crianças que, apesar desses problemas, acabaram conseguindo se adaptar bem ao ambiente escolar, mas que se ressentem de os professores e a direção do colégio não terem interferido a contento quando sofriam provocações, implicâncias, escárnios etc. Conversei com inúmeros pais que expressaram sua enorme sensação de frustração com as escolas com que lidavam, pela total insensibilidade que demonstravam diante de suas súplicas e pedidos de ajuda.

152 ELIMINANDO PROVOCAÇÕES

Neste capítulo, você aprenderá a estabelecer uma parceria frutífera com a escola do seu filho, que realmente sirva para resolver os problemas de escárnio que ele venha a sofrer e, ao mesmo tempo, que fomente a criação de um ambiente que seja hostil à prática de qualquer tipo de importunação entre as crianças. A primeira seção do capítulo é dedicada a sugerir maneiras de se comunicar produtivamente com professores e auxiliares da escola. A segunda seção apresenta recursos e técnicas que você pode oferecer à escola para serem usados e aplicados a toda a população de alunos.

Talvez você esteja perguntando a si mesmo por que a escola aceitaria esse tipo de "interferência" de sua parte. Naturalmente, professores e pessoal administrativo vão resistir a "investidas" dos pais de se sobrepor à sua autoridade; poderão alegar que lhes falta experiência e argumentar que as propostas perturbariam um programa educativo planejado com todo o critério. Pela minha experiência, porém, a escola vai aceitar de bom grado qualquer ajuda em relação ao problema do escárnio entre crianças, desde que seja oferecida "com jeito", sem acusações e insinuações, e acompanhada de sugestões concretas. Sob o impacto de tragédias como a da escola Columbine e de incidentes que a esse se seguiram, cada vez mais escolas estão encarando com seriedade a prevenção da violência. Têm-se popularizado nas salas de aula os programas de formação do caráter e, por outro lado, as escolas vêm tomando providências depois de a Suprema Corte norte-americana decidir, em maio de 1999, que as escolas públicas estão sujeitas a processo e multa por não coibir o assédio sexual entre seus alunos. Os distritos escolares que recebem verbas federais podem ser responsabilizados quando se mostrarem "deliberadamente indiferentes" em face de problemas de assédio sexual. Embora sempre admitamos que o assédio sexual possa ocorrer nos últimos anos do ensino fundamental e no ensino médio, é possível que suas raízes estejam nas atitudes de deboche e zombaria tão comuns entre meninas e meninos já nas primeiras séries escolares.

Muitas vezes, os pais podem assumir um papel ativo e promover uma intervenção mais efetiva da escola nos incidentes de agressão verbal e física. São muitos os casos de campanhas antiprovocação e antiintimidação implementadas nos Estados Unidos depois de os pais implorarem à direção da escola dos filhos que não ignorasse esse problema tão generalizado. Trata-se de uma parceria lógica. Os pais freqüentemente contam com a percepção e a experiência dos professores e buscam sua orientação. E os professores precisam ouvir o relato dos pais para tomar conhecimento de elementos dos quais não têm consciência.

O número de maneiras possíveis de tratar do problema da provocação em sala de aula e de combatê-lo só é limitado pela imaginação dos adultos e crianças envolvidos. A profusão de idéias que vêm sendo oferecidas tem estimulado os pais a procurar professores e diretores escolares, e tenho notado que as escolas vêm se mostrando receptivas a ouvir e a implementar muitas delas, de aplicação às vezes tão simples. Espero sinceramente que as escolas assumam a tarefa preventiva de ensinar seus alunos a incorporar as técnicas de defesa próprias para as situações de provocação, da mesma foram que ensinamos às crianças a não falar com estranhos. O domínio dessas técnicas as habilitará a lidar com seus algozes, e as deixará mais preparadas para os desafios sociais mais difíceis que terão de enfrentar ao longo da vida. Quem está devidamente capacitado para enfrentar situações de xingamento e ridicularização fica menos vulnerável à prepotência dos outros.

Buscando Ajuda no Colégio do Seu Filho

A mãe de um menino tímido de quarta série ligou para o colégio para informar que seu filho não estava se alimentando em virtude das implicâncias a que estava sendo submetido na hora do lanche. Alguns meninos ficavam ameaçando de pegar sua lancheira, mas paravam sempre que um supervisor se aproximava. Falei com a professora de classe sem mencionar nomes e alertei as supervisoras do recreio, pedindo mais atenção à situação. O problema parou e o aluno voltou a lanchar normalmente.

Parece simples, mas você e eu sabemos que ouvir a criança se queixar de importunações e conseguir providências da escola requer um grande salto – que demanda uma comunicação efetiva entre pais e professores.

Quando Pedir Ajuda?

Normalmente, os pais sabem quando aquilo que estão dizendo ou os conselhos que estão dando não estão funcionando e que precisam ligar para a escola. Se a situação não parecer urgente, comece relendo o Capítulo 6 e veja se alguma daquelas estratégias ajuda seu filho a dar um basta no problema, ou pelo menos a mudar a direção de seus efeitos maléficos. Caso contrário, faça a si mesma as seguintes perguntas – que talvez a auxiliem a tomar a decisão de procurar ajuda:

- Há quanto tempo o problema vem perturbando seu filho? É uma situação temporária ou uma ocorrência regular?
- Seu filho resiste em ir ao colégio?
- Tem se queixado de problemas físicos mais do que o comum?
- Seu desempenho escolar tem apresentado algum tipo de deterioração?
- Tem dado a impressão de estar desanimado ou irritado a maior parte do tempo?

Um simples "sim" a qualquer pergunta não é necessariamente suficiente para indicar que você precisa buscar ajuda. Se a criança está intranqüila, quase todas as perguntas terão resposta afirmativa, mas ela pode exibir os mesmos sintomas em reação a outros problemas, como dificuldades acadêmicas e questões de saúde.

Os pais mais intuitivos e preocupados em geral sabem quando precisam de apoio extra. Quando meus filhos eram menores e ficavam doentes, normalmente sabia distinguir entre um problema maior ou um simples resfriado, que eu mesma sabia tratar, e quando era preciso recorrer ao médico. Sabia também quando bastava falar com o médico pelo telefone e quando era preciso levá-los para uma consulta. A decisão de ligar ou não para o médico costumava ser motivada pelo *meu* grau de ansiedade.

Acredito que se deva adotar um critério parecido na hora de decidir se é preciso buscar ou não ajuda para problemas de provocação. Confie em seus instintos. Baseie sua decisão em seu próprio grau de ansiedade ou em sua sensação de impotência, que são reflexos diretos da ansiedade da criança. Uma conversa telefônica ou pessoal com a professora ou algum representante do colégio pode constituir um enorme passo para a solução do problema e, conseqüentemente, para aliviar o seu estresse.

Se seu filho tem manifestado queixas regulares de problemas de provocação, comece elaborando uma lista dos incidentes. Com o registro visual de onde e quando os incidentes ocorreram, fica mais fácil entender a extensão do problema. E ver a lista "crescer" pode ser o sinal de alerta para procurar ajuda.

Como Pedir Ajuda?

Como mencionei no Capítulo 5, incentivo os pais a procurar a escola demonstrando claramente sua intenção de desenvolver um trabalho *conjunto* para resolver o problema. Certos pais ficam muito frustrados e aborrecidos com o fato de a escola ter permitido que a situação se instalasse e persistisse. Embora eu consiga entender perfeitamente essa raiva, ela pode comprometer o bom resultado do encontro.

Fazer uma relação por escrito dos incidentes pode ajudá-lo a se concentrar nos fatos e não falar movido apenas pela emoção. É bom levá-la consigo para lembrar bem dos incidentes na hora de citá-los. Ela transmite à pessoa que a atende – professora, orientadora educacional, coordenadora ou diretora – a impressão de seriedade e de objetividade, e não de estar descontrolada ou recorrendo à escola por causa de uma queixa mínima de seu filho.

Para Onde Dirigir o Pedido de Ajuda

Por vários motivos, é importante observar a hierarquia de comando da escola ou distrito escolar. Em primeiro lugar, por uma questão de economia de tempo, para evitar ter de fazer o relato todo diversas vezes. Em segundo porque, assim, a equipe da escola ficará mais receptiva à suas preocupações e pedidos. Eis um exemplo: se o problema ocorre em sala de aula e você procura diretamente o diretor sem falar antes com a professora, então não poderá mais contar com sua ajuda e sua boa vontade, por ter passado por cima dela. Muitas professoras encaram essa atitude como sinal de falta de confiança.

156   Eliminando Provocações

Caso você ache que a professora não deu a verdadeira importância ao caso, a providência lógica seguinte seria a de procurar a coordenadora ou a diretora. Certos pais talvez optem por falar com a orientadora, se for a profissional encarregada de dar encaminhamento a essas questões. Porém, nem todas as escolas oferecem esse tipo de atendimento.

Outra opção é reunir-se com representantes da escola para expressar suas preocupações. Mais uma vez, porém, é importante estar a par da praxe de funcionamento antes de se precipitar escola adentro e exigir ser atendido. Conheço um colégio religioso nos Estados Unidos que permite aos visitantes expor suas questões em poucas palavras, ao final de uma reunião aberta, mas não é permitido falar durante a reunião e ninguém deve esperar resposta para problemas expostos nesse momento. Outra opção é escrever uma carta ao colégio pedindo que o problema seja tratado na reunião. É melhor se informar antes a respeito dos regulamentos da instituição para saber os procedimentos que costuma adotar.

As organizações locais de pais e mestres, que podem ter diversas denominações diferentes, também são muito participativas e presentes no dia-a-dia de muitas escolas. Suas funções variam, embora geralmente se concentrem no planejamento de eventos de arrecadação de fundos para a compra de suprimentos escolares e em programas que visem o enriquecimento cultural dos alunos, podendo não ser o veículo certo para dar encaminhamento a questões de ordem disciplinar ou social, como é o caso dos problemas de importunação e intimidação. O que costumam fazer é convidar palestrantes ou contratar profissionais, quando o orçamento da escola permite. Em alguns casos, os pais são incluídos em muitos comitês de professores e administradores escolares, o que pode abrir um outro canal de comunicação. Se sua escola não possui esse tipo de organização por falta de quadros e de interesse, por que não explorar a idéia de dar início a uma delas?

O Que Você Pode Esperar dos Seus Pedidos de Ajuda?

Gostaria que os pais obtivessem, no mínimo, garantia de que seus filhos estarão física e emocionalmente seguros dentro da escola, o tempo todo. Infelizmente, não podemos contar com isso. Se você percebe que seu filho não está se sentindo seguro, é razoável esperar que a professora ou representante da escola se mostre receptiva às suas preocupações – da mesma forma que você ouve com toda atenção o que seu filho tem a dizer. Em algumas escolas, o representante da escola ouve, mas se exime de agir ou não demonstra dar importância à preocupação dos pais. Então, você deve subir um degrau na escada da comunicação e da responsabilidade.

A reação ideal seria que a representante da escola a escutasse atentamente, entendesse suas preocupações e sentimentos, apresentasse um plano de ação (do tipo investigar a situação com a ajuda de outros funcionários ou alunos), agradecesse-lhe por trazer o problema ao conhecimento da escola e marcasse um outro encontro para fazer um balanço da situação.

Muitos pais, de diversos distritos escolares, comentaram comigo sua frustração quando procuraram diretamente a direção do colégio para tratar de problemas de escárnio vivenciados pelos filhos. O que mais os contrariou foi a falta de sensibilidade ou a atitude de poucocaso manifestada. Uma mãe decidiu revelar suas preocupações ao comitê de saúde e segurança da organização de pais e mestres do colégio que, por sua vez, levou as informações ao conselho executivo da organização. Depois de uma certa exploração informal e divulgação do problema, eles perceberam que também havia outros pais com preocupações do mesmo gênero. O conselho executivo decidiu procurar a direção do colégio para saber como poderiam juntos abordar o problema, a qual se comprometeu então a agir. Como medida inicial, a direção foi favorável à idéia da organização de me convidar para conversar com os pais sobre o tema das importunações infantis. Houve, então, um encontro muito concorrido que, além de aumentar a consciência da comunidade dos pais, funcionou como estímulo para que o colégio buscasse formas de lidar com a questão. Para dar continuidade ao processo, fui convidada a prestar assessoria aos professores. Isso tudo é apenas um exemplo de como um pedido de ajuda pode produzir um resultado positivo. Há muitas outras maneiras de obter o interesse e a participação da escola na solução do problema. Aconselho todos a perseverar.

Oferecendo ao Colégio Instrumentos de Combate à Provocação

Apresento a seguir certos instrumentos que qualquer escola – ou outro ambiente freqüentado por crianças, como academias de ginástica, acampamentos de férias, clubes – pode usar para combater e prevenir atitudes de escárnio. Se seu filho está passando por esse problema, você vai querer no mínimo ter certeza de que estão tomando as devidas providências. Quando vir que estão cuidando do caso, poderá mencionar à professora do seu filho ou a algum outro representante da escola que você tem algumas idéias que podem ajudar a evitar que a situação se repita no futuro. Lembre-se de que você está tentando estabelecer uma parceria com a escola. Ofereça-se para colaborar na implementação dos instrumentos de combate ou em alguma situação em que possa ser útil.

Questionário para Ser Usado em Sala de Aula

Avaliar o grau e a natureza do problema de importunação que vem ocorrendo é um bom ponto de partida em direção a uma campanha preventiva a ser aplicada em âmbito de sala de aula ou em qualquer outro ambiente de grupo. Muitos professores e orientadores educacionais utilizam esse questionário para coletar informações e entender melhor a extensão e a natureza do problema da provocação; além de servir para apresentar o tópico aos alunos, funciona como trampolim para outras discussões. O questionário aumenta a consciência de professores e alunos em relação à questão das importunações entre crianças.

É preciso ter em mente que alguns professores podem demonstrar resistência ao receber o questionário diretamente de um pai, porque podem entender o fato como insinuação de que não estão sabendo lidar com o assunto, e muitos não aceitam que os pais lhes digam como proceder. Se você acha que terá esse problema, pode ser mais conveniente apresentar o questionário (ou melhor, o livro todo!) à orientadora educacional ou à direção da escola, para que ela então apresente as idéias aos professores. Isso tem acontecido em muitos colégios nos quais tenho dado palestras para os professores. Às vezes,

Como Enfrentar o Problema da Provocação no Colégio 159

as orientadoras começaram aplicando o questionário a uma determinada série ou a pequenos grupos e, constatando sua eficácia, os professores se interessam em conhecê-lo. Você pode apresentar o livro à direção do colégio e sugerir que cada professor tenha o seu próprio exemplar como fonte permanente de consulta.

Se quiserem, os pais podem completar o questionário na companhia dos filhos e o conjunto de respostas pode constituir um material interessante para ser discutido com o professor.

O questionário pode ser utilizado por professores, coordenadores pedagógicos, orientadores e psicólogos. A maior parte das avaliações de grupos pequenos e de classes das primeiras séries do ensino fundamental é feita oralmente. Acredito, contudo, que, em se tratando das séries mais adiantadas do ensino fundamental e médio, o mais apropriado é responder ao questionário por escrito. Nessa fase, as crianças já não se sentem muito à vontade de contar as experiências desse gênero aos colegas de classe. Uma maneira mais sutil de lidar com crianças mais velhas seria, por exemplo, pedir aos professores de matemática que realizem a pesquisa sobre problemas de provocação entre elas e, depois, analisem seus resultados.

As opções da pergunta de número 3 devem ser adaptadas ou modificadas de acordo com a idade dos alunos. O professor deve lhes pedir que assinem o nome, reforçando que as informações dadas não serão repassadas a ninguém sem sua permissão, embora os resultados gerais devam ser discutidos com a classe. O questionário deve fornecer informações de grande valor sobre a natureza e a extensão do problema da provocação, mas também pode ajudar o professor a identificar vítimas freqüentes de deboches e ridicularizações, podendo levar a uma maior exploração, investigação e apoio ao caso. Muitos alunos podem se sentir mais à vontade comunicando essas informações por intermédio do questionário do que tomando a iniciativa de contar a um professor suas experiências. A vítima constante de escárnio dos colegas provavelmente vai querer que o professor saiba quem ela é.

160   ELIMINANDO PROVOCAÇÕES

Questionário sobre Provocação

1. O que é a provocação? _____

_____

_____

_____

2. Você já foi vítima de provocações, humilhações e insultos?
   - ☐ Sim
   - ☐ Não

3. Qual o motivo da provocação? (Assinale todos os que forem pertinentes.)

   - ☐ Coisas que você faz
   - ☐ Seu modo de pensar
   - ☐ Coisas em que você acredita
   - ☐ Coisas que você tem
   - ☐ Roupas que você usa
   - ☐ Coisas de que você gosta
   - ☐ Coisas de que você não gosta
   - ☐ Coisas que você diz
   - ☐ O que você come
   - ☐ Como você come
   - ☐ Como você se comporta
   - ☐ Sua aparência
   - ☐ Seus sentimentos
   - ☐ Seu desempenho escolar
   - ☐ Seu jeito de ler
   - ☐ Seu jeito de desenhar
   - ☐ Seu jeito de escrever
   - ☐ Ser bom aluno
   - ☐ Não ser bom aluno
   - ☐ Seu jeito de falar
   - ☐ Seu jeito de andar
   - ☐ Seu jeito de correr
   - ☐ Seu jeito de aprender
   - ☐ Ser gordo
   - ☐ Ser magro
   - ☐ Ser alto
   - ☐ Ser baixo
   - ☐ Ter dente torto
   - ☐ Usar aparelho ortodôntico
   - ☐ Usar óculos
   - ☐ Usar aparelho auditivo
   - ☐ Tomar remédio
   - ☐ Ter alergia
   - ☐ Ter alguma cicatriz
   - ☐ Ser o mais velho da classe
   - ☐ Ser o mais novo da classe
   - ☐ Suas roupas
   - ☐ Seu nome

Como Enfrentar o Problema da Provocação no Colégio **161**

- ☐ Ler muitos livros
- ☐ Não saber ler
- ☐ Ter pais separados
- ☐ Seu jeito de cantar
- ☐ Seu jeito de jogar
- ☐ Seu jeito de chutar a bola
- ☐ Seu jeito de lançar a bola
- ☐ Seu jeito de agarrar a bola
- ☐ Seu jeito de pular corda
- ☐ Algum parente que tenha morrido
- ☐ Não ter um dos pais
- ☐ Seu cabelo
- ☐ Seus brinquedos
- ☐ Outros _____

- ☐ Seus hábitos
- ☐ Sua mãe
- ☐ Seu pai
- ☐ Suas irmãs
- ☐ Seus irmãos
- ☐ Seus amigos
- ☐ Suas opiniões
- ☐ Sua cultura
- ☐ Sua raça
- ☐ Sua religião
- ☐ Seu sexo
- ☐ Ter dificuldade de aprendizado
- ☐ Ter alguma deficiência física

4. Qual a freqüência do problema? (Assinale apenas uma resposta.)
   - ☐ Todo dia
   - ☐ Várias vezes por dia
   - ☐ Várias vezes por semana
   - ☐ Talvez uma vez por semana
   - ☐ Raramente

5. Onde ele ocorre? (Assinale o local ou locais onde o problema ocorre.)
   - ☐ Na sala de aula
   - ☐ Na aula de ginástica
   - ☐ No banheiro
   - ☐ No vestiário
   - ☐ Na volta do colégio
   - ☐ Na vizinhança
   - ☐ No almoço
   - ☐ No recreio
   - ☐ Na condução escolar
   - ☐ No caminho para o colégio
   - ☐ Em casa

162 ELIMINANDO PROVOCAÇÕES

☐ Por e-mail ☐ Pelo telefone

☐ Outros lugares _____

_____

6. Qual a idade do importunador? (Assinale sua reposta.)

☐ Sua idade

☐ Mais velho que você

☐ Mais novo que você

7. Você o considera seu amigo? (Assinale apenas uma resposta.)

☐ Sim

☐ Não

☐ Às vezes

☐ Não sei

8. Quem o importuna faz o mesmo com outras crianças? (Assinale apenas uma resposta.)

☐ Sim

☐ Não

☐ Não sei

9. Como você se sente quando é provocado, humilhado ou insultado? (Assinale todas as opções que correspondem aos seus sentimentos.)

☐ Chateado

☐ Triste

☐ Com raiva

☐ Desamparado

☐ Com vergonha

☐ Assustado

☐ Culpado

☐ Magoado

☐ Com medo

Como Enfrentar o Problema da Provocação no Colégio   163

- ☐ Nervoso
- ☐ Excluído
- ☐ Não ligo

10. O que você faz quando zombam de você? (Assinale uma ou mais reações.)

- ☐ Grita com o provocador
- ☐ Bate nele
- ☐ Debocha dele também
- ☐ Discute com ele
- ☐ Chora
- ☐ Ignora o provocador
- ☐ Conta a um adulto
- ☐ Outras respostas ou reações _____

_____

Este questionário pode ser reproduzido para ser usado em sala de aula.

Discussão em Sala de Aula

A professora do seu filho conversa em classe sobre o problema da provocação entre as crianças? A sala de aula é um ambiente bastante propício para tratar dessa questão, e o diálogo em classe é fundamental para despertar nas crianças maior consciência do problema e fortalecer suas técnicas de defesa. De modo geral, as crianças demonstram enorme disposição para participar e receptividade para aprender. Você pode sugerir que a professora inicie a discussão quando as crianças acabarem de preencher o "Questionário sobre Provocação". Entretanto, uma discussão não basta, já que o tópico da provocação requer atenção, prática e revisão contínuas. Como resultado, deve-se esperar que as crianças aprendam que zombar dos outros não é uma atitude aceitável e que existem maneiras eficazes de lidar com esse comportamento maldoso.

Pesquisas realizadas a respeito da eficácia das reuniões abertas em classes de alunos bem novos sugere que as discussões permitem que as

164   ELIMINANDO PROVOCAÇÕES

crianças resolvam os problemas em grupo, vejam a situação do ponto de vista dos colegas e se sintam mais unidas entre si. Os pesquisadores estudaram uma reunião de classe cujo tema era xingamento, marcada depois de um aluno de uma escola vizinha ter atirado em um colega que o chamara de alguma coisa que o desagradou. Os autores do estudo (Lundeberg *et al.*) concluíram que embora talvez não chegue a evitar totalmente a violência, "a reunião de classe aberta pode contribuir para diminuí-la na escola caso ensine às crianças técnicas de exprimir os próprios pensamentos e sentimentos, de ouvir uns aos outros e refletir sobre o próprio comportamento".

É compreensível que, no segundo ciclo do ensino fundamental e no ensino médio, os alunos se sintam constrangidos e relutem em comentar com os colegas experiências associadas a provocações e zombarias. No entanto, mostram-se receptivos a falar dos problemas que acontecem com os outros, ou seja, a falar em "terceira pessoa". A simples menção aos casos de alunos que se tornaram violentos e atiraram em colegas por causa do ridículo, do escárnio e da intimidação abusiva a que foram expostos pode gerar uma discussão bastante proveitosa. Pedi a alunos de quinta série que respondessem às seguintes perguntas:

- O que é a intimidação abusiva? (Definir e dar exemplos.)
- O que é a provocação? (Definir e dar exemplos.)
- O que sabemos sobre os atiradores das escolas de Santee, na Califórnia, e Columbine, no Colorado?
- Como essas tragédias poderiam ter sido evitadas?
- O que você faria se visse alguém ser ridicularizado, provocado ou debochado?
- O que você deveria fazer?
- Como os alunos podem diminuir as importunações e o comportamento intimidador no colégio?

O debate tornou os alunos mais conscientes e demonstrou que a maioria deles assumiria um papel ativo ao lidar com o problema. Esse tipo de discussão em sala de aula também serve para mostrar aos alunos que a união faz a força. Aqueles que normalmente adotam posição de espectadores ou testemunhas passivas acabam percebendo-se muito mais numerosos que os provocadores e os prepotentes e que, ao assumir um papel ativo, anulam o poder da minoria agressiva.

No caso de crianças mais velhas, a literatura pode ser um recurso sutil na hora de abordar o problema do escárnio e de ensinar as estratégias de enfrentamento; falaremos dela na próxima seção.

A seguir são dadas algumas sugestões de como promover discussões gerais em classes de crianças na faixa dos 7 aos 11 ou 12 anos, mas que também deram bons resultados ao serem aplicadas em crianças mais velhas, tanto em grupos pequenos quanto em esquema individual. As discussões podem ser mediadas pela professora, orientadora educacional, coordenadora ou psicóloga, dependendo basicamente de a escola contar com profissionais da área de saúde mental. Eu conduzo discussões semanais em sala de aula com a participação da professora de classe. O envolvimento da professora é crucial para a devida continuidade e reforço do programa. Essas sessões normalmente duram meia hora, e a abrangência de cada uma é determinada pela disposição dos alunos em falar e dos problemas que eles mesmos apresentam. O que determina o sucesso desse tipo de intervenção é saber *ouvir o que as crianças trazem para a discussão e responder a isso,* e ajudá-las a encontrar as soluções mais apropriadas para cada caso. O número de sessões muitas vezes depende da idade dos alunos, do tempo que a professora quer dedicar ao assunto e do tempo de que o mediador da discussão dispõe.

As informações e o material apresentados aqui não constituem um programa específico que deva ser seguido à risca. Cada professor e profissional da área de saúde mental possuem seu próprio estilo. As sugestões devem ser implementadas e aplicadas da maneira que o mediador se sentir mais à vontade. Meu objetivo é oferecer idéias para serem empregadas e integradas ao ensino e às rotinas diárias dos alunos.

Certos professores podem preferir organizar a discussão seguindo a ordem ou o formato do "Questionário sobre Provocação." Depois de discutir todos os pontos ali abordados, podem então passar ao ensino das estratégias do Capítulo 6.

Costumo começar a primeira sessão pedindo aos alunos que completem a seguinte frase: "Acho que provocar os outros é _____."

Depois de ouvir várias respostas, pergunto quem já foi alvo de deboches. Nas séries mais baixas, quase todos levantam a mão. Continuo perguntando qual o motivo dos deboches, lembrando sempre que não mencionaremos o nome dos autores. Anotamos as respostas em uma folha de papel ou na lousa; geralmente, a lista gerada é numerosa. Conversamos sobre as diferenças entre o deboche bem-humorado e o cruel. Com os mais velhos, discuto a questão do escárnio hostil, que engloba o deboche crônico e persistente, o assédio constante e a intimidação verbal.

Quando conseguimos cumprir a pauta planejada na primeira sessão, começo a segunda com uma breve revisão do que é a provocação, sempre lembrando os alunos de que não citamos o nome dos debochadores. Prossigo pedindo a eles que contem experiências específicas e, quando é o caso, peço que representem a situação, aproveitando para perguntar durante essa simulação como é ser provocado. Anotamos os sentimentos que a maioria cita e, quando um aluno apresenta um relato pessoal, procuro sempre demonstrar compreensão em relação a suas emoções e validar seus sentimentos. Pergunto à classe: "Quantos de vocês se sentiriam assim?" Normalmente, várias crianças confirmam sentir o mesmo, o que muito reconforta a criança que foi importunada.

Depois de falar dos sentimentos geralmente decorrentes do escárnio, discutimos o que as crianças "fazem" com seus sentimentos. Batem em quem as debochou porque ficam com raiva, ou choram? Revidam? Falo sobre como o debochador habitualmente continua a agir se a criança reage com raiva ou choro. Passamos a conversar sobre as diversas maneiras de as crianças lidarem com as zombarias, avaliando se são ou não apropriadas e se dão ou não bons resultados.

A seguir, peço a todos que citem motivos pelos quais umas crianças caçoam das outras. Mais uma vez, anotamos todas as respostas em uma folha de papel ou na lousa. Fico sempre surpresa com o nível de percepção que as crianças demonstram.

A essa altura, começo a ensinar e a rever as estratégias do Capítulo 6, de acordo com o seguinte plano:

Plano para Ensinar em Sala de Aula as Estratégias de Defesa contra a Provocação

Estrutura rudimentar para o ensino das técnicas do Capítulo 6

Autoconversação

1. Perguntar às crianças se costumam conversar consigo mesmas. Quando?
2. Dar exemplos concretos de autoconversação em situação de provocação:

   "Não vou reagir com raiva ou mágoa."

   "O deboche é verdadeiro?"

   "Que opinião é mais importante, a de quem faz a provocação ou a minha?"

   "Não gosto que debochem de mim, mas não vou ficar chateado."
3. Pedir que pensem em qualidades positivas e momentos especiais. Pedir exemplos.

Ignorar

1. Explicar o que é ignorar – não reagir e não responder à provocação.
2. Falar sobre a linguagem corporal.
3. Praticar e encenar a técnica de ignorar.
4. Como uma criança pode praticar a técnica de ignorar dentro da condução escolar?

As mensagens em primeira pessoa

1. Ensinar aos alunos o que é a mensagem em primeira pessoa.
2. Debater situações em que a mensagem em primeira pessoa pode ser usada.
3. Encenar a situação lembrando as crianças de manter o contato visual e um tom de voz educado.
4. Colocar um cartaz de lembrete na sala de aula.
5. Advertir as crianças de que a técnica pode muito bem não funcionar na hora do recreio ou dentro da condução escolar.
6. Dar exemplos de mensagens em primeira pessoa.

Visualização

1. O que é a visualização?

168   ELIMINANDO PROVOCAÇÕES

2. Explicar a idéia de usar um escudo imaginário para repelir as zombarias.
3. Criar oportunidade para que as crianças desenhem (representem) suas visualizações.
4. Compartilhar as visualizações com a classe.

Reformar – tomar o deboche como elogio
1. Incentivar comentários sobre a reforma, a "troca de moldura".
2. Encenar e praticar.

"E daí?"
1. Explicar que essa atitude é como encolher os ombros, em sinal de indiferença.
2. Incentivar idéias de respostas parecidas:
      "O que você tem a ver com isso?"
      "Qual é o seu problema?"
      "Não estou nem aí."

Responder à provocação com elogio
1. Pedir exemplos.
2. Encenar.

Usar humor
1. Discutir exemplos.
2. Encenar.

Pedir ajuda
1. Discutir a diferença entre delatar e denunciar.
2. A quem a criança pode pedir ajuda?
3. Quando é o caso de pedir ajuda?

Depois de ensinar todas as estratégias, finja que você é o debochador e peça às crianças que escolham a estratégia que vão usar.
Continuar revendo as estratégias e encenando-as, se necessário.

A Literatura como Estímulo

Dizer: "Tenho uns livros dos quais vocês podem gostar" pode ser uma das maneiras mais simples de o professor tocar no assunto da provocação. Além de servir de pretexto ou ponto de partida de conversas e dissertações, os livros obrigam os alunos a rever e relembrar o que aprenderam sobre o assunto, podendo também consistir em uma maneira sutil e natural de abordar o problema do escárnio com crianças mais velhas. Ler relatos sobre casos de deboche ajuda os alunos a perceber que não estão sozinhos quando enfrentam essas situações tão dolorosas. Selecione livros e matérias que façam referência a maneiras apropriadas e realistas de lidar com experiências de provocação. Debata a natureza e a extensão do escárnio, da humilhação ou da ridicularização. Qual era a motivação do autor? Como ele se sentiu? Como a vítima se sentiu? Alguém presenciou o fato? O que ele fez? Depois de os alunos terem lido um determinado livro, a professora pode pedir a eles que avaliem o tipo de encaminhamento dado à situação.

Dois Cenários de Encenação para a Sala de Aula

Tenho usado essas duas situações com grande sucesso em todas as séries do primeiro ciclo do ensino fundamental.

Xingamentos dentro da condução escolar

Em meados de 1996, visitei o Museu da Criança de Chicago com minha sobrinha e sua prima, Sophie e Emily, ambas de 8 anos, e fiquei particularmente impressionada com a exposição que vimos sobre discriminação. Parte dela consistia em uma experiência simulada de xingamentos dentro da condução escolar: entrávamos em um ônibus com fotos em tamanho real de crianças, que eram os passageiros, e ouvíamos gritarem deboches e provocações – uma experiência muito marcante. Ao sairmos do ônibus, participávamos de uma atividade que nos estimulava a exprimir como nos sentíamos diante do escárnio e o que faríamos em uma situação daquelas. Depois de discutirmos, pediam-nos que pensássemos sobre os nomes dos quais havíamos sido chamados. Nós os escrevíamos em um papel, que era colocado em um triturador, para simbolizar que podemos, sim, nos separar do xingamento e do sentimento que desperta em nós.

Balofo	Idiota
Gordo	Monstro
Bola	Retardado

Vara-pau

Magrela

Tampinha

Nanico

Anão

Quatro-olhos

Fracasso

Mentiroso

Fofoqueiro

Maricas

Tonto

Burro

Bonzão

Ignorante

Cabeça-de-vento

Desengonçado

Covarde

ET

Queridinho da tia

Cara-de-aparelho

Boca-de-metal

Boca-de-prata

Bebê

Bebê chorão

Lunático

Burraldo

Maluco

Lerdo

Incompetente

Fresco

Gênio

Puxa-saco

Frouxo

Bobão

Cabeça-de-cocô

Imbecil

Bundão

Estranho

Monstro

Estúpido

Débil mental

Sem cabeça

Desmiolado

Zé-ninguém

Fedelho

Exibido

Cabeludo

Linguarudo

Bochechudo

Fogueira

Troglodita

Narigão

Mandão

Lixo

Sabichão

Sardento

Porco

Minha sobrinha sugeriu que eu levasse as crianças da minha escola para ver a exposição. Em vez disso, decidi criar uma experiência parecida no colégio. Convoquei a colaboração de várias meninas de quarta série com quem estava desenvolvendo um trabalho de aprimoramento da sociabilidade e da auto-estima. Com o respaldo de nossa professora de arte, as meninas criaram o interior de um ônibus escolar e colaram nele recortes de passageiros em tamanho real. Foi uma excelente experiência terapêutica para elas, que tiveram que se harmonizar entre si e trabalhar em equipe e, depois, puderam se orgulhar dos resultados alcançados.

As meninas fizeram um levantamento dos insultos, humilhações e deboches mais comuns e depois os gravaram em uma fita. Obscenidades e blasfêmias ficaram proibidas. A lista dos nomes foi usada em nossa atividade simulada.

Essa atividade pode servir de introdução ao ensino das estratégias do Capítulo 6, como também pode ser uma oportunidade de revisá-las. Pode servir ainda para despertar a consciência dos alunos mais propensos a agressões verbais e ajudá-los a melhorar seu comportamento em relação a xingamentos e provocações. Além de tudo, é uma ótima oportunidade para a direção da escola lembrar alunos e pais das normas aplicáveis a agressões físicas e verbais no ônibus e suas conseqüências.

Alguns professores me contaram que, como sua escola não oferecia transporte escolar, mudaram o ambiente para a área de recreação ou dos banheiros. O cenário pode ser facilmente adaptado a qualquer área comum freqüentada pelos alunos.

Os professores de classe receberam um roteiro para orientar o debate depois de os alunos visitarem o cenário do ônibus escolar:

1. Sua classe vai percorrer o ambiente simulado de um ônibus escolar.
2. Quando os alunos voltarem à sala de aula (antes de começar a discussão), peça a cada criança que escreva em um papel um xingamento que a tenha particularmente chocado e que deixe o papel de lado. É importante tranqüilizar a classe no sentido de que essas palavras não serão divulgadas.

3. Pergunte às crianças como elas se sentiriam se fossem chamadas desses nomes dentro da condução escolar ou em outro lugar. Se algumas crianças responderem: "Eu não ligo", talvez possam contar aos outros por que não ligam.

4. Uma pergunta que muitas vezes gera uma discussão interessante é: "Por que as crianças chamam as outras disso e daquilo?" As respostas prováveis são: para se mostrar, para se sentir poderoso ou superior, para se vingar, para impressionar os colegas e por julgar negativamente as diferenças dos outros.

5. Ressalte que, embora não gostemos de que nos chamem de várias coisas, não podemos controlar o que as outras pessoas fazem ou dizem. Entretanto, podemos aprender a controlar *nossa* maneira de reagir. Não precisamos mostrar "automaticamente" que fomos feridos.

6. Peça aos alunos que dêem idéias de estratégias que possam ser usadas em uma situação de xingamento. Essa atividade pode servir de introdução ao ensino das estratégias do Capítulo 6, como também pode ser mais uma oportunidade de revisão.

7. Pergunte aos alunos o que fariam se vissem uma pessoa chamando outra de alguma coisa desagradável.

8. No fim da discussão, cada aluno rasga a folha de papel em que escreveu o xingamento no começo e a joga no lixo, para simbolizar que podem se separar de seus sentimentos feridos – o que pode ter efeito bastante forte em algumas crianças.

"Não preciso ficar com raiva quando riem de mim"

Escrevi essa peça para ser representada como *show* de bonecos para crianças de primeira série, e foi uma grata surpresa ver que tantas ainda a lembravam anos mais tarde. Fazer com que alunos mais velhos representem para os menores é um recurso que dá bons resultados. Os pais também receberam uma cópia do texto, para poder relê-lo para os filhos ou, quem sabe, "representá-lo" em casa. Espero que seus filhos gostem.

Apresentador, dirigindo-se à platéia: Vocês vão conhecer agora a Sheila Xingadora. Ela diz coisas feias para meninos e meninas. Debocha das crianças e faz pouco delas. Se Sheila chamasse vocês de alguma coisa e risse da sua cara, como vocês se sentiriam? (*Interaja com as*

crianças sobre o que sentem quando alguém as chama de alguma coisa.)
Vamos ver como Sheila se comporta com uma menina chamada Rosa
Ferida, que é então ajudada por sua amiga Dora Auxiliadora.

Sheila Xingadora (*aos berros*): Rosa, você usa óculos... Você é quatro-olhos! Quatro-olhos!

Rosa Ferida: Pára com isso, Sheila, você está me chateando.

Sheila Xingadora: E daí? Você usa óculos e é quatro-olhos!

Rosa Ferida começa a chorar. Sheila se afasta dela rindo alto.

Entra Dora e se aproxima de Rosa.

Dora Auxiliadora: O que aconteceu, Rosa? Por que você está chorando?

Rosa (*soluçando*): Oi, Dora Auxiliadora. A Sheila Xingadora me chamou de "quatro-olhos". Ela me ofendeu. Estou muito chateada. Não quero mais que ela olhe para mim.

Dora: Estou vendo que ela te deixou mesmo muito aborrecida, Rosa. É verdade que você tem quatro olhos? Eu só estou vendo dois e esses seus óculos tão bonitos.

Rosa: Ah, é claro que eu não tenho quatro olhos.

Dora: Se não é verdade, por que você está tão aborrecida? Pense bem... Por que você está se chateando com isso?

Rosa: Como assim?

Dora: Sheila Xingadora te chamou de quatro-olhos porque ela está querendo implicar com você. Você pode decidir se vai ficar triste, aborrecida ou com raiva. Você não gosta quando sente essas coisas, gosta?

Rosa: Não, não gosto de me sentir assim e não gosto quando as pessoas me chamam de coisas e riem de mim. Você tem algum conselho pra me dar? O que eu posso fazer?

Dora: Uma coisa seria ignorá-la – não prestar atenção ao que está dizendo. Não olhe para ela nem demonstre estar aborrecida. Na verdade, você tem que fingir que Sheila é invisível! E enquanto a ignora, pode fingir que as palavras quicam e vão embora, para longe de você.

Rosa: Mas e se ela não parar de me chamar de quatro-olhos?

Dora: Às vezes, quando ignorar não adianta, você pode tentar outras coisas.

Rosa: O quê?

Dora: Experimente agradecer a ela por reparar nos seus óculos.

Rosa: Agradecer por reparar nos meus óculos??!!

Dora: É. Você poderia dizer: "Sheila, que bom que você reparou nos meus óculos. Eles me ajudam a enxergar tão bem quanto você." Dizer "obrigada" a Sheila desarma o "deboche" dela.

Rosa: Que ótima idéia, Dora. Aposto que Sheila ia ficar surpresa se eu fizesse isso!

Dora: Ela ia ficar muito surpresa mesmo. E acho que você está realmente entendendo como deve reagir aos xingamentos e deboches da Sheila, para que eles não a perturbem mais.

Rosa: Gosto dessas idéias. Nunca pensei que haveria alguma coisa que eu pudesse dizer para me sentir melhor. Dora, posso falar de mais um problema?

Dora: Claro!

Rosa: Tem um menino chamado Gabriel Gozador. Ele debocha de mim porque sou baixinha. Disse que sou a pessoa mais baixa da classe e, pelo jeito, de toda a escola!

Dora: Hum... Você deve se sentir muito mal com isso, não é?

Rosa: É, sim, mesmo sendo verdade que sou a mais baixinha da classe – quem sabe a mais baixinha da primeira série –, fico chateada quando ele faz pouco de mim.

Dora: Qual o problema de ser a mais baixa da classe?

Rosa: Não gosto que debochem de mim por causa disso!

Dora: Ninguém gosta de deboche, mas você não precisa se aborrecer.

Rosa: Não entendi.

Dora: Olha, não se esqueça de que você pode decidir se vai ficar triste, chateada ou com raiva quando Gabriel Gozador zombar de você. Rosa, sempre tem alguém que é a mais baixa da classe, assim como sempre tem uma criança que é a mais alta, a mais velha, a mais moça. Todo mundo é diferente. A diferença faz de você uma pessoa única e especial.

Rosa: Você acha que sou especial?

Dora: Claro que é – e você deve pensar que é especial também.

Rosa: Você acha que devo ignorar o Gabriel?

Dora: Acho, você pode ignorar o que ele diz ou pode concordar com ele que é baixinha.

Rosa: Concordar com ele?

Dora: Quando ele diz que é baixinha, você pode dizer: "É mesmo, sou baixinha. Acho até que sou a pessoa mais baixa do colégio todo."

Rosa: Entendi. Dora, muito obrigada por me ajudar. Agora sei por que seu nome é Dora Auxiliadora.

Dora: Eu queria que todo mundo só dissesse coisas boas para os outros, mas não é o que acontece. Ninguém gosta de ser chamado de coisas chatas, mas isso também não é a pior coisa do mundo. Eu sei que você não gosta, mas sei que vai conseguir dar um jeito de enfrentar isso!

Rosa: Dora, muito obrigada por suas ótimas idéias e por ser tão boa amiga.

Continue a representar as estratégias descritas.

P.S.: Uma orientadora educacional que implementou as estratégias de defesa em sua escola pediu aos alunos mais velhos que escrevessem suas próprias peças com o tema da provocação. Foi uma excelente

176 ELIMINANDO PROVOCAÇÕES

maneira de reforçar as estratégias que ela havia ensinado a eles, e os textos foram encenados para as crianças menores da escola.

Ensinando o Respeito pelas Diferenças

Por trás do deboche está sempre a falta de compreensão ou um entendimento deturpado das diferenças. Muitas crianças que não estão acostumadas com um determinado traço cultural ou étnico muitas vezes zombam dele por causa do próprio desconforto ou medo diante do desconhecido. Uma criança com deficiências físicas, de aprendizado ou de fala pode se tornar o alvo de zombarias porque sua diferença é percebida ou julgada sob uma perspectiva negativa.

A sala de aula é um ambiente ideal para promover a tolerância e o respeito pelas diferenças e pela diversidade. Depois dos crimes motivados pelo ódio ocorridos em colégios nos últimos anos, no mundo todo, vários grupos comunitários e ativistas têm chamado atenção para a necessidade de os colégios cultivarem o espírito de tolerância e respeito entre os alunos. O treinamento da diversidade vem ganhando popularidade nos ambientes escolares e, nos Estados Unidos, a solidariedade e o respeito pelos outros têm sido temas recorrentes de aulas e palestras. Cada vez é maior o tempo dedicado em sala de aula à formação do caráter.

Em minha rotina de trabalho, costumo dedicar algumas sessões a esse tópico tão importante. Começo pedindo aos alunos que citem aspectos que têm em comum. Discutimos as semelhanças básicas, como idade, série, professora, bairro em que moram, sexo, cor dos olhos e do cabelo e depois conversamos sobre a importância de entender e respeitar as diferentes qualidades dos outros. Fazemos uma lista das diferenças. Peço às crianças que completem a seguinte frase: "Uma coisa que me faz diferente dos meus colegas de classe é _____." Com o tempo, acabamos aprendendo uma diferença de cada aluno. Quem é o mais velho da classe? Quem é o mais novo? Quem nasceu em outro país? Quem fala mais de uma língua? Quem fala com sotaque? Quem nasceu em outro Estado? Quem é o mais alto e quem é o mais baixo? Quem tem mais irmãos e irmãs? Quem tem o cabelo mais claro? Quem tem a pele mais escura? Quem usa aparelho? Quem usa óculos? A mensagem transmitida e enfatizada é que a diferença torna a criança especial e única.

Durante essas conversas, o relato de suas diferenças teve efeito terapêutico para muitas crianças. Elas revelaram diferenças como ser adotado, viver só com um dos pais ou com os avós, e precisar de aula especial para aprender a ler. Uma criança com aparelho de audição contou que tinha uma coisa em comum com o presidente do país. Um menino de 7 anos falou de sua perceptível deficiência física e mencionou que às vezes lhe debochavam por causa disso.

Lori, uma menina de terceira série, comentou em classe que a incomodava o fato de debocharem de Dan, um colega de sala, por ter nascido na Índia. Dan relutou, mas acabou admitindo que era verdade. Incentivei-o a explicar para a classe algumas diferenças de hábito que sua família apresentava por ser de outro país. Ele explicou alguns costumes da Índia, e acredito que os colegas passaram a aceitar melhor sua singularidade e a entender a mensagem de que provocar quem é diferente está errado. O autor do deboche – que jamais foi mencionado em nossa discussão, sem sugestão ou insinuação alguma da parte de qualquer pessoa – pediu desculpas a Dan no final da aula. Uma semana depois, a avó de Dan visitou a classe e preparou comida indiana para as crianças.

Para uma menina de segunda série, foi uma enorme surpresa quando sua adorada professora, sra. Novak, pediu em tom muito firme e sério que, quem estivesse de calça jeans, fizesse uma fila no fundo da sala de aula. Os que estavam ficaram perplexos, mas obedeceram às ordens e, embora relutantes, dirigiram-se para o fundo da sala. Em voz grave, a sra. Novak avisou que não poderiam mais sair da sala na hora do recreio a partir do dia seguinte. As crianças ficaram desorientadas, confusas e assustadas. Quando indagadas a respeito do que achavam da nova regra, a maioria exprimiu eloqüentemente que a decisão era injusta. A classe inteira se mostrava incrédula. A professora pediu então que os alunos de calça jeans se sentassem e explicou que era assim que se sentiam as pessoas excluídas ou discriminadas por suas características particulares, estabelecendo uma relação entre essa experiência e o trabalho de Martin Luther King Jr. Os alunos perceberam melhor como os afro-americanos se sentiam quando tinham que se sentar nos

178 ELIMINANDO PROVOCAÇÕES

bancos de trás do ônibus, e os de calça jeans sentiram um grande alívio ao saber que não haviam perdido o direito ao recreio!

Hoje em dia, a maioria das escolas esforça-se ativamente para promover debates como os que acabo de descrever, mas também você pode conversar com seus filhos sobre maneiras possíveis de prevenir ou acabar com atitudes de provocação no colégio. Apresento a seguir algumas indicações de leitura que podem ser úteis. Querendo se aprofundar mais sobre como promover o sentimento de solidariedade entre as crianças, leia o Capítulo 9.

Melhorando Sua Criatividade: Mais Algumas Idéias para o Ambiente Escolar

De modo geral, os professores são pessoas criativas, e a maioria está sempre disposta a experimentar novas maneiras de conseguir seus objetivos. Apresentando este livro à direção de sua escola, as idéias que traz podem acabar chegando aos professores individualmente. Aposto que eles vão se apoderar e lutar por elas.

Monitorar ambientes não-estruturados

Muitas crianças pequenas se queixam de que as zombarias são freqüentes no pátio, na hora da saída. Que terreno fértil para o escárnio – um ambiente em geral não-estruturado, freqüentado por crianças de idades variadas, além de ser uma hora em que a maioria está cansada e tensa depois das aulas do dia. E acho que os encarregados da supervisão das crianças não costumam receber orientação específica sobre como proceder com incidentes de provocação, nem sabem bem como coibi-lo.

Como a importunação ocorre com mais freqüência em ambientes ou situações não-estruturadas, como no pátio de recreio, nos banheiros e vestiários e na condução escolar, é de suma importância haver supervisão de adultos nessas áreas. É claro que a prioridade do motorista do ônibus é oferecer segurança às crianças ao dirigir; não é sua função tomar conta delas. Muitos motoristas, porém, sabem bem da proporção que os problemas assumem dentro do ônibus e alguns che-

Como Enfrentar o Problema da Provocação no Colégio   179

gam a agir, quando podem. Recebi, no início de 2001, as seguintes mensagens por e-mail de uma motorista de ônibus escolar:

> Gostaria de cumprimentá-la por fazer alguma coisa a respeito dos comportamentos de deboche e intimidação entre as crianças que ocorrem neste país e, acredito, no mundo todo. Sou motorista de ônibus escolar de uma pequena cidade perto de Chicago e, por mais que as crianças que andam no meu ônibus me detestem por causa disso, jamais tolerarei ninguém que fale grosserias do outro durante o nosso caminho. Quando era pequena, sempre zombavam de mim por ser muito magra (quisera ter esse problema agora) e sei como é estar no meio de outras crianças e se sentir inferior porque alguém decidiu que você vale menos por causa de seus atributos físicos. Não agüento esse tipo de atitude e, sempre que posso, interfiro e ensino as crianças a serem amigas e a se respeitarem.
>
> Quero dizer que estou feliz em saber que alguém está procurando despertar a consciência desse tipo de gente que tem prazer em fazer pouco dos outros e procurando mostrar que todo mundo tem defeitos e qualidades.
>
> Parabéns pelo trabalho e que Deus a abençoe.
>
> Marilyn

> Gostaria de acrescentar o dado de que transporto crianças entre 10 e 15 anos, e algumas moram em casas mais modestas que outras; dá para ver, pela expressão de seu rosto certos dias, como se sentem mal por não terem o mesmo padrão de vida elevado de outras crianças. Procuro de vez em quando elogiar alguma coisa nessas crianças, como um novo penteado ou a roupa que estão usando, para animá-las um pouco. Seria bom se mais gente fizesse isso por elas, pois sinto que precisam de elogios nessa idade.
>
> Obrigada pelo tempo dispensado e por ler minhas idéias.
>
> Marilyn

Quando você não tem uma Marilyn para dirigir seu ônibus escolar, o ideal é ter um adulto a mais dentro da condução. Certas escolas colocam um auxiliar para acompanhar as crianças na perua, enquanto outras convocam os pais para essa função. As iniciativas dos monitores de recreio, do lanche e da condução escolar de consultar a orientadora educacional, coordenadora ou a direção do colégio para saber como lidar com comportamentos agressivos são em geral bem recebidas e valorizadas. É comum os adultos não saberem o que fazer em situações de provocação, e seria importante obter uma certa uniformidade nas atitudes adotadas. Supervisão adequada, expectativas comportamentais preestabelecidas e conseqüências coerentes são elementos fundamentais no combate às agressões verbais e físicas.

Programas escolares de promoção da cordialidade

Desperte ou promova a consciência das crianças em relação aos comportamentos construtivos, estabelecendo para isso programas de "cordialidade" em sala de aula e na escola como um todo. Apontar sempre os comportamentos construtivos contribui para criar um clima emocional saudável na escola. Certos professores de pré-escola e dos primeiros anos do ensino fundamental colocam uma caixa de elogios na sala de aula: ao longo da semana, os alunos depositam ali elogios sobre os colegas, que são lidos às sextas-feiras. Em muitas escolas, as crianças recebem semanalmente alguma manifestação de reconhecimento, seja por seu bom desempenho escolar ou por algum comportamento gentil e atencioso. Nas discussões de classe, peço sempre às crianças que digam alguma coisa amável aos colegas. Os elogios abrem sorrisos em seus rostos. Gosto de praticar essa atividade perto dos feriados de fim de ano, enfatizando que o melhor presente que se pode dar a um amigo é uma palavra cordial ou um elogio.

A "patrulha da segurança"

Engage as crianças mais velhas na "patrulha da segurança", com a finalidade de monitorar atitudes de provocação e prepotência nos corredores, banheiros, vestiários e nas áreas externas do colégio. Discuta com elas as respostas mais apropriadas a serem dadas quando esses problemas forem flagrados. Não convém, porém, lhes confiar esse poder e deixá-las desassistidas. Um pai que trabalha na escola dos filhos disse que as crianças da patrulha da segurança estavam, na verdade, intimidando e ameaçando as menores. Lembre-se de que esse tipo de esforço precisa ser acompanhado de perto, para garantir que ninguém se prevaleça de sua posição.

O grêmio estudantil

Estimule o grêmio dos alunos a promover uma campanha no colégio com o tema do respeito. O exemplo dos mais velhos tem impacto forte sobre as crianças menores. Há pouco tempo colaborei com o grêmio da escola em que trabalho na campanha "O Respeito Rola". Alunos de quarta e quinta séries representantes do grêmio conduziram debates em todas as classes. Perguntavam aos alunos: "O que é o respeito?", "Como demonstramos respeito pelo outro?", "Como demonstramos respeito pela escola?" Depois, pediram a todas as classes que participassem da atividade de enfeitar suas portas com figuras, poemas, pôsteres, colagens e textos que veiculassem a mensagem "O Respeito Rola". Alguns projetos foram feitos individualmente, outros em grupos pequenos e outros com a classe toda. A criatividade das crianças foi surpreendente. Todas as classes puderam se orgulhar de seu excelente trabalho.

Ainda como parte da campanha, foi instituído o concurso de criação de um marcador de livro com o tema "O Respeito Rola", e o marcador vencedor passou a ser usado como prêmio de merecimento para comportamentos respeitosos observados pela patrulha da segurança.

A professora de música participou da campanha ensinando a várias séries da escola canções que falavam do respeito, todas do musical "A Better You... A Better Me!" ("Se você é melhor... eu sou melhor"), de Roger Emerson.

Os professores de educação física também participaram, bem como enfatizaram o respeito com pôsteres colocados na quadra de esportes e com debates sobre o tema. Com uma participação tão entusiasmada de alunos e professores, o respeito "rolou" na Prairie School.

Crianças mais velhas lendo para as menores

Peça aos alunos das séries mais adiantadas que leiam boa literatura para crianças menores. Os alunos menores gostam de ouvir os mais velhos lendo, e estes gostam de servir de modelo. Algumas escolas estabelecem parcerias entre classes, juntando, por exemplo, uma segunda série com uma quinta, e as duas séries em conjunto participam de vários projetos. É uma maneira de crianças mais velhas e menores se conhecerem melhor, sendo comum a formação de duplas entre irmãos, excelente oportunidade para os mais velhos servirem de mentores aos mais novos – e estes se beneficiam da convivência com aqueles.

Entrevista com os pais

Para despertar a consciência do problema da provocação, outra atividade é sugerir aos alunos que entrevistem seus pais ou algum membro mais velho da família. As crianças se interessam em ouvir as experiências vividas pelos próprios pais e em saber sua opinião, abrindo-se assim mais um canal de comunicação para pais e filhos tratarem de tão importante tema.

- Fale de uma situação em que debocharam de você.
- Qual o motivo do deboche?
- Que idade você tinha?
- Como você reagiu?
- Como se sentiu?
- Que conselho daria a alguém que estivesse no seu lugar?
- Você acha que há diferença em relação ao que ocorre hoje em dia?

Dissertação com o tema da provocação

Uma professora de sétima série que dava aula de redação participou da apresentação que fiz para o corpo docente e auxiliares de seu colégio. No dia seguinte, pediu aos alunos que fizessem uma dissertação relatando um caso pessoal de deboche. Uma das dissertações despertou-lhe enorme preocupação, e ela resolveu procurar a orientação da escola. Essa, por sua vez, procurou a autora para explorar melhor a situação. Se não fosse a tarefa passada aos alunos, a criança continuaria sofrendo em silêncio.

"Observadores" oficiais

Estimule os alunos que presenciam atitudes de deboche a intervir, mandando o autor parar ou oferecendo ajuda à vítima. Espectadores e "observadores" podem exercer um papel muito influente. O Capítulo 9 apresenta algumas idéias sobre como ensinar as crianças a se apoiarem mutuamente.

Professores podem dividir os grupos

Muitos professores preferem assumir papel ativo na montagem de pequenos grupos ou duplas de trabalho. Segundo eles, essa interferência alivia a ansiedade de muitas crianças que temem não ser escolhidas ou são sistematicamente excluídas. Há quem se valha dos sorteios ou de outros artifícios para dividir os grupos. Liz Androjna, professora de educação física de nossa escola, oferece as seguintes sugestões:

- Escolher alguém de outra classe.
- Escolher alguém que tenha cabelo da mesma cor ou o mesmo penteado.
- Escolher um parceiro que esteja usando roupa da mesma cor.
- Procurar um parceiro que tenha o mesmo número de animais de estimação em casa.
- Escolher um parceiro que tenha a mesma comida como predileta.
- Encontrar um parceiro da mesma altura ou de altura diferente.
- Usar um baralho e agrupar os alunos pelo naipe, pelo número das cartas – ou por números pares e ímpares – ou pela soma de números.
- Usando cartas com palavras, pedir aos alunos que encontrem o parceiro que tenha a carta com a palavra oposta.
- Crianças pequenas se divertem procurando cartas com formas diferentes, como triângulo, quadrado, retângulo, círculo e meia-lua.
- Cartas com figura de bichos, aves e répteis também motivam muito as crianças pequenas.
- Crianças mais velhas gostam de encontrar seus parceiros juntando os nomes dos Estados com as respectivas capitais.

A ajuda de adultos para quem sofre deboches constantes

A professora de classe, a orientadora educacional ou a coordenadora pode fazer o papel de "tutora" ou "responsável" por uma criança que seja alvo constante de zombarias, fornecendo-lhe dicas e sugestões aplicáveis em suas interações com os colegas. Certas crianças acolhem o conselho de um adulto especial da escola de modo diferente do conselho dos pais, o que pode ajudar muito as crianças pequenas. Normalmente, a criança valoriza o que a professora faz por ela, porque tem a sensação de que ela está realmente preocupada. Note, porém, que a criança tem de ser motivada, de certa forma, a mudar aquele seu comportamento que atrai as observações maldosas e indesejadas. É óbvio, também, que tudo tem de ser combinado em uma conversa particular.

Uma professora de quinta série estava muito preocupada com Bryan, menino do tipo dominador e que sempre fazia pouco das notas dos colegas, o que o colocou em posição de isolamento e exclusão na classe. Ele não tinha, porém, consciência de que a causa do problema era a sua maneira prepotente de agir. A professora combinou com o menino, então, que lhe faria um sinal quando estivesse agindo mal, o que instantaneamente o alertava a refletir sobre seu comportamento, fazendo-o quase sempre pedir desculpas e mudar de atitude.

Discutir a política adotada com o pessoal da escola e com os pais

Discuta com o pessoal da escola e com os pais os critérios a serem aplicados em situações de provocação, demonstração de prepotência etc. Eles devem incluir expectativas claras e específicas em relação ao comportamento dos alunos e efeitos consistentes para as infrações (em geral, os efeitos da má conduta dos alunos são deixadas a cargo da direção do colégio). E devem ser declaradas explicitamente que conseqüências sofrerão os que insistirem em praticar atos de escárnio, assédio e intimidação abusiva. Todas as regras e punições devem transmitir com clareza a mensagem de que esses comportamentos são inaceitáveis. As repreensões vão variar em função do comportamento especificamente praticado e do passado do aluno, podendo envolver:

- Perda de algum privilégio, como recreio ou outra atividade especial.
- Contato com os pais por telefone, e-mail ou carta formal (em se tratando da segunda infração que o aluno comete, nosso diretor pede aos alunos que liguem para os pais em sua presença. Os pais podem ser chamados depois da primeira infração, depende da gravidade da atitude praticada).
- Quando a atitude de provocação do aluno persiste, quase sempre é necessário marcar um segundo encontro com os pais para dar

Como Enfrentar o Problema da Provocação no Colégio   185

continuidade ao assunto. Devem tomar parte o professor, alguma autoridade do colégio e, muitas vezes, o próprio aluno.

- Punição com detenção além do horário escolar.
- Encaminhamento à coordenação pedagógica, orientação ou serviço psicológico para avaliação.
- Notificação aos pais e cumprimento de suspensão dentro do colégio.
- Notificação aos pais e cumprimento de suspensão fora do colégio.
- Notificação aos pais e recomendação para expulsão.

Ouvi dizer que uma escola religiosa expulsou recentemente um aluno de oitava série (a poucos meses de sua formatura) por causa de sua insistente perseguição a um colega de classe. (O assédio fez com que a vítima mudasse de colégio.) A direção explicou que a expulsão era uma medida exemplar e que, de fato, depois dela, notou-se uma melhora na atitude dos outros alunos em relação uns aos outros.

Os comportamentos de provocação e assédio no ônibus devem ter as seguintes conseqüências:

- Advertência.
- Obrigação de se sentar em um banco predeterminado (perto do motorista).
- Perda do privilégio de pegar o ônibus por um período limitado.
- Perda do privilégio de pegar o ônibus por um período prolongado.

Em conseqüência dos últimos tiroteios em escolas, tem-se discutido, nos Estados Unidos, a exigência legal de as escolas adotarem uma política específica para lidar com o comportamento de intimidação abusiva. De acordo com a edição de 4 de junho de 2001 da revista *People*, no Estado da Georgia, nos Estados Unidos, há uma lei que permite às escolas expulsar alunos que cometem mais de três infrações de desrespeito aos colegas. Qualquer que seja o lugar, a política adotada deve incluir sistemas de denúncia e investigação de queixas, treinamento de pessoal e voluntários na solução de conflitos e na condução de comportamentos de intimidação abusiva, notificação aos pais ou responsáveis dos alunos agressivos e pedido de intervenção terapêutica.

Se não houver plano instituído, a literatura sugere que seja formado um comitê do qual façam parte representantes da escola e pais, com o intuito de desenvolver normas que resguardem a segurança física e emocional dos alunos.

Reunião de pais

Organize reuniões em que os pais possam trocar idéias e aprender maneiras de orientar os filhos quando se envolverem em situações de provocação. Muitos pais de vítimas dessas atitudes se sentem isolados e desamparados, podendo encontrar apoio nessas reuniões e abrir linhas de comunicação para identificar e resolver os problemas existentes.

As Idéias se Multiplicam

Espero que professores, funcionários de escola, pais, terapeutas e outras pessoas envolvidas contribuam com mais idéias criativas e inovadoras para desestimular a provocação em âmbito geral nos próximos meses e anos. Quando uma onda de violência nas escolas chocou os Estados Unidos no início de 2001 – assim como os vários episódios de violência nas escolas nos grandes centros têm chocado a população brasileira –, foi enorme a quantidade de sugestões e propostas de ação oferecidas por pessoas individualmente ou por instituições e entidades. Acho que podemos manter acesas nossas esperanças de solução, com tantos corações e mentes debruçados sobre a questão da crueldade entre crianças dentro e fora das escolas. Você pode fazer a sua parte criando oportunidades para que seus filhos façam amizades sadias. Esse é o tema do próximo capítulo.

8

Ajudando Seu Filho a Construir Amizades Sadias

"Por que você quer ser amigo de alguém que o chama de coisas desse tipo?"

"O que significa o fato de Lisa ter ficado do lado de Lauren quando ela riu do seu jeito de dançar?"

"Por que você insiste em convidar essas crianças para virem aqui em casa?"

Amigo é aquele que faz você rir toda hora e que se preocupa com o que você sente, mas muitas crianças que são alvo da provocação dos colegas parecem não entender isso. Agüentam humilhações e agressões verbais de colegas *populares*, acreditando, ao que tudo indica, que qualquer atenção da parte delas significará que estão na turma dos mais legais. Talvez não entendam que o verdadeiro amigo não fica perto de quem as trata mal, nem finge que não vê um parceiro ser maltratado. Ou, então, muitas crianças acabam perdendo a esperança nas amizades e chegam ao extremo de se isolar, convencidas de que "ninguém presta mesmo."

Na posição de pais, damos toda hora conselhos do tipo: "Vá lanchar com outra pessoa", ou "Não seria amiga dela se fosse você." No entanto, nem sempre chegamos a explicar a nossos filhos quem é o amigo digno de nossa amizade e como encontrá-lo. Às vezes, nem nos lembramos da importância dos amigos na formação de nossos filhos, ou ficamos na ilusão de que as amizades vão cair naturalmente do céu.

188 Eliminando Provocações

As crianças que vivem sendo provocadas ou maltratadas pelas outras muitas vezes nos informam o contrário.

A Sedução da *Popularidade*

Jamie voltou para casa segunda-feira reclamando que Susie a chamara de nomes feios na cantina e que a ignorara quando pediu para ser sua parceira na aula de educação física. Na terça-feira, Jamie contou à mãe, muito sentida, que Susie ficara olhando para ela e cochichando com a menina ao lado durante a aula. Mas voltou animada para casa na quarta-feira, porque se sentara na mesa de Susie na hora do almoço. A partir de quinta-feira, no entanto, seus sentimentos desceram ladeira abaixo porque Susie disse a Jamie que seu tênis era estranho e a impedira de entrar em uma brincadeira. Jamie chorou até não poder mais sem entender por que Susie não gostava mais dela.

A mãe de Jamie não conseguia acreditar em como o estado emocional da filha era dependente das ações e da atenção da colega. Perguntou-lhe: "Por que você quer ser amiga dessa menina se ela está sempre te maltratando?" Jamie respondeu: "Porque ela é muito popular: todo mundo gosta dela".

Esse tipo de resposta pode afrontar a lógica do adulto maduro, mas em um plano visceral, quase todos nos lembramos de como essa explicação parecia racional quando tínhamos 9, 12 ou mesmo 16 anos. Praticamente todas as crianças, em algum ponto de sua infância, perseguem a *popularidade,* e várias são as razões para isso, todas, na época, extremamente convincentes. Certas crianças, porém, parecem querer tão desesperadamente se destacar e ficar conhecidas, ou ficar perto de quem consegue essa glória, que permitem até que pisem nela. Querer a popularidade tão servilmente pode tornar a criança um alvo fácil do escárnio alheio e, ao mesmo tempo, é muito comum em quem já é vítima da provocação dos colegas sentir-se especialmente atraído pela popularidade. Essas crianças precisam ser delicadamente redirecionadas para o rumo das amizades verdadeiras e saudáveis. Porém, só conseguiremos conduzi-las para o novo caminho se entendermos em profundidade o motivo pelo qual parecem tão dominadas pela ânsia da popularidade. E a empatia é a melhor maneira de conquistarmos sua atenção.

• **Todos queremos ser aceitos.** Enquanto amadurecemos, o conceito que temos do nosso próprio valor vai tomando forma com a ajuda de uma grande variedade de influências internas e externas. É muito natural que a opinião dos colegas contribua para a maneira como nos sentimos em relação a nós mesmos. As crianças cuja companhia é desejada pelas outras, ou aquelas que são imitadas por quem as cerca, recebem a mensagem de que são aceitas e têm valor. É uma sensação muito boa, que dá à criança segurança para enfrentar os temores e desafios do crescimento. Para muitas, ser conhecida no colégio, ou ser *popular*, significa simplesmente ser muito bem-aceita pelos outros, o que eleva o conceito que têm do próprio valor.

• **Quanto pior nos sentimos, mais deixamos os outros definirem nossos valores.** As crianças carismáticas são quase sempre idealizadas por crianças como Jamie, porque as que as admiram de longe normalmente não se sentem bem consigo mesmas. Colocam-nas em um pedestal e ficam o tempo todo olhando-as. Muitas crianças ficam loucas para fazer parte desse grupo especial das *badaladas*, para não precisarem mais ficar de fora olhando. Meg Schneider escreve em seu livro *Popularity Has Its Ups and Downs* (*A Popularidade Tem Seus Altos e Baixos*) que "alguém é popular porque um grupo de pessoas a escolheu para admirar, seguir e, em alguns casos, imitar". Ela discute a importância da auto-estima da criança que almeja a popularidade. De fato, ela acredita que, se uma criança se sente inferior quando está com uma pessoa popular, isso tem mais a ver com a opinião que formou de si mesma. Concordo com Meg Schneider quando conclui que, se não se sente bem consigo mesma, a criança será eternamente vítima do desejo da popularidade. Muitas estratégias do Capítulo 6 se propõem a ajudar as crianças a definir e a melhorar o conceito que têm sobre o próprio valor para, então, poderem romper o círculo vicioso da busca da popularidade.

• **A segurança do grupo.** Aristóteles disse que o homem é um animal político. Temos a tendência de nos congregar com outros seres humanos. Gostamos de estar em grupo. Pertencer a um grupo protege as crianças de alguns perigos inerentes a quando se experimentam coisas novas e se marcha para a fase adulta. Se cometerem erros, terão companhia a seu lado, e todos poderão rir de si mesmos. Quando estão sozinhos, correm o risco bastante real de os outros rirem de seus erros. As crianças que são alvo da provocação alheia sabem disso melhor do que ninguém. Não surpreende que a proteção de um grupo lhes seja um forte apelo. E não surpreende que o grupo cobiçado seja formado de crianças que são admiradas, em vez de crianças vulneráveis ao deboche das outras. Muitas crianças inseguras se sentem atraídas pelas mais conhecidas e admiradas, e alimentam desesperadamente a esperança de fazer parte desse grupo. Agüentam e aceitam a agressão verbal, o ridículo e a exclusão quando vislumbram alguma possibilidade de conquistar a sua amizade.

• **A independência crescente em relação aos pais implica a dependência crescente dos colegas.** A necessidade de ser aceito pelos outros intensifica-se à proporção que a criança se torna mais independente da família. Os pais costumam levar um susto quando o filho de 8 anos, que sempre corria para brincar no parquinho sem maiores preocupações, transforma-se de uma hora para a outra no menino de 9 anos que quer saber quem vai estar lá e se preocupa se vão deixá-lo entrar na brincadeira. Vejo muitos grupos sociais e círculos de amizade se formarem na quarta série. Os agrupamentos vão se definindo com mais clareza à medida que as crianças vão ficando mais velhas. Quanto mais velhas, mais importante é fazer parte de um grupo – e isso não significa família. As "panelas" vão ficando mais evidentes no últimos anos do ensino fundamental. Nessa fase, as crianças querem uma sensação mais forte de pertencer a seu grupo de amigos, e passam pela mudança comportamental normal que consiste em desviar o foco de seus interesses para longe da família e em direção ao grupo de amigos. A necessidade de ter um grupo pode afastar as crianças das amizades saudáveis e dirigi-las para qualquer pessoa considerada "legal" e "por dentro".

• **Se não dá para derrotá-los, passemos para o lado deles.** Certas crianças perseguem o grupo dos "mais falados" porque querem simplesmente ficar bem perante aqueles capazes de lhes fazer mal e assim evitam esse possível perigo. Não buscam proteção dos que estão fora, na "ralé", mas, sim, de quem é um dos "legais". E o pior é que às vezes elas sabem muito bem que os populares, porém inescrupulosos, não são dignos de seu afeto. Oferecer-lhes outros meios de se protegerem, como as estratégias do Capítulo 6, libera-as de ficar tentando se alinhar a colegas indesejados.

• **O poder da imagem.** As crianças tendem a acreditar naquilo que vêem superficialmente. Quando Jamie olha para Susie e suas amigas, vê um grupo de crianças que sempre parece estar "numa boa". Vê os olhares de admiração que o grupo recebe dos outros. Vê que ninguém as chama de nomes feios, ninguém as ridiculariza nem humilha e, automaticamente, passa a acreditar que Susie e seu séquito têm todas as qualidades que ela queria em uma amiga. Ela não sabe direito como os componentes do grupo popular são individualmente – a não ser, por ironia, pela maneira como a tratam. O mais provável é que o desejo de Jamie de fazer parte do grupo se baseie na *imagem* "legal" das meninas como grupo e não nos traços de personalidade de Susie e suas amigas. Muitas crianças aprendem (a duras penas) que quando chegam de fato a conhecer os populares vêem que não gostam muito deles, ou pelo menos que não têm muita coisa em comum. Aprendem a enxergar além da imagem superficial para procurar amigos de verdade. (Não quero dizer com isso que as crianças populares não façam nunca boas amizades; muitas obtêm sucesso no colégio e fazem boas amizades.) Se, porém, seu filho vem sofrendo por querer muito se aproximar das crianças que fazem sucesso, talvez não convenha esperar que ele amadureça sozinho, e, sim, ajudá-lo a ver mais de perto aquelas pessoas que o deixam obcecado – as sugestões são dadas mais adiante, neste capítulo.

• **Tal pai, tal filho.** Que dimensão você dá às relações sociais? Se a popularidade é importante para *você*, também será para seus filhos. Certas crianças podem se sentir pressionadas a ficar amigas de crianças famosas por pais que dão grande importância a *status* social. Sei do caso de uma aluna de sexta série que deu uma festa em casa. Durante o encontro, uns meninos convidados resolveram dar trote pelo telefone,

192 ELIMINANDO PROVOCAÇÕES

fazendo ligações anônimas para outras crianças que não haviam sido convidadas. Os pais da anfitriã não questionaram esse comportamento com os pais dos meninos porque queriam muito que a filha ficasse amiga deles. Por quê? Porque eram os mais populares da sua série.

Muitos pais se lembram nitidamente de como sofreram por serem excluídos pelos mais admirados e conhecidos do colégio, e por isso tentam *ajudar* os filhos a abrir caminho para a popularidade. Infelizmente, cada vez mais indícios sugerem que os mais carismáticos nem sempre são os melhores exemplos, e é difícil imaginar que pais que se preocupam realmente com os filhos possam empurrá-los para esse tipo de associação. De fato, diversos estudos indicam que muitas crianças que fazem sucesso entre os colegas são cruéis e agressivas. Uma pesquisa da Universidade de Duke, nos Estados Unidos, revelou que 28% dos meninos mais conhecidos das primeiras séries do ensino fundamental são agressivos, hostis e indisciplinados. Ainda de acordo com o responsável pela pesquisa, dr. Philip Rodkin, "esses meninos podem interiorizar a idéia de que agressão, fama e controle andam de mãos dadas e que não podem hesitar em usar a agressão física como estratégia social, que sempre funcionou antes". Explica o dr. Rodkin que esses meninos socialmente respeitados e seus seguidores podem exercer efeito pernicioso sobre o ambiente da sala de aula, inclusive praticando e incitando comportamentos associados ao escárnio. William Pollack, autor de *Real Boys (Meninos de Verdade)* e co-diretor do "Centro do Homem" do Hospital McLean, de Boston, afirma que os meninos procuram aqueles que são agressivos. Michael Thompson, psicólogo e co-autor de *Raising Cain (Educando Caim)*, discute como o mau comportamento ajuda os meninos a conquistarem respeito dos colegas.

Muita gente parece acreditar que isso é um desenvolvimento social recente, mas não encontro muitas provas concretas que corroborem essa asserção. A agressão é e sempre foi uma competência fundamental para a sobrevivência, e parece extremamente natural que adultos e crianças se sintam atraídos pelos outros sobreviventes do mundo. Saber se nós, como sociedade, estamos incentivando a agressão gratuita é uma outra questão, e o debate sobre como a glorificação da violência por parte da mídia pode influenciar nossos filhos tem-se avolumado.

Uma coisa que não parece aberta ao debate é que, quando a agressão é percebida como "legal", torna-se difícil para os pais explicar ao filho a diferença entre uma criança considerada popular e aquela que pode tornar-se sua amiga.

O Que Faz a Criança Ser Popular

As crianças respondem a essa pergunta de muitas maneiras diferentes. Curiosamente, diversas meninas de terceira e quinta séries me disseram que as alunas populares de sua turma *acham* que são *populares*, mas muita gente não gosta delas porque são chatas. Explicaram que essas meninas acreditam que fazem sucesso porque usam roupas caras, de grife. Fiquei intrigada com o entendimento que demonstraram sobre o que significa ser *popular* no colégio. Talvez certas crianças queiram dizer "admiradas" ou "invejadas" quando se referem às populares e, para elas, o conceito de popular não tenha nada a ver com o fato de muita gente querer sua amizade ou mesmo sua companhia.

Quando perguntei a outros alunos o que significa ser popular no colégio, obtive respostas até certo ponto bastante coerentes: "As crianças populares são as mais legais e espertas", "Elas usam roupas bárbaras", "Os meninos populares se dão muito bem nos esportes", "As meninas populares são bonitas." Por outro lado, suas definições sobre a popularidade no colégio também revelaram variações muito interessantes.

Respostas de meninos de quinta série:

- "Ser popular no colégio significa que todo mundo gosta de você. Para ser popular, você tem que ser legal."
- "Quando penso no que é ser popular, penso nas crianças legais que são boas nos esportes."
- "As crianças populares andam com outras, também populares."
- "As crianças populares mandam nas que não são."
- "Acho que nem deveria existir isso de criança popular no colégio! Quando penso em uma pessoa que faz sucesso na escola, penso em alguém que todo mundo conhece, mas que no fundo não é muito boa pessoa. Muita gente pode gostar dela porque é

boa nos jogos ou por causa de sua aparência, ou ainda por causa do papo, mas nem ligam para saber como ela é por dentro."

As respostas de meninas de quinta série também continham percepções positivas e negativas.

- "Muitas crianças populares são engraçadas. Algumas debocham das outras pessoas; algumas são grosseiras e tratam mal as demais e, mesmo assim, são consideradas 'maneiras'."
- "As crianças mais famosas da escola são aquelas de que muita gente gosta. Uma menina pode ser popular porque é bonita e os meninos gostam dela. O mesmo acontece com os meninos. As meninas populares são geralmente bonitas, e os meninos populares se saem muito bem nos esportes ou são engraçados. Também se pode dizer que uma pessoa da qual ninguém debocha pode ser chamada de popular."
- "Muita gente acha que ser popular no colégio significa ser uma pessoa bonita, conhecida, de quem todos gostam, mas eu acho que esse tipo de pessoa é metida e egoísta. Elas têm certeza de que todo mundo gosta delas. Acho que essas pessoas são *populares* porque *acham* que são *populares*!"
- "As pessoas acham que se andarem com crianças populares vão se tornar legais e cheias de amigos. No meu colégio, as crianças mais conhecidas são as que se dão bem nos esportes e têm muitos amigos. Acho que as crianças populares são legais, te tratam bem, são amigas e sinceras."

Em minha opinião, minha sobrinha de 13 anos, Emily, seria um exemplo perfeito de aluna popular de sétima série. É bonitinha, equilibrada, delicada e tem um monte de amigos. Tira boas notas e participa ativamente das atividades curriculares e extracurriculares do colégio. É representante de classe e atua no grêmio do colégio. Emily me disse, porém, que não pertence ao grupo das populares. O que ela entende por ser popular no colégio, então? Com sua permissão, reproduzo aqui seu e-mail:

Eu diria que os alunos considerados populares no colégio são, de certa forma, especiais. As meninas assim que conheço meio que usam as pessoas por um tempo como amigas, mas, depois, largam-nas e arranjam outras. Elas também sempre fazem coisas juntas nos fins de semana, como passear no shopping, e não deixam ninguém ir junto! No entanto, são aceitas por um monte de gente e também vivem sendo procuradas por várias outras meninas. Tem gente que acha que elas são "muito legais" e "perfeitas". Eu já fui amiga de muita gente popular do colégio e acho que elas são "falsas". Falam mal de outras e no dia seguinte agem como se fossem suas melhores amigas. Também notei que as meninas que fazem sucesso se metem mais em brigas por causa de bobagem e nem sempre contam com as melhores amizades em volta delas. Muitas meninas populares são conhecidas por suas roupas fashion, usam muita maquiagem, tiram boas notas e saem com meninos legais, - e isso é verdade. Elas também criticam os outros e falam coisas do tipo "saca só a camiseta dela", ou "ela já usou aquela mesma camiseta semana passada". Mas nem todas as meninas populares são assim. Algumas são muito legais e detestam receber esse tipo de atenção, como uma de minhas melhores amigas.

A principal idéia que permeia todas essas definições do que é ser *popular* no colégio parece ser a do poder. Quer se manifeste por meio de agressão explícita ou de maldade dissimulada, muitas crianças populares são percebidas como donas do poder de excluir ou incluir as demais, de determinar que alguém é "maneiro" ou "ridículo" e de definir o que está "por dentro" e o que está "por fora". Parece que em certas crianças esse poder é natural e sincero – são admiradas porque têm um talento, ou uma facilidade especial de se relacionar, ou têm um charme ou carisma que atrai os outros – e se utilizam dele com humildade. Poderíamos dizer que essas crianças merecem a fama que têm; são verdadeiramente desejadas como amigas. Outras, sem dúvida, vislumbram uma oportunidade de abocanhar um certo poder e lutam por ele. Depois se prevalecem dele. Talvez sejam menos famosas do que são invejadas, ou mesmo temidas.

Se perturba seu filho o fato de gente assim conseguir conquistar uma posição de destaque, lembre-o de que são os *outros* que tornam uma criança famosa, ou popular. A popularidade é depositada nelas

196   ELIMINANDO PROVOCAÇÕES

pelos demais, não nasce com ela. Da mesma forma que é dada, pode ser tirada. Uma criança que não merece a admiração dos outros não continuará fazendo sucesso se todo mundo ao seu redor parar de admirar seu comportamento e suas atitudes reprováveis. É disso que tratam as estratégias do Capítulo 6 – de crianças que se unem e se recusam a conceder poder a colegas cruéis e agressivos.

É igualmente importante, contudo, mostrar a seu filho por que as crianças que têm mérito fazem sucesso e ficam conhecidas. Aquelas que se tornam famosas – e continuam assim – parecem ser as seguras de si, que se sentem bem em relação ao que são e não são imitadoras. Isso atrai os outros – ou porque admiram a independência e a autoconfiança, ou porque se sentem intrigados com alguém que não parece precisar da aprovação ou da autorização dos demais. Isso sempre as faz querer saber o que dá tanta segurança a essas crianças. Aqui, mais uma vez, o Capítulo 6 pode ajudar, oferecendo meios de reforçar a autoconfiança da criança e sua autodeterminação.

Interessante, quando penso nas crianças mais famosas de quando eu cursava os últimos anos do ensino fundamental e o médio, percebo que muitas tinham irmãos e irmãs mais velhos. Pareciam "saber o caminho das pedras" e ter maior desenvoltura, do ponto de vista social. Algumas seguiam os passos de irmãos populares. Não estou concluindo que ter irmão mais velho contribui para o sucesso social da criança na escola, mas pode lhe dar mais segurança.

Os pais e as escolas podem, de fato, tirar partido dessa constatação para ajudar todas as crianças pequenas, inclusive as que não têm irmãos mais velhos. Às vezes, a finalidade básica é acadêmica, mas o aspecto social também é beneficiado. Eis algumas idéias:

- Muitas escolas possuem um "amigo de leitura" ou algo parecido, que são alunos mais velhos que vão às classes dos menores e lêem regularmente para eles. Muitas vezes, os livros criam a oportunidade de se conversar sobre temas sociais.
- Em nossa escola, as séries mais adiantadas possuem classes parceiras, formando duplas com as classes de primeira e segunda séries. Praticam várias atividades juntas ao longo do ano.
- Gosto de sugerir aos professores que envolvam os alunos mais velhos na encenação das estratégias contra o escárnio, na apresen-

tação do *show* de bonecos (veja o Capítulo 7) e na leitura de livros que tratem do tema da provocação. Até sétima série, eles adoram essa idéia. A responsabilidade das crianças mais velhas também é grande.

- Quando meu filho entrou na quinta série, foi-lhe designado um *irmão mais velho* da 8ª série para o ano todo.
- Este ano, duas meninas de 5ª série me acompanharam em minhas sessões semanais com uma classe de primeira série. Liam histórias e me ajudavam a intermediar as discussões e as atividades. Um dia, quando eu não estava na escola, elas conduziram uma discussão sobre "enfrentamento". Definiram o *"enfrentamento"* como lidar com uma situação da qual você não gosta sem chorar, gritar nem ficar aborrecido. Ajudaram a classe a criar uma lista das técnicas de enfrentamento necessárias em sala de aula. As crianças de primeira série adoraram as meninas da quinta.

Como Falar com Seu Filho sobre a Diferença entre um Amigo Popular e um Amigo Sincero

Se seu filho é como Jamie – que se dispõe a agüentar a provocação alheia e outras agressões na esperança de ficar amiga das crianças mais conhecidas do colégio –, você deve dedicar um certo tempo para conversar com ele sobre seu desejo de se aproximar de quem lhe persegue. Pergunte-lhe por que quer ser amigo de uma pessoa que não o trata como tal. Não se surpreenda, principalmente caso seja relativamente pequeno, se disser alguma coisa do gênero: "Não sei. Só sei que quero." Muitas vezes, as crianças não sabem explicar por que lhes é tão importante serem aceitas pelos populares. Nesse caso, leve a discussão para o lado da diferença entre ser *popular* e ser *amigo*. Compare as duas listas a seguir e pergunte a seu filho que pessoa cuja companhia parece-lhe mais interessante.

O amigo popular...	O amigo de verdade...
é disputado pelos outros.	quer ficar com você.
é admirado pelos outros.	gosta de você e você gosta dele.
tem o que você quer.	tem coisas em comum com você.

pode fazer o que quer.	pensa em você e se preocupa com seus sentimentos e com o que ele faz para você se sentir bem.
parece melhor que você.	é igual a você.
espera que você sorria para ele.	faz você sorrir.

O Que os Verdadeiros Amigos Têm a Oferecer

O desejo de ser popular pode fazer as crianças se desviarem das amizades mais sólidas e gratificantes. Katy, aluna de quarta série, era amiga de Allison desde a pré-escola. Brincavam uma na casa da outra e faziam natação juntas no clube. Na primeira e na segunda séries, as duas faziam parte de um grupo maior de amigos e quase sempre iam para o colégio a pé juntas. Quando chegaram à quarta série, porém, Allison havia ganhado poder no grupo maior de amigos e muitas vezes se prevalecia dele, querendo mandar nos outros, usando palavreado agressivo e excluindo certas colegas das brincadeiras. Katy era um alvo freqüente das maldades de Allison. Porém, em vez de rejeitar sua ex-amiga, quanto mais Katy era deixada de lado, mais queria andar com Allison. E quanto mais andava com ela, mais sofria. Esse círculo vicioso continuava. O fato de o comportamento de Allison ser muito sutil dificultava que fosse presenciado pelos adultos, e que estes pudessem intervir. A mãe de Katy reuniu coragem suficiente para ligar para a de Allison e conversar sobre a situação. A mãe de Allison colocou-se na defensiva e não admitiu que a menina pudesse estar fazendo alguma coisa errada. Sentindo-se desanimada, sem saber o que fazer, a mãe de Katy acabou ligando para a professora da filha.

Quando esta me consultou sobre a situação, decidi conversar com as duas meninas separadamente (aprofundo-me sobre isso mais adiante, neste capítulo). Adivinhem o que Katy respondeu quando lhe perguntei por que queria continuar sendo amiga de Allison: "Não sei, só sei que quero." Apesar de tudo o que conversamos sobre as qualidades de um amigo de verdade e sobre o fato de outras colegas de classe serem mais legais com ela do que Allison, eu a vi continuar sempre se colocando ao lado dela na fila e tentando sentar perto dela na hora da leitura e do lanche. Como o problema continuou, a professora interveio e obrigou Katy a se sentar do outro lado da mesa, com outras colegas. Depois de vários dias, observamos que Katy passara a sorrir e a rir durante o lanche, no recreio. Embora ela mesma tenha demorado um pouco para perceber, Katy finalmente colhia os frutos da convivência com amizades mais saudáveis.

Para ajudar as crianças a entender o que é uma amizade verdadeira e saudável, pedi-lhes que completassem a frase: "Gostaria de ter um amigo..." A partir das respostas que obtive ao longo dos anos, compilei o seguinte "ABC do amigo sincero".

Gostaria de ter um amigo...

Receptivo	Sincero
Agradável	Interessante
Que acredite em mim	Divertido
Afetuoso	Que tenha palavra
Animado	Gentil
Confiável	Honesto
Que não faça pouco de mim	Que faça boas escolhas
Que não queira mandar em mim	Caprichoso
Entusiasmado	Otimista
Justo	Educado
Engraçado	Paciente
Generoso	Que me ouça quando falo
Que saiba ouvir	Responsável
Que saiba perder	Respeitoso
Alegre	Que dê um bom exemplo

Que tenha interesses parecidos com os meus	Que saiba repartir o que tem
Disposto a ajudar	Sincero
Inteligente	Muito engraçado
Que me defenda	Disposto a resolver os conflitos
Que trate bem os outros	Superespecial
Autêntico	Em quem eu possa confiar
Compreensivo	Palhaço

Você pode praticar essa atividade com seu filho. Envolva a família e crie uma lista com as qualidades dos bons amigos. Depois as coloque em ordem de importância. Para reforçar, se for o caso, crie sua própria lista das qualidades que você valoriza em um amigo. Explique o que você gosta em amigos seus que seu filho conheça.

É típico de uma criança de 6 anos dizer: "Gostaria de ter um amigo legal e engraçado." Quando falo com os mais pequenos, incentivo-os a dar exemplos concretos do significado de "legal" e "engraçado". Eles quase sempre precisam de ajuda para saber identificar certos tipos específicos de comportamento, como repartir um lanche, ajudar a pegar os lápis espalhados no chão ou brincar de uma determinada brincadeira. Um menino de 8 anos poderia responder: "Quero ter um amigo que goste de jogar bola, seja engraçado e animado." Uma menina de 10 anos geralmente procura uma amiga que seja afetuosa, leal e sincera, que cumpra o que promete e que seja boa companhia.

As crianças, em geral, entendem bem como são desejáveis muitas das qualidades da lista, mas não gostam de esperar muito para receber a gratificação da amizade e, às vezes, não conseguem enxergar além do que parece ser divertido e de apelo imediato; preferem a glória de lanchar perto da menina mais requisitada da classe em vez da alegria de ter uma amiga "nerd", que, ao vir dormir em casa, riem juntas antes de dormir, até meia-noite. Digo a muitas crianças parecidas com Katy que, por mais que queiram ser amigas de outras que admiram muito, essa pode não ser a escolha mais saudável. Às vezes, conseguem entender melhor com o auxílio da seguinte analogia: há uma menina que adora cocada, mas sempre que come uma passa mal. E continua comendo porque adora esse doce. Depois de fazer exames médicos, ela descobre que passa mal quando come o quitute por ser alérgica a coco. Pergunto às crianças: "Vocês continuariam a comer cocada e a passar mal ou escolheriam outro doce gostoso e que não lhes fizesse mal?" Claro que vão dizer que a menina deve comer outra coisa que não prejudique sua saúde – como Katy, que acabou encontrando amigas em cuja companhia se sentia bem.

Ao lidar com os mais velhos, pode ser mais efetivo explorar as vantagens que a criança terá com uma amizade sólida e sincera, se comparado ao que lhe trará uma mera proximidade em relação a um colega disputado por todos. Quando Lisa estava na quarta série, era toda hora deixada de lado por várias meninas que ela julgava ser "muito legais". Insisti para que passasse mais tempo com duas outras meninas de sua classe que freqüentavam, como ela, aulas de reforço escolar. Apesar de se divertir com elas, Lisa continuava fazendo de tudo para entrar para o grupinho das legais. Agora que está na quinta série, passou a dar valor às amizades que fez com as duas meninas. Por ficarem muito tempo juntas, acabaram criando um vínculo especial entre si. Conversei há pouco tempo com o grupo, porque as três iam mudar de colégio. Lisa demonstrava bastante ansiedade com a mudança, mas era possível notar que contava com todo o apoio e a solidariedade das amigas. Foi muito bom ver como elas realmente se preocupavam umas com as outras, e disse a Lisa que isso, sim, é a verdadeira amizade.

Fazendo as Pazes

Certas vezes, em casos como o de Allison e Katy, pode acontecer de ex-amigos fazerem as pazes. Talvez tudo não passe de uma fase, e Allison, mais tarde, volte a procurar Katy. Em muitas situações, dependendo da idade da criança e da natureza do relacionamento entre elas, pode valer a pena criar um encontro entre as duas – a que rejeitou e a que foi rejeitada – para falar do problema da dor causada. Quase sempre também convém que essa conversa seja mediada por uma professora, orientadora educacional ou coordenadora (os pais nem sempre são muito objetivos). A reunião pode desfazer mal-entendidos e permitir que ambas as partes enxerguem os dois lados da situação. Muitas crianças pequenas não percebem o impacto de suas palavras. Não entendem que as brincadeiras também podem desagradar os outros, e a conversa pode ser uma oportunidade para quem ofendeu pedir desculpas. Em muitos casos, as crianças fazem as pazes e passam a perceber a importância do respeito.

Uma mãe me ligou certa vez para contar que a filha, Marie, estava muito chateada porque a amiga Julie a andava importunando no caminho de volta do colégio. As meninas haviam sido amigas no ano anterior, mas acabaram tomando rumos distintos, principalmente por causa da sua diferença de idade, de dois anos. Os xingamentos e provocações haviam começado vários meses antes. Marie foi ficando cada vez mais aborrecida e sentida com os comentários que ouvia, cada vez mais maldosos. Seu primo mais velho, que freqüentava outra escola ali perto, passou a encontrá-la na saída para acompanhá-la no caminho de volta e "protegê-la" das palavras ferinas de Julie. Quando conversei com Marie sobre a situação, ouvi que Julie ficava zombando de seu peso, de seu cabelo, de suas roupas e de seus amigos. Ao conversar com Julie, ela admitiu chamar Marie de várias coisas e também disse que o primo de Marie igualmente lhe dizia impropérios. As duas meninas estavam sentidas com aquela troca diária de ofensas e agressões. Chamei-as para conversar e procurei mostrar-lhes o quanto aquela situação estava perturbando os sentimentos das duas, com o que concordaram. Expliquei que o objetivo do encontro não era determinar de quem era a culpa e quem havia "começado". Eu queria que as ofensas não se repetissem mais. Falamos sobre a necessidade de se respeitarem, mesmo não sendo mais amigas. As duas pareceram aliviadas de alguém tomar uma providência em relação à situação e comprometeram-se a parar de falar coisas desagradáveis uma para a outra. Julie se desculpou e Marie pediu desculpas pelas atitudes do primo.

Encontrando Amizades Novas e Sinceras

"Fazer amigos não é simples como antes", estampou há poucos anos o jornal *Chicago Tribune* em uma manchete. Uma das principais mensagens desse artigo de Mary Ann Fergus, publicado em 11 de março de 2001, era a necessidade de os pais estarem preparados para viabilizar novos meios de os filhos fazerem amizades, porque aquele tempo em que as crianças faziam amigos no campinho onde se encontravam depois da aula acabou. Agora os pais precisam promover e favorecer os encontros sociais dos filhos, tarefa que vale o esforço que demanda, dizia o artigo. Os amigos são importantíssimos, por muitas razões óbvias, sendo a principal o fato de os grandes amigos contribuírem mais do que pais, professores ou mesmo grupos organizados para o desenvolvimento da sociabilidade da criança. Hoje em dia, com o fato de as famílias se mudarem muito e de as crianças freqüentemente optarem por atividades solitárias, como os jogos de computador, um número crescente de crianças vem-se mostrando muito pouco sociável. E, como discutimos antes, a falta de sociabilidade é um fator que pode tornar uma criança mais vulnerável à provocação alheia. Não subestime a importância de seu filho fazer boas amizades e o mérito de sua própria contribuição para esse fim.

Aconteceu de Allison, a menina de quem Katy queria tanto ficar amiga, realmente não querer mais sua companhia. Depois de estudar a situação, vi que eu tinha duas opções: chamar as meninas para conversar e esclarecer a situação e, quem sabe, conseguir que fizessem as pazes, ou me reunir com cada uma separadamente para avaliar seus sentimentos e motivação em relação à amizade. Decidi me encontrar com as meninas individualmente por temer o risco de colocar as duas frente a frente. Tendo em mente o fato de Allison não haver demonstrado nenhum interesse de reatar a amizade, pressupus que me dissesse não querer mais ser amiga de Katy. Sendo essa possivelmente uma realidade que Katy teria de enfrentar, não quis expô-la a ouvir a notícia diretamente da ex-amiga. Decidi, então, conversar separadamente com elas. Depois de falar com Allison, ficou claro para mim que ela não queria mesmo a amizade de Katy. De fato, achava Katy chata e insistente, e se queixou de não ter privacidade com as outras amigas quando a menina estava por perto. Embora Allison não negasse suas atitudes maldosas contra a ex-amiga, também não parecia muito arrependida. Quem trabalha em escola sabe da importância de demonstrar respeito e polidez com todos, e foi o que eu fiz. Em nossa escola, temos uma regra: "Proibido dizer 'você não pode brincar'" (do livro de Vivian Gussen Paley, com esse mesmo título). As crianças não podem excluir ninguém de nenhuma atividade ou brincadeira. Não podemos, contudo, obrigar as crianças a conservar ou reatar amizades.

Algumas vezes, as crianças persistem em amizades superficiais, que só resistem quando tudo vai bem – aceitam que têm grande desejo de ficar suas amigas, mas só se essas não lhe derem muito trabalho ou enquanto lhes interessar. Katy tinha outra amiga na turma de Allison, Jenna, que queria muito ser amiga de Katy e chegava mesmo a ter pena pelo modo como Allison a tratava. Quando, porém, Allison estava por perto, Jenna misteriosamente se calava. Katy chegava a lhe lançar olhares suplicantes, na esperança de que Jenna a defendesse, mas, nessa hora, Jenna dava um jeito de sair de perto, alegando que tinha de ir a algum lugar e, de vez em quando, ria junto com as outras meninas quando Allison "disfarçadamente" falava mal dela. Isso confundia Katy ainda mais e só reforçava seu desejo de contar com a amizade e a boa vontade de Allison. Quando conversei com Katy, ela relutou, mas acabou admitindo que talvez não valesse a pena insistir na amizade de Jenna. Sugeri que buscasse outras amigas – crianças em quem pudesse confiar e que lhe seriam leais.

Quando as amizades não podem ser reatadas, os pais precisam ajudar os filhos a avaliar se realmente foram amizades que valeram a pena. Pais, professores e outros adultos da vida da criança podem ajudá-la a entender seus direitos como amiga e a dizer a uma pessoa que não é sua amiga. Quer se trate de crianças que maltratam seu filho, mas ainda assim são perseguidas por ele, ou de crianças que são suas amigas apenas quando lhes interessa, converse com ele, tocando nos seguintes pontos:

- Os amigos se preocupam com seus sentimentos?
- Tratam-no com respeito?
- As amizades o ajudam a se sentir bem em relação a quem ele é?
- Seu filho se queixa sempre de ter sido magoado, ridicularizado ou deixado de lado?

Se seu filho ficou isolado, desistiu das amizades de uma vez por todas e passa quase todo seu tempo livre sozinho ou apenas em companhia da família, é possível que você queira adotar imediatamente as sugestões a seguir. Grande quantidade de pesquisas aponta para o fato de que as crianças precisam de amigos – e de bons amigos.

As amizades contribuem para o desenvolvimento da criança e fortalecem sua sociabilidade, aspecto que terá grande importância em toda sua vida. Puxar conversa, ouvir, entender o ponto de vista de alguém, identificar-se com outra pessoa, repartir, ceder, resolver conflitos, confiar e se divertir são aspectos do aprendizado social da criança, e acontecem dentro da esfera de seu relacionamento com os colegas. Ter bons amigos e se sentir aceita contribui para a auto-estima da criança. Fred Frankel, autor de *Good Friends Are Hard to Find (Bons Amigos São Difíceis de Encontrar)*, explica que os pesquisadores descobriram que crianças com dificuldade de fazer amizades e de conservá-las estavam mais propensas a abandonar o colégio e a se envolver com drogas na fase da adolescência. Ainda segundo ele, a pesquisa diz que crianças sem amigos se transformam em adultos solitários.

Pergunte a seu filho se há alguém que gostaria de conhecer melhor. Ele já viu alguém com algumas das qualidades da lista do ABC do amigo sincero? Em caso afirmativo, convidar tal criança para vir em casa é o próximo passo do processo de fazer amizade. A melhor maneira de as crianças se conhecerem é brincarem sozinhas. O dr. Frankel enfatiza a importância de propiciar momentos para as crianças brincarem com os amigos. Diz ele: "Se você não marcar encontros assim, eles não vão acontecer, e se não acontecerem, você pode esquecer os amigos íntimos." Não planeje o primeiro encontro para um dia inteiro, ao marcar de as crianças se encontrarem só para brincar. A melhor maneira de começar é com um período curto depois da aula. É muito melhor que as crianças queiram ficar mais tempo juntas do que notar que já estão meio cansadas uma da outra. As crianças também podem combinar de fazer uma determinada atividade juntas, como jogar boliche, andar de bicicleta ou fazer uma lição de casa. Você também pode sugerir que seu filho convide outra criança para sair junto quando a família for visitar um museu ou for ao cinema.

Outra maneira de favorecer novas amizades é sugerir a seu filho a prática de atividades fora do colégio. Comece procurando atividades extracurriculares que estimulem a interação, o sucesso social e a aceitação entre colegas. Balé, aulas de arte, de esportes, de computador ou de religião são excelentes oportunidades para desenvolver amizades, aprender uma coisa a mais e melhorar a auto-estima. Turmas, times e outras atividades organizadas criam automaticamente um interesse em comum, que é uma base importante para a amizade. Essas atividades e aulas são sempre supervisionadas por adultos, o que torna a exclusão das crianças entre si muito difícil.

Nem todas as crianças possuem um grande amigo na escola, como no caso de Melissa, que se sentia sempre excluída do grupo "das legais" de sua classe de quarta série. Sentia-se sozinha e passava muito tempo assim. Felizmente, Melissa tinha uma grande amiga com quem freqüentava as aulas de catecismo e participava de acampamentos.

Tommy, de 8 anos, ficava na periferia de seu grupo de amigos. Era franzino e discreto. Embora não fosse propriamente alvo de provocações ou ridicularizações, não era muito chamado pelos outros, porque raramente tomava a iniciativa de se unir e interagir com os demais. Seu pai resolveu ser o treinador do time de futebol de Tommy, criando assim uma oportunidade de ajudá-lo a interagir melhor com os outros meninos.

Aperfeiçoando a Sociabilidade da Criança

Depois de direcionar seu filho para outras oportunidades de encontrar e fazer novos amigos, pode valer a pena rever algumas estratégias de amizade básicas. A maioria das crianças aprende a sociabilidade informalmente, ao passo que outras precisam de instrução e orientação mais específicas. É fácil dizer a seus filhos que façam amizade com os colegas, mas o que isso significa? Significa lembrá-los toda hora de cumprimentar os outros com um sorriso e de tomar a iniciativa de dizer "oi" primeiro. Significa sugerir perguntas para fazerem a outras crianças que queiram conhecer. "Para que time você torce?", "De que jogos você gosta mais?", "Você tem cachorro?" Faça com seu filho uma lista de perguntas possíveis. Certas crianças precisam ser lembradas de ouvir sem interromper os outros e de se mostrar interessadas quando a outra pessoa está falando. Encenar uma situação de "conhecer um amigo novo" é um jeito ótimo de instilar confiança em seu filho e prepará-lo para a situação de verdade. Depois, o passo seguinte é convidar a criança para vir brincar, momento em que é importante lembrar seu filho da necessidade de emprestar os brinquedos, ter espírito de cooperação com o colega e se preocupar em como ele se sente. Converse com seu filho sobre o que se pode fazer para que o convidado se divirta e se sinta bem em sua casa.

Este livro não se propõe a abranger todo o assunto de como desenvolver a sociabilidade da criança, e as idéias que acabo de dar são meramente um ponto de partida. Se vocês, pais, estão preocupados com o potencial social de seu filho, fale com sua professora, com a orientadora educacional ou coordenadora. Além disso, há muitos livros excelentes para ajudar crianças socialmente ineptas a adquirir gosto pela convivência com os outros.

A pressão dos colegas é muito forte, e o desejo de ser popular no colégio pode fazer a criança se desviar das amizades que lhe darão verdadeiramente apoio e afeto e que a ajudarão a não se tornar uma presa da provocação alheia. Se você se preocupa com o modo com que seu filho se relaciona com os colegas, lembre-o da diferença entre uma relação de troca e uma relação unilateral.

Os pais podem exercer papel fundamental na formação das amizades saudáveis dos filhos. E uma amizade sólida se sustenta amplamente na empatia e na solidariedade, que são o tema do próximo capítulo.

Numa pirueta, vou fazer
todas as zombarias
evaporarem!
Jacques Vaynberg

9

Todos Juntos Agora

Ensinando às Crianças o Poder da Empatia e do Apoio Mútuo

A união faz a força, e a pressão dos colegas pode produzir efeitos altamente positivos. Se nós, adultos, estimularmos nas crianças o sentimento de empatia e as ajudarmos a somar sua coragem, os meros espectadores e testemunhas dos fatos poderão exercer forte pressão sobre os agressores para que, por exemplo, parem de atormentar uma determinada criança. E podemos fazer ainda mais. Para começar, podemos ajudar as crianças a integrar a empatia e o apoio mútuo em seu comportamento do dia a dia, de uma maneira que tenda a reduzir incidentes de provocação. Se seu filho é vulnerável ao deboche das outras crianças, é importante – e surpreendentemente fortalecedor – ensiná-lo não apenas a se proteger do mal como também a converter aquilo que ele sentiu durante um episódio concreto em medidas que desestimulem os outros de sucumbir à tentação de fazer o mesmo.

No Capítulo 8, conversamos bastante sobre a distinção entre ser *popular* no colégio e ser um *amigo sincero*, visando estimular as vítimas do escárnio a procurar a companhia deste último, não do primeiro. As crianças vulneráveis à provocação geralmente procuram as populares na esperança de que essa associação as torne aceitáveis. É triste ter de admitir, porém, que muitas crianças badaladas muitas vezes se prevalecem de seu *status* para atormentar as outras e dedicar não mais do que uma atenção particularmente cruel a seus seguidores mais fracos e carentes.

Michelle tem 14 anos. Adora ser o centro das atividades sociais de sua classe de oitava série, mas sempre achou que o máximo da popularidade estava fora do seu alcance. Agora, rindo, refere-se a si mesma como "nerd". Porém, no início da sétima série, pela primeira vez na vida, comunicou aos pais que não queria mais ir ao colégio. O *queridinho* da classe – e também o mais desagradável – a escolhera como alvo de sua típica ferocidade verbal. Seu namorado da sexta série terminara o romance, ela se sentia uma idiota completa, seu cabelo era horrível, tinha um sorriso pavoroso e assim por diante. "Onde estavam seus amigos enquanto tudo isso acontecia?", perguntaram-lhe os pais. "Estavam lá, cheios de apoio e solidariedade", Michelle disse, mas só depois do fato consumado, quando John não estava mais por perto. Nem mesmo suas melhores amigas se arriscavam a fazer a atenção dele se voltar para elas.

Chocados com o estrago causado por um único menino a uma classe tão pequena e unida, os pais de Michelle a aconselharam a aproveitar todas as oportunidades para defender as outras crianças das farpas de John, e da forma mais pública possível, enfatizando, contudo, que Michelle não deveria desmerecê-lo nem revidar a agressão do menino. Na verdade, se ela conseguisse retrucar seus comentários de forma jocosa, de modo a convidá-lo a rir de si mesmo junto com ela, o menino poderia salvar sua aparência e Michelle o estaria avisando que não mais permitiria mais agressões.

Logo de início, Michelle voltou para casa relatando toda contente que um menino que ela havia defendido viera lhe agradecer depois da aula, fato que se repetiu com vários outros colegas nas semanas que se seguiram. O próprio John começou a rir de si mesmo *com* Michelle, e a amizade antiga mas irregular dos dois acabou se fortalecendo à medida que John percebia que Michelle era uma pessoa capaz de rejeitar seu comportamento sem reprová-lo de todo, como muitas outras crianças haviam feito. Na oitava série, Michelle passou a ser chamada de "melhor pessoa da classe" por outro colega, considerado por todos como o mais "maneiro", o mais charmoso de toda a oitava série; e a menina que ela sempre havia considerado a mais popular lhe disse, em tom melancólico, que a invejava pois estava sempre "rodeada de gente". Michelle havia se tornado uma das meninas mais admiradas e populares de sua série, sem fazer ninguém se sentir inferior, mas, sim, sendo amiga de todos.

Encontramos exemplos como esse o tempo todo, e precisamos chamar a atenção de nossos filhos para que sejam notados e lembrados. Ensinar a uma vítima da provocação alheia a ter coragem de dar apoio a outras vítimas não apenas a faz contribuir para a causa tão digna do desestímulo à prática da provocação, como pode até mesmo transformar a criança em um líder admirado. Em um artigo muito franco sobre a constante busca da popularidade entre alunos de oitava série, a revista *New York Times* de 8 de abril de 2001 relatou como Tory, a aluna de oitava série mais popular da escola, realizou um ato de bondade que só serviu para torná-la ainda mais querida.

Certo dia, durante o recreio, um grupinho de crianças começou a dar boladas em Jason, um aluno da mesma série com poucos amigos. Encurralado, sozinho e indefeso, Jason começou a chorar, enquanto a maioria da classe simplesmente assistia à cena, evitando se associar a uma pessoa nitidamente impopular. Foi quando Tory saiu da lanchonete. "Aproximei-me dele, peguei-o pela mão e o levei à enfermaria e, depois, à orientação", disse Tory... Cris, outro menino popular, disse: "Fiquei com pena dele, mas Tory foi a única a ter coragem de ajudá-lo." Nos dias e semanas seguintes, a atitude de solidariedade de Tory foi o assunto do colégio. "Todo mundo achava que as outras pessoas ririam se ajudassem Jason", disse Tory, "mas todos gostaram de eu ter feito o que fiz".

Será que Tory teria coragem de praticar seu gesto se já não ocupasse uma posição de destaque entre os colegas? Talvez não. Como explicou um outro espectador: "As outras pessoas temiam se complicar por se aproximarem de Jason. Mas sendo a Tory, ninguém está acima dela." Quando tentamos incentivar nossos filhos a adotar atitudes de apoio e coragem em momentos nos quais eles já são vistos como impopulares ou fracos, temos de ser muito claros e preveni-los de que a empreitada poderá ser difícil, dando-lhes o máximo de exemplos de que, normalmente, o esforço vale a pena. Uma idéia é começar com as dezenas de filmes dedicados a esse assunto, o do pobrecoitado que acaba triunfando, como *Sempre Amigos (Freak the Mighty)*, *Pequeno Milagre (Simon Birch)*, *Angus, o Comilão (Angus)*, *Se Brincar o Bicho Morde (The Sandlot)*. Alugar uma fita de vídeo sobre esse tema é um jeito divertido de a família passar uma tarde junta e um ótimo ponto de partida para começar seu trabalho de instilar o sentimento da empatia e o espírito do apoio corajoso em seu filho. Cite também exemplos de atitudes de empatia e de espírito de compaixão de que você tenha conhecimento, como histórias que saem em jornais e revistas de crianças e adolescentes que tenham feito algo em prol de sua comunidade ou relatos de voluntários que prestam serviços em escolas públicas, favelas, hospitais, creches e outros.

A empatia se manifesta naturalmente em nós e, certas vezes, precisa apenas ser despertada por um simples lembrete. A Associação Americana de Psicologia chamou a empatia de "traço que nos torna humanos".

"Sei Como Você se Sente"

A psicologia e a pedagogia fazem uma importante distinção entre a simpatia e a empatia. Simpatia significa gostar da pessoa, admirá-la, sentir-se atraído por ela, sentir vontade de compartilhar alegrias e tristezas com ela. É a simpatia que aproxima naturalmente uma criança da outra. Empatia significa espírito de solidariedade, ser capaz de se colocar no lugar do outro e entender como ele se sente. É a empatia que faz os amigos da criança agirem em sua defesa enquanto está sendo provocada por alguém. Se quisermos que as crianças parem de tolerar a provocação – não apenas sobre elas mesmas, mas também sobre as outras –, precisamos reforçar-lhes o sentimento da empatia.

Para sentir empatia, é preciso saber identificar e entender os sentimentos dos outros. Por volta dos três ou quatro anos de idade a criança começa a adquirir a capacidade de sentir empatia, desenvolvendo-a enquanto amadurece. Nos muito pequenos, o sentimento da empatia pode ficar limitado a alguma coisa palpável, como a dor física. Todas as crianças pequenas já se machucaram ou levaram tombos, e, por conhecerem bem a dor, conseguem demonstrar empatia quando outra pessoa também se machuca. Uma menina de 4 anos, por exemplo, pode imediatamente dar um beijo na mãe, ao vê-la chorar, ou no pai, quando ele precisa de um curativo. Com o amadurecimento, a capacidade da criança de enxergar além de si mesma se expande, assim como sua aptidão de identificar e entender uma grande variedade de sentimentos. Julia, de 10 anos, distraiu-se na aula porque estava preocupada com o avô, muito doente. Na hora do lanche, sua amiga Rachel perguntou-lhe o que havia de errado. Quando Julia lhe contou que estava chateada por causa da doença do avô, Rachel disse: "Entendo o que você sente; meu avô morreu há dois anos", e ficou com os olhos cheios de lágrimas. Rachel falou um pouco do seu caso e depois disse à amiga: "Estou aqui para ouvir, se também quiser falar do seu avô." Mais adiante, neste capítulo, contarei sobre dois meninos de 11 anos que, movidos pela pena, vieram conversar comigo sobre um colega do qual andavam zombando.

Quanto as crianças serão capazes de evocar a empatia ao serem dominadas por fortes sentimentos conflitantes dependerá de sua maturidade relativa e de sua sensibilidade própria. Assim também acontece quando a situação que estão observando é muito diferente de tudo que jamais experimentaram antes. Uma criança que fica observando de perto a outra ser importunada pode não ter o sentimento da empatia, caso nunca tenha sido provocada, por exemplo. Em termos realistas, quanto mais velhas as crianças, maior a probabilidade de já ter estado na pele da vítima. Mesmo assim, podem não fazer nada, talvez porque o medo de chamar a atenção do atormentador para si mesmas seja mais forte do que seu sentimento de compaixão.

Muitos fatores podem influenciar o desenvolvimento da empatia em uma determinada criança. A psicologia sabe há muito tempo, por exemplo, que crianças pequenas cujos sentimentos são ignorados ou desconsiderados por seus responsáveis têm dificuldade em desenvolver a empatia. Talvez seja por isso que crianças agredidas se tornam agressoras mais tarde e as abandonadas tenham dificuldade em criar vínculos emocionais quando crescem. Tenho lido que crianças que assistem a mãe ser agredida pelo pai não conseguem desenvolver a empatia, o mesmo acontece com crianças que foram muito castigadas.

Além disso, há todas as influências culturais a que nossos filhos estão expostos. Embora seja muito difícil provar uma conexão definitiva de causa e efeito, muitos profissionais de saúde mental sugeriram que a prevalência da violência da mídia de entretenimento tem anestesiado as crianças e diminuído sua capacidade de sentir empatia. Ou seja, quando crianças muito pequenas vêem constantemente seres humanos sendo maltratados na televisão, no cinema ou na tela do computador, podem perder a capacidade de sentir empatia por uma pessoa de verdade que esteja passando pelos mesmos maus tratos bem à sua frente. Acrescentemos a essa possibilidade a mentalidade agressiva do "primeiro eu", tão generalizada na cultura ocidental, e não surpreende que a empatia, manifestada com tanta facilidade na criança de 3 anos, pode estar completamente amortecida quando chega aos 8.

Estamos então criando uma geração de autômatos sem coração? Naturalmente que não, mas, com toda certeza, não podemos nos furtar a tirar partido das muitas oportunidades que surgem diante de nós para reforçar o sentimento de empatia em nossos filhos (e em nós mesmos!). Essas oportunidades são chamadas de "*hora da lição*" (*teachable moments*), um termo adotado por muitos pais e professores em busca de uma deixa para introduzir lições importantes na vida dos filhos sem precisar recorrer a discursos e sermões. Pais e professores podem oferecer às crianças inúmeras oportunidades de aumentar sua sensibilidade, de entender como outra pessoa está se sentindo ou como seria estar na sua pele. Se as crianças conseguirem entender de verdade o que é ser o alvo da zombaria e das provocações alheias, maiores serão as chances de optarem por intervir ativamente em vez de apenas assistir à cena como meros observadores passivos. O primeiro capítulo do livro *20 Virtudes Que Podem Ser Ensinadas*, preciosa fonte de orientação para os pais, trata da empatia, que os autores acreditam ser a virtude central em torno da qual os sentimentos de carinho, sinceridade, confiança e tolerância são edificados.

Praticando a Empatia em Casa

Os pais são os professores naturais da empatia. Nas rotinas diárias da família, são ilimitadas as oportunidades de mostrarem ou lembrarem os filhos dos sentimentos das outras pessoas. Mesmo que se trate de uma situação que esteja ocorrendo em sua família, na televisão, em um filme ou em um livro que você esteja lendo para seu filho, fique atenta às oportunidades de fazer perguntas do tipo:

- "Como você acha que ele se sentiu quando o amigo riu dele?"
- "Como sua irmã ficou quando você a chamou de burra e idiota?"
- "Como será que Arthur se sentiu quando Francine fez pouco dos óculos dele? O que você acha disso?"

São inúmeras as *horas de lição* em nosso dia-a-dia, e simplesmente despertar de forma constante a atenção de seu filho para os sentimentos dos outros já é um meio excelente de começar a instilar-lhe o sentimento da empatia.

Há pouco tempo, pedi a uma classe de terceira série que anotasse todas as grosserias e os comentários maldosos que ouvissem ou observassem na televisão. Meu objetivo era despertar neles a consciência dos comentários "engraçados/maldosos". Depois discutimos a pertinência das provocações e das humilhações trazidas por eles. Muitas crianças anotaram grosserias em vários episódios de desenhos como "Os Simpsons". Discutimos também muitos comentários de baixo nível ouvidos em filmes, novelas e outros programas. Os alunos explicaram que, embora as grosserias não fossem aceitáveis, muitas vezes os outros personagens do programa ou a platéia riam delas, o que acabava provocando o riso do telespectador. Falamos da confusão causada pela mensagem dupla transmitida por tudo isso, e frisei bem que eles não devem importunar nem ridicularizar os outros, mesmo que esse comportamento pareça aceitável por ser apresentado na televisão como engraçado.

Eis uma "ficha" de anotação que a família junta pode ajudar a preencher:

Grosserias, Humilhações e Insultos na Televisão

Nome do programa: _____

Data e horário: _____

Personagens envolvidos: _____

Comentários engraçados/maldosos: _____

_____

Sua reação aos comentários: _____

_____

O que você pode fazer, então, ao presenciar ou observar alguém sendo provocado ou insultado em um programa ao qual seu filho esteja assistindo? Você pode transformá-lo em uma *hora de lição*! Ao presenciar uma situação de sarcasmo ou ridicularização enquanto seu filho estiver vendo televisão, pergunte:

- "Qual o motivo da graça?"
- "Como você acha que o personagem se sentiu quando riram dele?"
- "Você falaria isso a alguém?"
- "Como você se sentiria se dissessem isso a você?"
- "Como você se sentiria se alguém dissesse isso a um amigo seu?"
- "O que você faria se alguém dissesse isso a um amigo seu?"

Uma conversa como essa aumenta a sensibilidade da criança em relação aos outros, promove a empatia e o sentimento de compaixão e consiste em uma oportunidade de reflexão sobre atitudes a serem tomadas diante de casos de provocação. Essa *hora de lição* servirá para esclarecer a confusão que muitas crianças fazem quando vêem e ouvem comportamentos insultuosos na mídia. Para dar continuidade à atividade, as crianças podem ser solicitadas a anotar situações de bondade, generosidade, amabilidade etc. que vejam na televisão. Em que programas há personagens que tratam os outros com respeito e consideração?

Todo mundo tem sentimentos

Como eu já disse antes neste livro, não é incomum as crianças se sentirem automaticamente receosas quando encontram alguém diferente. Esse medo tende a se sobrepor ao sentimento da empatia e, para aliviá-lo, podemos conversar com nossos filhos sobre diferenças que observam nos outros e criar oportunidades de esclarecer noções errôneas, fornecendo-lhes informações concretas. Dessa forma as crianças podem se dar conta das diferenças dos outros, entendê-las e respeitá-las. A publicação *101 Maneiras de Promover a Tolerância – Idéias Simples para Valorizar a Igualdade e Comemorar a Diversidade*, do *Southern Poverty Law Center* (entidade americana de prestação de auxílio jurídico e defesa dos direitos civis), traz muitas sugestões para os pais, entre elas, assistir a uma peça ou ouvir música de artistas de raça ou etnia diferente da nossa, fazer compras em lojas ou supermercados típicos de outros países e ir com a família a restaurantes de comida típica de alguma parte do mundo. Essa publicação pode ser encontrada no *website* splcenter.org.

Ao ver uma pessoa que seja, sob algum aspecto, diferente, em algum desses lugares, ou mesmo em parques e museus, fale um pouco sobre o que é a diferença. Veja quantas diferenças seu filho é capaz de identificar – seja em termos da aparência da pessoa, no seu modo de andar, de falar ou de agir. Proponha uma brincadeira: quem consegue identificar mais diferenças? Qual a diferença mais marcante? Com os mais velhos, é possível avançar um pouco além: se uma pessoa não exibe nenhuma diferença óbvia, faça-a imaginar o que poderia ser diferente nela ou na sua vida. Depois de identificadas as diversidades, uma continuação interessante seria conversar sobre como as pessoas devem se sentir por serem diferentes – uma outra *hora de lição*. E mais uma oportunidade para uma discussão proveitosa seria conversar sobre como as crianças se sentem quando vêem gente com essas diferenças.

Quem aprendeu quando pequeno que era errado ficar reparando nas pessoas para não constrangê-las, pode não se sentir à vontade de fazer essa brincadeira. Se for esse seu caso, lembre-se de que se trata simplesmente de constatar as diferenças, não de criticá-las nem de fazer observações depreciativas. Percebi que dar vazão a nossos poderes naturais de observação desmistifica as diferenças e faz as crianças e adultos se tornarem mais tolerantes e solidários.

Quando meu filho Matt, que era bem pequeno na ocasião, viu pela primeira vez um homem com uma só perna, ele não conseguia parar de olhar. A princípio, pensei que fosse dizer alto o que estava pensando e temi que o homem deficiente ouvisse. Fiz o que pude para calar Matt, para que não dissesse nada. Mais tarde vi que não tinha lidado com a situação da maneira certa. Resolvi trazer o assunto à tona e perguntei se ele se lembrava do homem que só tinha uma perna que havíamos visto na loja. É claro que ele lembrava e conversamos sobre como aquilo devia tê-lo assustado. Lembro-me de ter dito que as pessoas são diferentes sob vários aspectos. Fizemos uma brincadeira de falar todas as diferenças que as pessoas podem ter. Naturalmente, a lista de uma criança pequena é mais limitada do que a de uma mais velha. Mesmo assim, foi um começo. Falei dos motivos pelos quais o homem teria só uma perna: nasceu assim ou sofreu um acidente? Conversamos sobre como o homem se sentiu. Era educado ficar olhando para ele?

Decidi adotar uma atitude preventiva e discutir outras diferenças com Matt. Na vez seguinte que fui com ele à loja, propus observarmos quanta gente tinha algum tipo de diferença. Vimos pessoas com pele de cor diferente, uma senhora de bengala e um homem com aparelho auditivo. O assunto das diferenças foi uma constante em sua infância.

A literatura é outra maneira ótima de apresentar o tema das diferenças, podendo também servir de reforço para as questões discutidas antes.

Exemplos de Empatia

Os melhores resultados são produzidos quando você dá o exemplo, mostrando entender como as crianças se sentem. Esteja sua filha decepcionada porque está doente e não pode ir a uma festa, tenha medo de trovão ou esteja aborrecida porque não pode ir ao *shopping* com as amigas, você pode dizer: "Entendo como você se sente." Embora a validação dos sentimentos não "conserte" o problema que a criança está enfrentando, reconforta e consola, o que geralmente a faz se sentir melhor.

Confirmar os sentimentos da criança é um meio de instilar nela o sentimento da empatia. Outro é especular sobre como a criança está se sentindo quando não se expressa abertamente. Tasha estava com um ar tristonho quando a mãe foi buscá-la na aula de natação, mas respondeu apenas "Nada", ao ser indagada sobre o que acontecera. Mudando de assunto, a mãe perguntou a ela sobre os deveres que tinha para casa. Tasha recitou a relação das matérias: matemática, ciências, estudos sociais, comunicação e expressão e voltou a olhar pela janela do carro.

"O que você disse?", perguntou a mãe um pouco depois, quando a menina resmungou alguma coisa que ela não conseguira entender.

"Disse que vou ter muito tempo para fazer tudo, mas que preciso ligar para Melissa antes das 7 horas para podermos planejar nossa apresentação."

Percebendo alguma coisa estranha na voz da filha, a mãe sondou: "Mas por que precisa ligar nesse horário?"

"Porque ela, Sue, Jane, Tanya e Cindy vão conversar pela Internet depois."

"E você?"

"Elas não me chamaram." E Tasha continuou olhando pela janela.

"Ah", disse a mãe em tom calmo, "aposto que está se sentindo deixada de lado".

"Eu não", respondeu a menina mal-humorada.

"Quando eu tinha a sua idade e minhas amigas saíam sem mim, não conseguia parar de pensar nelas. Ficava imaginando o que estariam falando e por que não me convidaram. Eu me sentia péssima."

Tasha por fim parou de olhar para fora. "É mesmo? E o que você fazia?"

Isso foi o início de uma conversa animada sobre amigas e amizades. A mãe de Tasha sugeriu que ela tentasse ligar para Sue um pouco antes das 7, só para conversar, e, quando ela ligou, Sue naturalmente acabou chamando Tasha para se conectar também com as outras meninas. Tasha se divertiu muito com as colegas, mas o mais importante, pelo menos a longo prazo, foi o fato de a mãe de Tasha ter demonstrado empatia ao intuir o que a filha estava sentindo em um momento no qual não se mostrava muito motivada a se expressar.

As crianças cujos pais demonstram empatia em relação a elas são mais propensas a demonstrar empatia em relação aos outros.

A propósito, ao demonstrar empatia, não se esqueça de apontar também os sentimentos positivos de seu filho: "Você deve ter ficado todo empolgado!", ou "Vejo como você está orgulhoso!" Ajude seus filhos a estabelecer uma correlação entre atitudes positivas e sensação agradável.

Ampliando horizontes

O desenvolvimento da empatia pode ser desacelerado quando as crianças estão expostas a apenas um ambiente homogêneo. Quando todos passam a parecer iguais, a agir do mesmo jeito, a ter e a desejar as mesmas coisas, sua capacidade de entender o que pessoas diferentes podem estar sentindo em situações variadas fica atrofiada. É preciso fazer o possível para que as crianças ampliem sua base de informações para a empatia expondo-as sempre a situações novas e diferentes.

Trabalhar como voluntária uma vez por mês na cozinha da igreja foi uma experiência de grande significado para a família Butler. A colaboração das crianças ajudou a aguçar sua consciência e a aprofundar sua compreensão de que muita gente não tem o que comer, além de estimular uma breve, mas inesquecível, conversa em família sobre como deve ser estar com fome e não poder correr para a geladeira e sobre como os vários membros da família se sentiriam se tivessem depender de estranhos para lhes dar comida.

Fazer um favor para um vizinho doente ou idoso, doar brinquedos, roupas e alimentos para instituições de caridade são atos que ajudam as crianças a entender que as boas ações podem representar uma incrível diferença na vida dos outros. Elas fazem as crianças se sentirem bem por terem ajudado estranhos.

Outra idéia para casa ou escola é estudar ou ler sobre a vida e as conquistas de pessoas famosas que despertem empatia, como Martin Luther King Jr., Jane Addams e Florence Nightingale, o que contribui para a criança entender melhor o poder da empatia.

Praticando a Empatia no Colégio

A sala de aula também oferece ilimitadas oportunidades de pensar e conversar sobre como as outras pessoas se sentem. Os professores podem fazer uma infinidade de perguntas nas discussões de classe ou atividades de grupo que vão chamar a atenção dos alunos para os sentimentos dos outros. Os livros também são um meio extremamente eficiente de provocar a reflexão sobre os sentimentos e propiciar o desenvolvimento do sentimento da empatia. Qualquer livro ou história que seu filho esteja lendo já é uma boa oportunidade de avaliar e entender o que os personagens estão sentindo. Peça indicação de outros títulos à professora de literatura, à bibliotecária do colégio ou vá a uma biblioteca pública perto de sua casa.

Começamos o ano letivo dirigindo nossa atenção para os sentimentos dos alunos novos. Com o passar dos anos, vi como essas crianças se tornam facilmente alvo do escárnio dos colegas. Muitas vezes, elas só conhecem no novo ambiente uma ou duas crianças que moram perto deles. E quando são, sob algum aspecto, diferentes – ou porque têm sotaque estrangeiro ou de outra região do país, ou porque têm aparência ou se vestem diferente, ou porque gostam de músicas ou filmes "errados" – tornam-se um "prato cheio" para a importunação dos outros. Para ajudar na adaptação dos alunos novos, tenho uma conversa com a classe toda em que os apresento e peço a todos que pensem em como devem estar se sentindo. Os recém-chegados, em sua maioria, dizem estar empolgados, nervosos ou as duas coisas. Muitos dizem que sentem falta dos amigos antigos e, às vezes, admitem o medo de não fazer novas amizades. Algumas crianças menores se sentem assustadas com o tamanho da escola.

Quando a classe consegue entender como os alunos novos se sentem, conversamos sobre o que cada um pode fazer para acolher e lhes dar as boas-vindas. Muitos alunos se oferecem para ciceroneá-los, apresentá-los a colegas de outras classes e, é claro, brincar com eles no recreio.

Nessa conversa, reservo um tempo para os alunos fazerem perguntas às crianças novas, para conhecê-las melhor. Em pouco tempo, todos começam a se sentir conectados entre si, pois percebem que têm interesses em comum.

Se seu filho vai mudar de escola, converse com a administração e com os professores sobre o tipo de orientação que é oferecido para a adaptação social de alunos novos. Caso não se faça menção a medidas especiais, sugira algum tipo de discussão que acabei de descrever.

Marcia Anderson, uma coordenadora de sexta, sétima e oitava séries, dedica uma manhã inteira aos alunos novos de cada turma. Aplica testes, mostra o colégio inteiro e conversa com eles. Os alunos antigos cooperam nessa orientação e depois Marcia averigua com os professores, na primeira semana de aula, como os novos estão indo. Os recém-chegados e seus pais são solicitados a preencher um formulário com informações sobre experiências escolares anteriores dos alunos e seus interesses. Depois de algumas semanas de aula, marca-se um almoço especial de boas-vindas. Todos participam de uma brincadeira em que devem descobrir informações pessoais uns dos outros, como: "Quem toca gaita?" (A coordenadora usa as informações dos formulários preenchidos pelos alunos e pais.) Brincam também de "Quem conhece bem a (nome da escola)?", com perguntas como: "Onde é o setor de achados e perdidos?", "Qual o nome da secretária da escola?" Alguns continuam mantendo contatos periódicos com a coordenadora ou orientadora educacional.

A sala de aula é uma ótima oportunidade para todos continuarem aprendendo coisas sobre quem é diferente, o que aprimora a sensibilidade das crianças para situações diferentes da delas. Outras experiências de aprendizado não esquecida por ninguém, e que expandem o mundo infantil, são excursões a outras escolas, a asilos e a instituições de caridade para a doação de alimentos coletados no colégio. É importante dar continuidade a essas experiências, contudo, para que seu efeito persista. Depois de uma classe de quarta série ter visitado um asilo, entrevistar e jogar bingo com seus moradores, os alunos passaram a se corresponder com eles. Muitos colégios e instituições religiosas convidam as pessoas a adotar uma família na época do Natal, ou a doar roupas e brinquedos a uma família específica, cujas idades e sexo de seus membros são informados com antecedência.

A Necessidade do Apoio Mútuo

Se as crianças conseguirem desenvolver o sentimento da empatia por outra que estiver sendo importunada ou ridicularizada, será maior a chance de optarem por intervir ativamente em vez de observar a situação de forma passiva. Tenho procurado, nos últimos anos, prestar mais atenção ao papel da pessoa que presencia ou que fica assistindo a um conflito envolvendo provocação. É óbvio que muitas crianças não fazem nada porque têm medo de se tornar a próxima vítima. Não querem incitar o lado agressivo do provocador. Muitas crianças, que não intervêm ou não demonstram apoio à vítima, porém, sentem-se mal ou culpadas por seu comportamento passivo. Precisamos insistir para aquele que assiste a uma cena dessas, ou apenas presencie-a, intervenha, demonstre apoio ou peça socorro. É imperativo que as crianças exerçam um papel ativo ao verem um colega sendo zombado.

Como Denunciar a Provocação aos Adultos

Duas meninas de quarta série, Sophie e Emily, pediram há pouco tempo para conversar comigo sobre uma situação que as perturbou. Explicaram que algumas meninas da classe estavam zombando de um colega, Peter. Riam dele, afastavam-se quando chegava e falavam mal dele a outras crianças. As autoras, porém, eram meninas sossegadas e bem educadas, e esse tipo de comportamento não era típico delas. Sophie e Emily as alertaram de que estavam tratando mal o colega, mas não adiantou. O que Sophie e Emily fizeram foi exatamente o que eu as incentivei a fazer – pedir ajuda.

Procurei Peter e lhe disse estar muito aborrecida por ter sabido que andavam pegando no pé dele. Peter, menino de muito boa índole, respondeu: "Eu imaginei que você ia ficar chateada com isso." Perguntei o que achava de eu tocar nesse assunto em nossos encontros semanais em sala de aula e ele fala que não se importaria.

No início da aula, usei a "mensagem em primeira pessoa", comunicando ter ficado muito aborrecida de saber que Peter vinha sendo perseguido por colegas. Enfatizei que estavam faltando com o respeito para com ele e que esse comportamento não era aceitável, mas não fiz menção aos nomes dos responsáveis. Perguntei a Peter o que sentia e ele respondeu que não gostava, mas que estava procurando lidar com a situação da melhor maneira possível. Perguntei à classe o que achavam disso. Muitos responderam que se tratava de um comportamento desrespeitoso, e quando perguntei como imaginavam que Peter se sentia quando zombavam dele, um aluno respondeu: "Ele deve ficar com raiva, ou chateado, ou as duas coisas." Outro pensou que aquilo devia deixá-lo mal-humorado. Posso dizer que Peter se sentiu gratificado de ouvir o apoio de tantos colegas.

Em seguida perguntei se quem andava zombando dele gostaria de pedir desculpas, salientando que eu sabia que isso exigiria muita coragem. Uma menina disse: "Não me lembro se já ofendi Peter de alguma maneira, mas se isso aconteceu, peço desculpas." Peter retrucou que ela jamais o havia ofendido.

Outra menina então levantou a mão, meio hesitante. Disse em voz calma que lhe havia dito coisas grosseiras e sentia muito por isso. Elogiei sua coragem e sinceridade, depois, três outras meninas, seguindo o exemplo da primeira, desculparam-se também. Peter ficou radiante, e as meninas pareceram aliviadas.

No dia seguinte, passei no corredor e Peter fez para mim um sinal de positivo com a mão. Alguns dias mais tarde, contou-me que agora estava jogando futebol com os caras mais bacanas da classe.

Isso tudo foi para mim um exemplo muito contundente da importância de a testemunha assumir um papel ativo e responsável. Quem presencia a agressão verbal e o comportamento grosseiro precisa entender o poder que adquirem de mudar as coisas. Eu disse a Sophie e Emily que elas eram heroínas.

Apesar de querermos que as crianças achem natural e se sintam bem em denunciar a provocação aos adultos, algumas realmente só tomam uma atitude quando protegidas pelo anonimato. A coordenadora educacional de outra escola relatou-me ter colocado uma caixa em um lugar seguro onde os alunos pudessem anonimamente manifestar preocupações a respeito de incidentes específicos de importunação. É uma idéia muito parecida com a da criação do formulário "Aviso de Assédio" (um para os pais e outro para os alunos), elaborado por Steve Clinton depois da morte trágica de sua filha de 13 anos. O formulário pode ser encontrado na Internet em jaredstory.com/notice2.html.

Como Intervir com Segurança em uma Situação de Escárnio

A primeira coisa que digo às testemunhas da provocação é que o mínimo que podem fazer é não demonstrar qualquer tipo de apoio ao provocador, o que significa não espalhar boatos começados por ele nem contar casos sobre sua última grosseria. Significa também não reagir com atitude favorável ao presenciar uma situação dessas. Às vezes, as crianças não entendem que, embora rir pareça ser uma resposta benigna, é humilhante para quem sofre o deboche e dá força ao importunador. Mark ficou humilhado por vomitar no corredor antes de conseguir chegar ao banheiro, mas se sentiu ainda pior quando um colega o chamou de "o vomitador". Porém, o pior vexame de todos foi ver vários meninos rindo ao redor dele.

Como muitas vítimas não são capazes de se defender, o papel das testemunhas e dos espectadores pode ser fundamental para elas. Em vez de rir e de fazer coro ao deboche, os observadores podem optar por mandar o provocador parar com aquilo. Diga a seu filho que isso não precisa ser uma tentativa de resgate sofisticada. Quando alguém está sendo caçoado, seu filho pode dizer alguma coisa simples, do tipo: "Pára com isso" ou "Sem essa." Às vezes, o importunador resolve mudar de trajetória quando o espectador o deixa embaraçado com uma pergunta do tipo: "Para que dizer essas grosserias?"

Uma alternativa (ou opção a mais) na hora de abordar o importunador e intervir diretamente na situação é as crianças oferecerem apoio à vítima, ou em particular ou na presença mesmo do provocador. O observador pode simplesmente dizer à vítima: "Não concordo com o que ele falou e acho que lhe faltou com o respeito" ou "Gosto dos seus óculos, acho muito legais." Quando a criança não se sente à vontade de falar na presença do provocador, pode oferecer apoio ao colega importunado em outra hora: "Também sou péssimo em matemática. A gente até podia estudar um pouco juntos." A pessoa provocada valoriza o apoio em qualquer momento.

Os espectadores também podem interromper a provocação sem antagonizar o provocador, chamando-o para se juntar a eles e entrar na brincadeira que estão fazendo. Podem também decidir chamar outros colegas ou algum adulto para intervir. Meghan e Jill, os dois meninos a quem me referi antes, desencadearam uma série de acontecimentos que se transformaram em uma das experiências profissionais mais gratificantes da minha vida. Esses dois alunos de quinta série vieram à minha sala para manifestar sua profunda preocupação com o que estava acontecendo com Ralph, aluno novo que entrara para a escola no meio do ano. Apesar de nossos esforços para integrá-lo à turma, Ralph nunca chegou a estabelecer um vínculo muito estreito com os colegas. Era alvo fácil das risadas e provocações, por ser mais baixo que a maioria, muito inteligente e destituído de boas maneiras. Alguns dos garotos populares da quinta série andavam perseguindo Ralph, principalmente em situações pouco estruturadas, como na hora do recreio e da ginástica. Faziam pouco dele, impediam-no de entrar nas brincadeiras e ainda mandavam os outros fazerem o mesmo. Megham e Jill me disseram que gostariam de ajudá-lo, e se dispuseram a falar com os provocadores. Sabiam que poderiam se tornar os próximos alvos, mas isso não interferia na pena que estavam sentindo de Ralph. Perguntei-lhes se mais alguém partilhava da sua opinião e ficaram de consultar os colegas. Sugeri que lanchássemos juntos dali a uns dias para trocar idéias e traçar alguns planos de ação. Para minha enorme surpresa, 19 alunos (meninos e meninas) compareceram ao nosso "lanche das idéias". Diversos deles admitiram que já haviam provocado Ralph e agora se arrependiam disso. Todos decidiram falar com os provocadores da próxima vez que os observassem debochando de Ralph.

Já no dia seguinte, um dos atormentadores disse alguma coisa a Ralph antes da ginástica. Duas meninas ficaram sabendo, abordaram-nos e lhes disseram que estavam sendo desrespeitosos com Ralph; sua atitude enfática o deixou meio desconcertado. Com os outros provocadores, aconteceram coisas parecidas. Depois de um confronto, um amigo do provocador perguntou a uma das meninas: "Você está gostando de Ralph? É por isso que está tomando as dores dele?" E ela respondeu com toda calma: "Não. Só acho que ninguém merece ser tratado assim."

Os alunos me encontraram na semana seguinte e me relataram que os meninos implicantes agora estavam tratando Ralph bem melhor. Pedi que as professoras dos importunadores fizessem uma reunião com cada um. Eles admitiram que andaram implicando com Ralph, mas que haviam parado. Foi importante para eles saber que nós (adultos) tivemos conhecimento do que estava acontecendo e que sofreriam conseqüências sérias se aquele tipo de comportamento se repetisse.

Os alunos que se uniram para dar apoio a Ralph me pediram que eu o convidasse para o próximo lanche, para manifestarem seu apoio. Expliquei a Ralph o que estava acontecendo e apesar de ele não se mostrar muito efusivo, concordou em comparecer ao lanche. Foi incrível. Vinte e dois alunos estiveram presentes. Alguns chegaram a expressar seu arrependimento por tê-lo tratado mal. Três se desculparam por não o terem acolhido bem quando se transferiu para a nossa escola. Outros o elogiaram por não reagir nem revidar as provocações. Ralph respondeu a perguntas que lhe fizeram sobre como era ser aluno novo e como se sentira ao ser excluído e ter virado piada.

Na semana seguinte, fizemos uma festa para comemorar os extraordinários esforços empreendidos por aquelas crianças tão especiais. Algumas chegaram a parabenizar Jill e Meghan por levarem o assunto ao meu conhecimento. Outras parabenizaram Ralph pela paciência que provou ter. Outras ainda me agradeceram por ouvi-las e ajudá-las. Quando perguntei a Ralph se queria dizer alguma coisa, não sabia bem o que esperar dele. Cheguei a prender a respiração de tanta ansiedade, mas por fim ele disse: "Agradeço o apoio de cada um de vocês." Pouco efusivo, mas muito mais firme na maneira de se expressar do que antes. Foi um exemplo maravilhoso da força que a empatia tem para ativar o carinho da maioria. Os 22 juntos acabaram tendo mais poder do que três provocadores tão "populares".

A união faz a força, e a pressão dos colegas pode ter efeito positivo se os espectadores e testemunhas resolverem assumir papel ativo. Quanto mais as crianças aprendem a pôr em prática o mandamento "não faças aos outros o que não queres que te façam", e quanto mais defenderem uns aos outros, menos tolerância terão enquanto grupo para atitudes de provocação, intimidação abusiva e outros comportamentos agressivos.

10

Histórias de Sucesso

Crianças Falam sobre Como Lidar com a Provocação

A o longo dos anos em que tenho ensinado às crianças as estratégias de lidar com a provocação, reuni um grande volume de material produzido por elas, na maioria textos em que explicavam como adaptaram as técnicas em suas próprias e particulares situações. Alguns são cartas e desenhos espontâneos de crianças de várias classes, outros são dissertações redigidas em sala individualmente, sob a orientação do professor. Outros, ainda, resultam do esforço conjunto de um grupo de crianças inspiradas pelo que aprenderam – como a história da borboleta, escrita por duas alunas de quinta série, que aparece neste capítulo.

Qualquer que seja sua origem, esses textos são um testemunho da força das dez estratégias de enfrentamento da provocação, que motivam, reconfortam e fortalecem crianças que se debatem com o sofrimento e a humilhação de serem importunadas. Se seu filho demonstra alguma hesitação em tentar usar as estratégias, esses testemunhos deverão lhe transmitir a segurança de que o esforço vale a pena. Mais do que isso, porém, essas cartas e histórias são uma prova contundente da criatividade e da coragem de todas as crianças que conheci. Espero que você se impressione tanto quanto eu com a imaginação e a presença de espírito que as crianças mostram ter.

Queremos exprimir nossos sentimentos em relação ao que fizemos quando andavam aborrecendo Ralph. A princípio, nós nos sentimos mal porque todo mundo ria dele. Depois fomos falar com nossa coordenadora educacional, a sra. Freedman, sobre o que estava acontecendo com Ralph. Ela nos perguntou se outras crianças achavam a mesma coisa que nós.

Conversamos com nossos amigos e descobrimos que 19 pessoas queriam ajudar a dar um basta à situação e nos reunimos na hora do recreio, durante algumas semanas, para estudarmos uma forma de agir. Nossa professora também ajudou. Decidimos ficar do lado de Ralph quando vimos as crianças implicarem com ele. Dissemos a elas que parassem com aquilo, e elas ficaram muito surpresas conosco. A sra. Freedman e nossa professora falaram com eles, que praticamente pararam com as implicâncias. Contamos então a Ralph sobre o grupo. No começo, ele ficou meio sem graça e nervoso, mas depois parece ter ficado contente e acabamos nos sentindo orgulhosos do que fizemos. Agora somos amigos de Ralph e também sentimos orgulho por ele ter levado tão bem os acontecimentos. E estamos contentes de ter feito isso por ele. Gostaríamos de agradecer à sra. Freedman, por ser nossa orientadora educacional e de nossa escola, e a Ralph, por ter ficado nosso amigo. Foi incrível como tudo aconteceu tão rápido. Foram apenas duas ou três semanas.

Esperamos que as crianças de todos os lugares fiquem do lado de quem está sendo perseguido, como nós fizemos. Chamamos esse método de "a união faz a força". É formar um grupo e defender as crianças que estão sendo atormentadas ou intimidadas por alguém. São muitas as emoções que sentimos por tudo isso - felicidade, orgulho e alegria. Em nossa escola, pouca gente sofre deboches. Todos nós sabemos como é zombarem da gente, e ninguém gosta. Então, trate as pessoas do jeito que você quer ser tratado e elas vão tratá-lo bem, também. Tudo isso nós aprendemos com a sra. Freedman.

Meghan e Jill

O RAP DA PROVOCAÇÃO

Autora: Jessica Brenner, 5ª série

Existem algumas maneiras de você ficar frio
Quando estão pegando no seu pé: são dez regrinhas simples.

1. *Que opinião é mais importante?*
   Não vou deixar o provocador arrancar uma lágrima de mim.

2. *Vou usar a estratégia do "E daí?",*
   Porque sei que a sra. Freedman vai se orgulhar de mim.

3. *Essa estratégia é muito fácil.*
   Basta você concordar.

4. *Vou responder com uma brincadeira,*
   Para o provocador não rir de mim, espero.

5. *Ignorar é uma de nossas regras simples.*
   Ignorar ajuda a gente a ficar frio, entendeu?

6. *"É muito mal quando você faz pouco de mim.*
   Quando você faz isso, me sinto um lixo."

7. *Vou usar o elogio,*
   Porque o provocador vai ficar surpreso e cair fora.

8. *Uma reforma é o que vou fazer.*
   Vou dizer ao provocador: "Quero saber sua opinião também."

9. *Se você vai usar a visualização,*
   Faça bastante esforço.
   Você tem que ter muita concentração.

10. *Se nada disso funcionar, você terá que pedir ajuda,*
    Você tem que manter a calma e não cair no choro. Fique na sua.

    Essas são algumas maneiras de você ficar frio,
    Quando estão implicando com você,
    Use as dez regrinhas fáceis! Valeu!

Debocharam de mim por causa dos meus óculos. Eu tive vontade de atirá-los bem longe. Então disse para mim mesmo: "Não,

232 ELIMINANDO PROVOCAÇÕES

eu gosto dos meus óculos e isso é o que importa. Se eles não gostam, que comprem outros!"

Jeff, quinta série

Alguém diz a mensagem do "eu"
Ele diz que fica bravo,
A outra pessoa aceita,
Agora todo mundo fica contente!

Alunos de primeira série da sra. Angel

Meu irmão implicava comigo por causa da nota que tirei na prova. Disse que tirava nota melhor quando estava na terceira série. Eu respondi: "Que bom pra você" e ele parou de me amolar.

Bethany, terceira série

Gozar dos outros é uma coisa muito ruim. Uma vez, quando era pequeno, com 8 anos e não tinha ainda 1 metro de altura, um garoto alto do terceiro ano riu de mim porque eu era baixo. Eu disse: "E daí? Gosto de ser baixo." Ele nunca mais me encheu porque sabia que eu até gostava quando ele me chamava de baixinho.

Brandon, quarta série

Uma vez tiraram sarro de mim no pré, quando comecei a usar óculos. Primeiro, ficava chateado, mas depois, umas duas semanas mais tarde, eles pararam. Depois, gozaram de mim de novo por causa dos meus óculos quando fui a um acampamento. Só respondi: "Já que tenho quatro olhos, vou conseguir ver duas vezes mais que vocês." Eu não gozo de ninguém porque me lembro como me sentia quando faziam isso comigo.

Richard, quinta série

Querida sra. Freedman

Agradeço-lhe muito por me ajudar com o problema que tive no colégio (e no clube). Agora tudo está dando certo. Escrevi um versinho sem rima para a senhora. É assim:

Eles me faziam chorar,

Agora me fazem rir.

Eles me faziam ficar de cara feia.

Agora me fazem sorrir.

Eles me faziam sentar num cantinho na hora do recreio,

Agora tenho muito espaço para sentar.

Eles me faziam parecer uma boba,

Agora eu me considero muito legal.

Nina, terceira série

Antes meus amigos e meus primos gozavam muito de mim porque sou muito sardento. Eu me sentia supermal com isso. Então eu disse a mim mesmo que gostava das minhas sardas e que elas eram até charmosas - e me senti melhor.

Meghan, quinta série

Meu irmão estava me provocando e eu respondi pra ele: "Qual é o seu problema?" Ele ficou sem graça e saiu de perto.

Jessica, terceira série

Um dia, comentei com minha amiga que o professor de vôlei do clube me chamou de "bolinho-de-chuva". No dia seguinte, todo mundo começou a me chamar de "bolinho-de-chuva". Era pra me provocar, então me lembrei do que a sra. Freedman, nossa coordenadora educacional, nos disse sobre os vários jeitos de lidar com os provocadores e resolvi usar a estratégia de transformar a provocação em elogio e aí eles pararam. Ainda bem que a gente tem uma coordenadora educacional em nossa escola.

Laura, terceira série

Ano passado me gozaram porque sou baixinha. Estava brincando na neve quando alguém de quem não gosto muito disse: "Você é mínima. É a menor da classe toda." E começou a rir. Então eu disse só isso: "E daí?"

Liz, terceira série

Encarnaram em mim por causa do meu sobrenome: "Lovett". Fiquei chateada e com raiva. Resolvi usar algumas das dez maneiras de resolver o problema e escolhi a autoconversação. Contei também a um adulto o que estava acontecendo. E também saí de

234 ELIMINANDO PROVOCAÇÕES

perto e transformei a gozação em elogio. Às vezes, eu só mudo de assunto.

Heather, quinta série

Querida sra. Freedman,

Gostei muito de a senhora vir falar conosco na classe. Lembro-me de a senhora falar sobre estresse. Foi bom aprender o que significa e como lidar com ele, o bom estresse e o mau estresse. Também gostei de resolver os problemas de outros alunos que aconteciam mais na hora do recreio.

Eu me lembro de muitas coisas sobre zombarias. Agora sou especialista em lidar com o estresse e em resolver problemas. Sempre me lembro de parar a provocação fazendo um elogio ao provocador, de usar o escudo, de dizer "E daí?", de concordar com o provocador, de usar a "mensagem do eu" ou então de falar com um adulto. Minha visualização seria fazer as provocações sumirem quando eu fizesse uma pirueta, porque adoro ginástica olímpica. Espero encontrar a senhora novamente no ano que vem para me ajudar com meus problemas.

Cordialmente,

Josh K., terceira série

Pegaram no meu pé quando comecei a usar aparelho nos dentes. Quando cheguei ao colégio, alguém disse: "Nossa, que dentes mais estranhos." E eu respondi: "Eu sei. Tenho que usar esse aparelho para consertar isso e deixar meus dentes lindos." E funcionou muito bem.

Amy K., terceira série

Meu irmão implicava comigo e eu simplesmente o ignorava e fingia que era surda. Eu dizia: "Será que ouvi alguma coisa? Não, acho que não." Quando Joy, minha melhor amiga, estava comigo, eu dizia: "Você ouviu alguma coisa, Joy?" E ela dizia: "Não, acho que não." E eu falava: "Nem eu. Não ouvi nadinha." Aí meu irmão saía de perto, bem calado. É mais ou menos como ignorar. Meu irmão não implica mais comigo.

Rebecca, K., terceira série

Histórias de Sucesso 235

Querida sra. Freedman,

É incrível como aprendi com a senhora! Agora sei como lidar com as gozações, com o estresse e muito, muito mais coisas. Gostei quando ensinou que eu podia fingir que estava usando um escudo para me proteger das coisas ruins que os outros me falam. Pensei na idéia de "apagar" as provocações, porque gosto muito de escrever. Um garoto me chamou de "faísca" quando comecei a usar aparelho e resolvi tomar isso como um elogio, e ele nunca mais me chamou de "faísca" de novo. Sra. Freedman, a senhora é um salva-vidas! Não sei como consegue! Adorei quando veio à nossa classe e a gente pôde dizer como se sentia. Gostei de ouvir os problemas dos outros. Sua vinda às terças-feiras é um GRANDE presente. Estou louca para ver o que a senhora vai nos ensinar na quarta série.

Atenciosamente,

Rebecca, H., terceira série

Há vários tipos diferentes de gozação. Tem gente que diz que a gozação não é uma coisa ruim e que é uma brincadeira que passa. Certas pessoas levam a gozação a sério. A gozação pode ficar na sua cabeça para o resto da sua vida - seja ela uma gozação forte que pode levar à violência física, ou uma coisa boba do tipo "você é idiota". Essas palavras podem ficar na sua cabeça para sempre.

Um aluno de quarta série

Acho que o deboche é horrível porque magoa a pessoa. Se debocham de você, há muitas coisas a fazer. Você pode sair de perto, pode dizer "E daí?" e pedir ajuda, se a pessoa continuar insistindo com aquilo. Se alguém chama a gente de "quatro-olhos", é só dizer: "Agora posso ver você bem melhor." A gente também pode usar a mensagem do "eu": "Eu me sinto mal quando você ri de mim. Pare com isso por favor."

Lily, quarta série

Um dia, meus amigos estavam zoando de mim por causa dos meus sapatos. Comecei a me sentir muito mal, mas aí falei: "Mas eu gosto deles." E os caras pararam de me aborrecer porque sabiam que não iam me perturbar mais. Me senti muito melhor depois disso.

Um aluno de quinta-série

Quando cortei a franja, uma menina me disse: "Você está com cara de boba." Eu respondi: "E daí, eu gosto de mim assim mesmo e vou continuar desse jeito." E ainda disse: "Você também usa franja e se não gostou da minha, o problema é seu."

Michelle, terceira série

A Borboleta Que Usava Salto Alto
Julie Brontman e Jessica Brenner, quinta série

Era uma vez uma borboleta chamada Casey que morava em São Francisco. Era uma borboleta muito amável e gentil. Suas asas eram lilás e cheias de nervurinhas e pintinhas amarelas. Tinha passado por muitos terremotos na vida. Sempre usava sapato de salto alto, mas tinha um problema. As outras borboletas não gostavam do seu sapato, e a tratavam mal por causa disso. Além do mais, eram ríspidas com Casey por ser gentil com quem era diferente dela. Quando as outras borboletas eram indelicadas, Casey não fazia nada, continuava tratando-as bem! Ela era boa com todas as criaturas vivas.

Casey ficava muito triste porque as outras borboletas não gostavam dela, mas achava que, sendo boazinha, as outras logo passariam a gostar dela. "Tudo tem seu tempo", dizia a si mesma. Ela tinha uma amiga que se chamava Lola – uma passarinha que sempre usava chapéu de palha. Lola era sempre muito alegre e as duas viviam juntas em uma casa velha e quebrada no alto de uma árvore. Lola e Casey eram como mãe e filha. Os pais de Casey morreram quando ela era pequena. Eles estavam em um jardim e foram pulverizados com pesticida. Lola ajudava Casey com seus problemas como a própria mãe de Casey faria. Estavam felizes juntas.

Um dia, Casey cruzou com a mandona mais malvada da cidade! Ela gritou: "O que você está fazendo aqui, Salto-Alto?" Logo, logo as borboletas se juntaram em volta de Casey, que ficou apavorada de não poder voar para longe dali. Subitamente, porém, do nada, surgiu Lola, que agarrou Casey pela asa e a levou para sua casa na árvore.

Mesmo aos prantos, Casey conseguiu dizer o que queria a Lola. E suplicou: "Por favor, me tire daqui. Não é justo me tratarem assim. Isso tudo já foi longe demais."

Lola perguntou: "Para onde você quer que a gente vá? Não tenho dinheiro e veja só essa casa! Ela é a única coisa que temos para nos abrigar. Acha mesmo que a gente pode se mudar?"

"Mas você disse que queria que eu fosse feliz. Neste lugar, eu nunca serei feliz!", retrucou, chorando, Casey.

Lola explicou: "Sinto muito se me aborreci com você, mas é que não temos outro lugar para morar."

"Qual tal Los Angeles? Já ouvi dizer muitas coisas boas sobre essa cidade."

"É uma idéia maravilhosa! Porém, ouvi dizer que é meio caro por lá", resmungou Lola.

"Bem, podemos pelo menos ir até essa cidade para ver como ela é", sugeriu Casey.

"Certo... Tudo bem, mas iremos só dar uma olhada", disse Lola.

Quando partiram, Lola e Casey estavam muito animadas com a viagem até Los Angeles, mas também um pouco nervosas. Ao chegarem lá, perguntaram onde ficavam os apartamentos. Uma borboleta meio velha respondeu: "Bem ali, descendo dois quarteirões à direita. Vocês verão os Apartamentos B.P., para borboletas e passarinhos."

Lola e Casey foram até o lugar indicado e gostaram muito do que viram. Decidiram então alugar o apartamento B-68 e mudaram logo em seguida. Era um apartamento muito silencioso e sossegado. O prédio também era bom. As duas pintaram suas paredes de amarelo-claro e em pouco tempo estava tudo pronto. Depois de muito trabalharem, elas foram ao restaurante B.P., que ficava no térreo. Escolheram uma mesa, sentaram-se e ouviram alguém exclamar: "O que você está fazendo aqui, Salto-Alto?"

Lola e Casey, imediatamente reconheceram a prima da mandona malvada, que era tão má quanto a prima. (Parece mal de família.) "Minha prima me falou de você! Eu a reconheci pelo salto alto", disse. Lola e Casey saíram rapidinho do restaurante. "Ah...", disse Casey com voz receosa, "pelo menos existem outros restaurantes em Los Angeles".

"Não, Casey. Você precisa aprender as estratégias para poder enfrentar essa gente prepotente", disse Lola.

No dia seguinte, Lola passou o tempo todo ensinando a Casey as dez estratégias de lidar com provocações e não ter medo do provocador.

À noite, Lola disse a Casey: "Agora que você aprendeu as dez estratégias, recite-as para mim e me explique como funcionam."

"Claro, Lola. É assim... *E daí?*, essa estratégia serve para dizer a quem está nos maltratando: 'não ligo para o que você diz'. *Ignorar* é a estratégia em que não olhamos nem falamos com quem faz pouco de nós. *Humor* é uma estratégia para fazer o provocador rir e mostrar que você não está se deixando afetar. A *"mensagem do eu"* pode não funcionar sempre, porque talvez o provocador fique contente em saber que você não gosta da provocação e pode continuar fazendo a mesma coisa. Quando ela resolve, você está explicando ao provocador que não vai aceitar mais a provocação. A *autoconversação* é quando você diz a si mesma que sua opinião é muito mais importante do que a de quem está te atormentando. Depois, humm, eu sei! Responder com um *elogio*! Ela faz o amolador se sentir bem com alguma coisa que ele fez. A *visualização* é outra, quando você visualiza as provocações indo embora para longe, sem que lhe atinjam. *Concordar com os fatos* é mais uma estratégia; é concordar com o provocador, mas só se o que ele disser for verdade. *Reformar* é quando você transforma a provocação em elogio, como: 'Obrigada por notar o meu sapato'. Se nenhuma dessas estratégias funcionar, você tem que *pedir ajuda*. Pode ser para algum adulto ou para um amigo. Pronto, acabei. Esqueci alguma?"

"Não. Está perfeito", disse Lola.

Histórias de Sucesso 239

> Moral da história: Casey e Lola decidiram morar para sempre em Los Angeles. Daquele dia em diante, Casey soube lidar com todo mundo que a ameaçava. Uns anos mais tarde, Lola morreu, pois estava velhinha. Embora sentisse saudade dela, Casey guardava ótimas lembranças da amiga. Casey não se esquecia de nada que Lola ensinara a ela nem de todos os momentos que passaram juntas. Casey se lembrava principalmente daquelas estratégias muito boas e de como lidar com quem quer nos desmerecer e provocar. Lola morou para sempre no seu coração.

Vou mandar as provocações embora nas voltas da minha corda.

Jacque Vaynberg

11

Uma Pequena Ajuda aos Pais dos Provocadores

Se seu filho está sendo alvo da provocação alheia, você deve estar intrigado com o que um capítulo dirigido aos pais dos provocadores está fazendo neste livro. Na verdade, os pais dos atormentadores podem não chegar a comprá-lo, mas as idéias deste capítulo podem se difundir e chegar a eles por várias rotas diferentes. Você pode, por exemplo, falar delas com a professora do seu filho ou com a coordenadora educacional do colégio. Ou, caso seja uma coordenadora escolar ou professora, pode querer aplicá-las em sua escola. Se for um pai ou uma mãe, só ofereça essas sugestões aos pais de uma criança com tendências a zombar das outras se eles o abordarem diretamente e lhe pedirem ajuda ou idéias. Os pais de crianças provocadoras costumam se colocar em posição defensiva, e receber uma oferta de ajuda por parte de quem não é profissional só os deixará ainda mais defensivos, sobretudo se a criança for acusada de provocar seu filho. Por fim, tenha em mente que seu filho também pode vir a provocar ou zombar os outros em algum momento. Por mais que seja duro acreditar nisso, as vítimas do escárnio alheio mudam de lado e, sucumbindo ao apelo que o poder da provocação lhes oferece, encarnam o papel do agressor, às vezes por autodefesa, outras porque se esquecem de como era ser provocado e, outras ainda, porque realmente mudam de comportamento ao longo do tempo. Além disso, todas as crianças têm propensão a provocar umas às outras em família. Apesar de a maioria dos pais tolerar que um irmão implique com o outro, essa implicância pode ser muito sofrida, ainda mais quando uma das crianças sempre é a

242 Eliminando Provocações

vítima, quando o problema se dá por muito tempo e quando envolve agressão física. Este capítulo pode ajudar os pais a lidar com o problema do escárnio tanto em casa quanto fora dela. Qualquer que seja o caso, espero que você pense seriamente nos conselhos que darei a seguir.

Se alguém acusa seu filho de andar praticando algum tipo de provocação maldosa, deliberada, você tem quatro tarefas a empreender:

1. Saber como responder construtivamente ao acusador.
2. Investigar a queixa.
3. Identificar as influências que estão motivando o comportamento do seu filho.
4. Fazer seu filho mudar de comportamento.

Como Reagir Diante de uma Queixa

A menos que aconteça de ouvirem falar ou de pegar os filhos em flagrante, a maioria dos pais só toma conhecimento de que estes andam zombando dos outros quando são interpelados pela professora ou por algum outro adulto. Se uma professora, um funcionário do colégio ou outro responsável informá-lo de que seu filho está magoando outra ou outras crianças com atitudes de escárnio, seus sentimentos poderão ser muito variados, e sua reação poderá manifestar descrença, ressentimento, apreensão, culpa e constrangimento. Você ama seu filho e, é claro, não quer acreditar que seja culpado de cometer uma maldade intencional contra outra criança, o que pode levá-lo instintivamente a ficar com raiva. *Mesmo se você se sentir indignada, é imprescindível manter a calma*. Resista ao reflexo condicionado de garantir que seu filho jamais seria capaz de uma coisa dessas. Pense duas vezes, respire fundo e peça que a pessoa lhe explique direitinho o que aconteceu.

Se o relato partir da professora e ela for uma pessoa em cujos critérios e poder de observação você puder confiar, dê-lhe o benefício da dúvida e assuma que o acontecimento alegado de fato ocorreu. E caso os detalhes fornecidos não lhe pareçam suficientes, pergunte em tom de sondagem (mas não acusatório):

Uma Pequena Ajuda aos Pais dos Provocadores   243

- "O comportamento do meu filho atinge mais de uma pessoa?"
- "Seu comportamento atinge só crianças ou mais alguém?"
- "Há quanto tempo o problema vem ocorrendo?"
- "Como meu filho reage à sua intervenção?"
- "Você tem idéia do que pode estar motivando esse comportamento?"

Assim como recomendei aos pais da criança que foi o alvo da provocação alheia, insisto para que você averigúe a precisão dos relatos. Explique à professora ou pai/mãe que você vai procurar saber exatamente o que está acontecendo e por quê. Não faça nenhum pronunciamento nem previsão antes de explorar a situação, usando as sugestões que vou dar neste capítulo.

Tampouco faça promessas sobre as medidas que vai adotar como conseqüência de sua investigação. Em vez disso, pergunte à professora ou aos pais da outra criança o que eles querem que você faça ou o que acham que deve fazer em relação à situação. Você ficará surpresa de ver como essa pergunta, quando feita com toda calma e sinceridade, é capaz de serenar os ânimos e mudar o rumo de uma conversa que muito provavelmente seria explosiva. Quando buscam o confronto, os pais de uma criança zombada por seu filho geralmente pegam o telefone, em um ímpeto de raiva, e exigem que você "ponha um basta" nesse tipo de comportamento. Porém, ao serem racionalmente indagados sobre o que gostariam que você fizesse especificamente para sanar o problema, suas sugestões são bem menos extremas. Às vezes, alguns dizem que gostariam que você conversasse com seu filho; outros podem sugerir um encontro de pais e filhos para esclarecer as coisas.

Certa vez conheci dois ex-amigos vizinhos de 10 anos que vinham se estranhando e se agredindo, sobretudo no caminho de ida e volta da escola. A situação evoluiu para o confronto físico. Os pais sentaram-se com os filhos, reconheceram que eles não eram mais amigos, mas que as provocações, as ameaças e as brigas deviam parar. Pediram a cada um que contasse sua versão da história – naturalmente, uma história tem sempre dois lados –, e procuraram demonstrar compreensão em relação a ambos, sem tentar determinar "quem começou". Os dois assumiram sua responsabilidade.

Encontros assim serão contraproducentes se a mágoa e a hostilidade dos pais interferirem em sua capacidade de ouvir com paciência e isenção. Quando os pais discutem e se culpam uns aos outros, as crianças tendem a imitar esse comportamento. O ideal é os pais se reunirem como adultos preocupados que querem ajudar os filhos. Essa disposição de se entender e resolver o problema costuma impressionar crianças que não estão se dando bem.

Em certos casos, na hora em que telefonam, é claro, os pais estão muito aborrecidos e frustrados e podem ser muito veementes em sua insistência para que você dê um basta na situação. Podem fazer ameaças vagas sobre o que vai acontecer se seu filho não parar ou ameaças específicas, de ir à polícia caso a "provocação" seja realmente uma intimidação concreta e envolva agressão física, ameaça de agressão física ou destruição de pertences pessoais. Mais uma vez, faça todo o possível para permanecer calmo e repetir que vai tomar providências.

Com muita sorte, a pessoa que lhe telefonar poderá dizer que cada um de vocês deveria conversar com seu próprio filho e explicar que a provocação é uma atitude inaceitável e, então, os dois poderão combinar de cobrar da escola uma maneira mais global de abordar a questão, tratando, por exemplo, do problema em sala de aula e com os alunos como um todo.

Descobrindo o Que Aconteceu

O melhor é não adotar uma atitude de descrença ao proceder a essa exploração. Para defender seu filho, sua tendência talvez seja a de negar que ele tenha feito algo de errado. E até mesmo os pais mais inclinados a aceitar o que a professora diz muitas vezes preferem dar crédito ao filho. Os pais, freqüentemente, alegam ter certeza de que os filhos fazem como todos os outros e que "criança é assim mesmo". Em uma reunião com a professora do filho e o diretor do colégio, a sra. Pines insistiu que seu filho Jake, aluno de segunda série, não se comportava diferente de outras crianças de 7 anos. Na verdade, ela resistiu muito à idéia de comparecer à escola e não aceitou que a orientadora educacional fizesse um trabalho com seu filho. O comportamento de Jake, que agredia física e verbalmente os outros, havia sido motivo de muitas intervenções por parte da escola e mesmo assim persistia, progredindo a ponto de as crianças terem medo dele.

Depois de muitas reuniões canceladas e remarcadas, a sra. Pines acabou indo ao colégio para tratar do assunto. Como de costume, minimizou a importância do comportamento do filho e enfatizou que ele tinha um comportamento muito melhor do que o dos meninos com quem andava. A professora da classe chegou a afirmar que havia recebido telefonemas de muitos pais preocupados com esse comportamento no ônibus, antes e depois da aula e durante o recreio, mas a mãe de Jake a acusou de não gostar de seu filho. Quanto mais exemplos nós lhe dávamos do comportamento agressivo de Jake, mais exaltada ela ficava. E ficou ainda mais enfurecida quando o diretor comunicou que a próxima providência seria a suspensão.

Para nossa grande surpresa, ela procurou auxílio profissional de fora depois desse nosso encontro. O que quero mostrar com esse episódio é que, mesmo que você não consiga deixar de manifestar sua descrença e não consiga manter a calma em face das acusações feitas a seu filho, você tem a oportunidade de refletir sobre a situação mais tarde, quando não estiver mais se sentindo confrontada e na defensiva. A qualquer momento você pode vir a admitir que a queixa precisa ser examinada com objetividade.

Conversando com Seu Filho sobre Provocar os Outros

Para descobrir mais fatos sobre a reclamação feita contra seu filho, o ponto de partida mais óbvio é inquiri-lo. O problema, é claro, é que qualquer criança acusada de fazer algo de errado tem tendência a negar sua culpa, principalmente quando acusada por outro adulto. Não se surpreenda se seu filho tentar projetar a culpa na criança ou em outra pessoa da qual ele zombou ('Foi *ela* que começou... *Ela* é que está implicando *comigo!*") ou alegar que é tudo brincadeira ("Eu só estava *brincando*, mãe. Não acredito que ele esteja fazendo todo esse escarcéu por causa de uma brincadeira. É um idiota mesmo.").

Se, de fato, seu filho for um importunador persistente, é muito pouco provável que você fique sabendo de tudo só lhe fazendo perguntas. A maioria das crianças nessa posição nega ou minimiza seus comportamentos ou inventa desculpas até ser "flagrada no ato". Na posição de orientadora educacional, é quase sempre difícil para mim descobrir a verdade quando falo com um acusado de provocação que se recusa a assumir sua responsabilidade, se eu não tiver presenciado pessoalmente o fato – fica a palavra de uma criança contra a de outra.

Jeremy disse que Mitchell o havia chamado de "homo" e assumiu que estava sendo chamado de homossexual. Quando perguntei a Mitchell, disse-me que queria dizer *Homo sapiens*, termo que há pouco tempo fez parte de nossa conversa de classe. O que Mitchell realmente quis dizer? Não havia meios de eu ter certeza. Em casos assim, quando não consigo averiguar exatamente o que foi dito e a intenção das palavras usadas, digo ao autor que, se de fato ele estava zombando do outro, esse comportamento é inaceitável e que não pode se repetir. Insisto que se eu descobrir que ele está envolvido em outras situações de importunação, haverá conseqüências – como chamar o diretor, chamar os pais ou perder privilégios.

Rob, de 11 anos, que inicialmente negou qualquer responsabilidade por insultar e intimidar um colega de classe, deu-me outra oportunidade de descobrir o que estava acontecendo quando, segundo o que disseram muitos colegas seus da quinta série, continuava a provocar o outro menino. Confrontei Rob com a informação, mas com entonação cautelosa e preocupada. Chamei sua atenção para a maldade de suas atitudes, que ele fez de tudo para minimizar, alegando que estava "só brincando". Comparei suas observações maliciosas aos escárnios que levaram muitas crianças de idade escolar à violência, como meio de se vingar. Rob pareceu surpreso com isso. Pelo jeito, não havia atinado para o poder de suas palavras e atitudes, como acontece com muitos provocadores e intimidadores persistentes. Rob, que sempre tentava dar uma imagem de forte e inflexível, começou a chorar e acabou assumindo sua responsabilidade pelo comportamento que vinha tendo. Esse é um grande passo quando se quer ajudar um provocador a parar. O passo seguinte é entender por que ele trata os outros de modo intimidador e ofensivo, que é o tema da próxima seção deste capítulo.

A intervenção dos pais é essencial para ajudar os filhos a mudar de comportamento e a abandonar seu palavreado agressivo, e é preciso saber como abordar a criança para falar desse assunto. Assim como na hora de se dirigir a um adulto que está acusando seu filho de praticar atitudes de escárnio, é preciso manter a calma e não expressar raiva ou culpa. Ficar zangado e ameaçar seu filho para que ele conte tudo só vai piorar a situação – e funciona como mais um modelo de agressividade para seu filho seguir.

A "mensagem em primeira pessoa" é uma estratégia eficiente para começar: "Fiquei muito preocupada quando sua professora me ligou e falou do problema que está havendo entre você e Ashley."

Explique as diferenças entre a provocação amistosa, de brincadeira, e a maldosa e ofensiva. Pode ser que a criança admita ter debochado amistosamente do colega – e nesse momento você pode aproveitar para falar sobre como as palavras ditas em tom de brincadeira podem ser interpretadas como insulto e depreciação.

Pergunte a seu filho sobre a criança que, supostamente, é a vítima. Enfatizar o aspecto de como ela deve se sentir pode ajudar o importunador a desenvolver pelo outro um sentimento de empatia suficiente para fazê-lo mudar de atitude. Às vezes, você pode conseguir ver ou entender melhor a relação entre as duas crianças ou os sentimentos do seu filho em relação à vítima, o que pode contribuir para esclarecer o motivo do alegado comportamento de seu filho. Muitas crianças se sentem totalmente justificadas por provocar um colega e implicar com alguém que as chateie insistentemente. Ashley ficava sempre seguindo Pam no parquinho e pedia para brincar com ela ou que a deixasse entrar no seu grupo de trabalho do colégio. A exclusão e a rejeição impostas por Pam não detiveram Ashley, e a frustração da primeira aumentou a ponto de ela passar a insultar a colega. Ao ser indagada sobre seu comportamento, ela não o considerou como deboche. Se uma situação como essa surgir na conversa, você pode apontar para seu filho outras maneiras de lidar com uma situação frustrante.

Conversar com seu filho é uma forma de obter, através dele, informações sobre a situação. Outra é usar seus poderes de observação. Depois de saber que seu filho pode estar importunando os outros, comece a monitorar mais de perto o comportamento dele. Seria possível pegá-lo em flagrante? Preste atenção se seu filho zomba de colegas a quem dá carona quando vai para o colégio, ou quando brinca com os amigos em casa. Ele costuma implicar muito com os irmãos? Em caso afirmativo, aponte para ele especificamente sua atitude e dê exemplos de episódios que aconteceram. Certas crianças precisam saber o que significa provocar e magoar os outros. Um contraponto interessante disso, é claro, é notar e comentar as atitudes positivas que tem em relação aos colegas e irmãos.

Quando você conseguir determinar se seu filho realmente magoou outra criança com atitudes de provocação, desejará descobrir por si mesma o motivo desse comportamento. Mais uma vez, entender a motivação de seu filho contribuirá para encontrar a melhor solução possível. Depois, você vai querer encontrar maneiras de fazê-lo mudar de atitude agora mesmo, e impedir que ela se repita no futuro.

Por Que Seu Filho Está Provocando os Outros?

Às vezes, a razão da provocação dirigida a uma determinada criança é muito fácil de ser identificada, como no caso de Pam e Ashley. Na maioria dos casos, porém, o escárnio faz parte de um padrão e, então, é preciso identificar os fatores que estão influindo para esse comportamento. Nesse caso, também, a "causa" pode ser bastante objetiva (embora não necessariamente fácil de descobrir). O "valentão" do Rob, pelo que se viu, estava se fazendo de machão porque o irmão mais velho lhe havia dito que agindo assim as outras crianças iam respeitá-lo mais. Demorou um certo tempo, porém, e muita persistência em nossas conversas com ele, para elucidarmos o problema.

Caso a provocação tenha se transformado em um padrão nas interações de seu filho com os colegas, é importante entender o motivo. Ele está reagindo ao comportamento agressivo das outras crianças? Seria o escárnio um comportamento para chamar atenção? Estaria ele imitando o comportamento de outros membros da família? Ele importuna os outros para se sentir poderoso? Ou não consegue controlar direito sua raiva? Todas as razões pelas quais as crianças zombam umas das outras, citadas no Capítulo 3, devem ser consideradas. É inteiramente possível que seu filho esteja maltratando os outros como reação ao fato de estar ele mesmo sendo maltratado, caso em que você precisa descobrir exatamente o que está acontecendo para poder tentar ajudá-lo a mudar de comportamento. Isso não significa que seu filho não precise se responsabilizar por agir com maldade em relação aos outros. Significa, sim, que, na maioria dos casos, as crianças não são inerentemente más e que os comportamentos "maus" podem ser atribuídos a uma causa concreta, que pode ser erradicada. As crianças são ajudadas quando entendem o motivo que as leva a agir com maldade. Por mais óbvio que possa parecer para quem está de fora e sabe que a criança está exposta a agressões dentro da própria família ou que sua família vem passando por problemas graves, a criança pode não ver a conexão entre sua vida em casa e seu comportamento na escola.

Em algumas situações, a provocação é um sintoma do comportamento impulsivo ou excitável das crianças, e suas atitudes podem não ter motivação maliciosa. Pode ser muito proveitoso consultar a professora ou um profissional da área de saúde mental para ajudar nessa avaliação. Depois de determinada a causa, pode-se traçar e implementar um plano pertinente de ação ou de tratamento.

Seu Filho Está com Raiva ou Aborrecido com Alguma Coisa?

No Capítulo 3, falamos do papel da raiva na provocação infantil. Às vezes, crianças aborrecidas ou magoadas agridem os outros em uma tentativa desorientada de se sentirem melhor. Se seu filho está aborrecido – seja com o que o está atormentando, com outra pessoa ou com algo mais – e não sabe o que fazer com esses sentimentos, poderá descarregá-los sobre alguém que veja como mais fraco ou vulnerável. É seu dever descobrir. Ao indagá-lo sobre o suposto escárnio, caso seu filho responda com "Mas ela me dava muita raiva!" ou algo desse gênero, você precisará conversar com ele sobre maneiras mais condizentes de exprimir sua raiva. Leia os capítulos 3 e 4.

Às vezes, as crianças desenvolvem problemas crônicos relacionados à raiva. Algumas possuem um temperamento mais irritável que lhes é inerente, ou são daquelas que têm "pavio curto". Outras aprenderam, direta ou indiretamente, que simplesmente não devem conter sua raiva, ou que não devem reprimir seus sentimentos porque, quando represados, podem explodir com piores conseqüências. Lembre-se de que a raiva é perfeitamente normal e que, muitas vezes, é uma emoção construtiva. As crianças devem entender a distinção entre sentir e agir com raiva, como foi abordado no Capítulo 3. Outra possibilidade é que alguns dilemas correntes e mal resolvidos na vida da criança a estejam deixando com uma raiva latente, também mal resolvida. Será que existem circunstâncias familiares que podem estar deixando seu filho com raiva? Antes de se precipitar e responder que não, lembre-se de que, comumente, os pais são os últimos a saber quando uma criança sente raiva causada por um problema de família do qual não se sente capaz de controlar. Sadie sempre ouvia os pais repetirem que era "a melhor irmã mais velha do mundo". Ela lia histórias para Cory e jogava com ele sempre que o nível de glicose do irmão ficava muito alto, obrigando-a ficar de repouso em casa. Dave e Maggie ficaram profundamente consternados quando descobriram que Sadie andava implicando muito com uma criança doente de sua classe, chamando-a de "mariquinhas". Sadie estava com muita raiva – de Cory, que, por ter diabetes, limitava as atividades da família, e dos pais, por dedicarem ao irmão caçula sua maior e melhor parcela de atenção.

Tony também estava muito aborrecido, mas não ousava demonstrar. Já havia berros, gritarias e ameaças suficientes em casa, onde ele sempre se mostrava disposto a agradar, portando-se como o grande pacificador dos pais, em constante pé de guerra. No colégio, porém, a história era outra. Seus pais se chocaram quando a professora os convocou para dizer que Tony andava chamando as crianças menores de várias coisas no parquinho e que, agora, a situação havia piorado a ponto de ele empurrá-las na fila de volta para a classe – alguém acabou se machucando.

Não posso apontar uma maneira rápida e fácil de determinar se seu filho está tomado secretamente pela raiva, mas se você ficou alarmada ao constatar que a criança dócil que você vê em casa está aparentemente se comportando como Átila, o Huno, na escola, faça o possível para dar um passo atrás e examinar a vida dele e seus relacionamentos. Não estaria acontecendo alguma coisa que pudesse estar deixando o garoto raivoso? Se você estiver em dúvida, peça ajuda à professora, peça à coordenadora educacional que entreviste seu filho ou peça indicação de um psicólogo que possa conversar com ele em um ambiente que propicie sua abertura e franqueza. Se a raiva for de fato um problema, você encontrará sugestões para ajudá-lo a canalizá-la de forma civilizada nos capítulos 3 e 4 e também neste aqui, um pouco mais adiante.

Seu Filho Pode Estar Sendo Negativamente Influenciado pela Televisão e por Outras Mensagens Culturais?

Fico tentada a responder que sim, porque todo dia no colégio essas evidências me atingem frontalmente. Vejo crianças imitando lutadores profissionais, *rappers* de gangues, justiceiros, vilões de desenhos animados e personagens violentos de videogames plenamente convencidos de que desdenhar os outros, ser agressivo, maldoso e menosprezar os colegas com o propósito de "se divertir" é "legal". Você sabe o que seu filho está assistindo na televisão, no cinema, em fitas de vídeo? Sabe o que dizem as letras das últimas músicas pop? E a Internet? Os filmes em geral estão cheios de heróis agressivos e vingadores. Inúmeras músicas hoje advogam a violência de vários tipos. E mesmo quando são apenas crianças conversando *on-line*, o fato de não mostrarem o rosto pela Internet parece estimulá-las a dizer coisas que não diriam pessoalmente. Embora não seja a favor da censura, sou favorável a um monitoramento rigoroso por parte dos pais daquilo a que seus filhos têm acesso. Minhas sugestões para isso estão no Capítulo 9 e neste, um pouco mais adiante.

Que Tipo de Exemplo Você Dá?

"Conheci o inimigo, e ele somos nós."

Assim disse Pogo na clássica história em quadrinhos de mesmo nome, ironizando a famosa proclamação de guerra de 1812 de Oliver Perry: "Conhecemos o inimigo, e eles estão do nosso lado." Triste dizer, mas muitas vezes somos nossos piores inimigos quando se trata de dar exemplos de sentimento de compaixão e bondade a nossos filhos.

As crianças aprendem aquilo que vivem no dia-a-dia. Crianças física ou verbalmente agressivas no colégio estão em geral imitando compor-

252 Eliminando Provocações

tamentos e palavreados que observam ou vivenciam dentro da própria família.

Será que você dá exemplo de atitude provocadora? Você não importuna indevidamente seu filho? Não briga com seu filho ou faz pouco dele? Não o critica de verdade, mas fingindo que é de brincadeira? Não comenta aspectos negativos de estranhos, conhecidos ou membros da família? Suas piadas não são sarcásticas? Rever as próprias atitudes e avaliar o impacto que podem exercer é crucial para quem quer acabar com o comportamento agressivo do filho. Se, em decorrência de uma pequena investigação interna, você acreditar que pode oferecer a seu filho um modelo melhor, há algumas medidas que pode adotar para tentar mudar. Você já terá dado o primeiro passo se estiver ciente de seu próprio comportamento negativo. O próximo é estabelecer uma expectativa realista de que esse comportamento não vai mudar da noite para o dia. Tendo adquirido a consciência do problema, você começará a flagrar-se fazendo comentários ou críticas agressivas. A autoconversação é um instrumento de auxílio importante para tentar mudar esses comportamentos. Para alguns pais, vale a pena elaborar uma lista de novas maneiras de agir para substituir velhos comportamentos agressivos. Se mesmo depois de decidir mudar, você age com agressividade em relação a seus filhos, peça desculpas e explique que aquela não foi a melhor maneira de conduzir a situação. O sucesso que você terá ao tentar mudar comportamentos arraigados dependerá de sua motivação. Caso já tenha tentado emagrecer, manter a forma ou parar de fumar, você sabe como a motivação é fundamental para o sucesso. Para mudar e adotar um modelo mais respeitoso de comportamento, que sirva de exemplo para os filhos, exatamente como mudar certos estilos de vida em nome da boa saúde, muita gente encontra apoio nos livros de autoajuda, enquanto outros preferem o auxílio profissional.

Tenha sempre em mente que as ações falam mais alto que as palavras. Acho que as crianças são expostas a tanto desrespeito que os pais precisam fazer todos os esforços conscientes possíveis para dar bons exemplos de respeito e bondade. Tente se habituar a ser um pouco mais gentil com as pessoas. Sorria para o caixa do supermercado; elogie-o; deixe um motorista entrar na sua frente, mesmo quando você está com muita pressa; olhe

Uma Pequena Ajuda aos Pais dos Provocadores   253

diretamente para a pessoa a quem agradece alguma coisa, lembrando a si mesmo de ser paciente quando tem de esperar mais tempo do que imaginava por alguma coisa; e valorize o esforço da vendedora em vez de demonstrar irritação por pequenos transtornos que ela possa lhe ter causado. Segure a porta para os idosos, converse com um deficiente que esteja na sua frente na fila do teatro e convide pessoas de procedências ou culturas diferentes para virem à sua casa. A mensagem que você transmitirá a seu filho será mais alta e mais clara.

A Comunidade em Que Você Vive é Tolerante e Receptiva?

Você não precisa viver em um mundo utópico para passar a respeitar os outros, solidarizar-se com eles e tratá-los bem... mas um ambiente favorável sempre ajuda. Como é a comunidade em que você vive? Aberta e receptiva à diversidade ou fechada e intolerante? Como você descreveria os amigos de seu filho: como uma grande confluência de culturas ou uma experiência de clonagem? E a atmosfera da escola que freqüenta? Há escolas em que as crianças cruzam livremente fronteiras raciais, étnicas e econômicas. Em outras, todo mundo pertence a grupos bem definidos, senão auto-escolhidos. Tudo depende muito dos adultos que estão no comando e dos recursos disponíveis. Se, por uma razão qualquer, seu filho freqüenta uma escola onde existem problemas de gangues, nas quais a violência é um fato concreto do dia-a-dia e o oposto da "integração" é a exclusão, você precisará trabalhar muito por conta própria. Muitas das pessoas, crianças e adultos com as quais seu filho interage diariamente podem apresentar um comportamento provocador e intimidador como modelo de conduta a ser seguido.

Nesse caso, envolva-se. Sei que é fácil falar, mas não necessariamente fácil fazer. Contudo, os noticiários estão repletos de histórias inspiradoras de esforços localizados, empreendidos por gente comum, como você e eu, que se uniu a quem partilhava dos mesmos objetivos e alcançou resultados que beneficiaram diretamente sua comunidade e, em última instância, os próprios filhos.

O ensino da tolerância é um projeto de educação nacional americana que ajuda professores a promover o espírito do respeito e da compreensão. Uma de suas publicações, *101 Tools for Tolerance (101 Ferramentas para a Tolerância)*, apresenta idéias simples para indivíduos, escolas, ambientes de trabalho e para a comunidade, com o intuito de fomentar a igualdade e celebrar a diversidade. Para saber mais, consulte o site slpcenter.org.

O Projeto "Giraffe" é um programa que motiva e distingue pessoas que "foram à luta" pelo bem comum. E o "Giraffe Heroes" é um programa escolar dirigido para alunos do último ano do ensino médio que procura despertar e incutir-lhes o espírito de solidariedade, a coragem e a responsabilidade. Seu site é giraffe.org.

De acordo com as informações divulgadas em seu site, o PeaceBuilders é um programa de prevenção voltado para promover o espírito comunitário, valorizando a integração e a segurança das pessoas dentro de suas escolas, locais de trabalho e comunidades em que vivem. Seu site é peacebuilders.com.

A "Community of Caring" (Comunidade do Afeto), fundada por Eunice Kennedy Shriver, é um projeto da Fundação Joseph P. Kennedy Jr. Priorizando o espírito comunitário, seu programa, endossado pela Associação Nacional de Diretores de Escolas Secundárias Americanas, visa implementar e incentivar valores como afeto, respeito, confiança, responsabilidade e família nas escolas. Visite seu site em: communityofcaring.org.

O "Character Counts!" (O Caráter Conta Muito!) é muito difundido na minha área. Trata-se de uma coalizão de escolas, comunidades e organizações sem fins lucrativos que atua procurando formar o caráter pelo ensino de seus seis pilares: honradez, respeito, responsabilidade, imparcialidade, afeto e cidadania. Seu endereço *on-line* é: charactercounts.org.

O Que Você Pode Fazer para Ensinar Seu Filho a Não Provocar os Outros?

Embora, a princípio, a tarefa possa lhe parecer uma missão impossível, você pode ensinar seu filho a interagir com as outras pessoas de modo construtivo e afetuoso.

Deixe Muito Claro Que a Provocação Maldosa
Não é Aceitável

É comum os pais acharem que a provocação dentro da família normal e a tolerarem mais do que outros comportamentos reprováveis, como roubar, mentir e bater nos outros. Muitos acreditam que todos os irmãos e irmãos "tiram sarro" e riem uns dos outros, o que freqüentemente acaba contribuindo para a ridicularização e a importunação crônicas dentro da família. Todos sabemos que irmãos e irmãs são especialistas em "apertar os botões" uns dos outros. Acontece, em geral, de os pais pedirem repetidamente que os filhos parem e, quando não agüentam mais, perderem a paciência e reagirem com exacerbação verbal e até mesmo física. Em muitas famílias, os pais reprimem a agressão verbal dos filhos com agressão física.

A primeira providência para que seu filho pare de provocar os outros é estabelecer, em família, uma regra: a provocação maldosa e o pouco-caso são inaceitáveis e não serão tolerados. A expectativa deve ser clara e específica. Dizer: "Quero que vocês se tratem bem" não é tão específico quanto dizer: "É proibido provocar e 'tirar sarro' uns dos outros." Dê exemplos de provocação e atitudes de menosprezo para que as crianças entendam o que é inaceitável. As crianças devem aprender que é errado rir dos outros, insultá-los e ridicularizá-los. Os membros da família devem rir uns *com* os outros, não uns *dos* outros. Caso você veja ou ouça seu filho dizer ou fazer algo que possa atingir irmãos ou amigos, intervenha imediatamente, procurando sempre demonstrar que desaprova o comportamento da criança, não a criança.

Sugiro também a realização de uma reunião familiar para conversar sobre o problema da provocação, ou seja, definir o que ela é, apresentar exemplos recentes de humilhação e insultos e falar sobre os sentimentos que essas atitudes despertam nos outros. As crianças menores podem ajudar na elaboração de uma lista de palavras ofensivas. Dependendo da idade delas, mencionar a provocação e as humilhações que deram origem a vários tiroteios em escolas pode servir para dar ênfase aos efeitos perniciosos da prática prolongada de insultos e perseguições.

Nesse ponto, declare categoricamente que não irá mais permitir que seus filhos ridicularizem e façam pouco uns dos outros. Mais uma vez, dê exemplos concretos daquilo que não será permitido. Dizer apenas: "Não desdenhem uns dos outros" é pouco específico.

Imponha Conseqüências para a Provocação

Além da regra de que a provocação não é aceitável, as crianças devem ter noção clara das conseqüências da prática do escárnio maldoso. Essas conseqüências devem ser significativas, devem estar dentro do seu controle e devem ser repetidas e aplicadas sempre que necessário. É mais fácil colocá-las em prática se foram bem compreendidas anteriormente. Sem o empenho e o engajamento dos pais, nada disso vai funcionar!

Os pais sempre me perguntam: "Qual a melhor conseqüência?" Aquilo que é uma coibição relevante para uma criança pode não ser para outra. As conseqüências que surtem efeito normalmente variam com a idade da criança, e a perda de privilégios – como a televisão, os jogos de computador, o telefone ou brincar com os amigos – costuma funcionar. Para algumas crianças pequenas, ir para a cama mais cedo ou ficar sem sobremesa são punições expressivas. Os pais devem estar de acordo a respeito das conseqüências e aplicá-las conjuntamente. Se seu objetivo é combater a provocação praticada no colégio, será preciso solicitar a colaboração da professora ou de outros funcionários da escola para que lhe informem sobre a conduta da criança.

Acontecendo na escola, em casa ou em qualquer outro lugar, uma exigência importante da prática do escárnio deve ser um pedido de desculpas verbal ou por escrito. Se o problema for entre irmãos, tente exigir que aquele que insultou faça um elogio a sua vítima. Às vezes, a incidência da importunação diminuirá sensivelmente porque o atormentador não quer elogiar o irmão! Conheci uma mãe que elaborou um plano muito criativo para lidar com as provocações entre os filhos: se um implicasse ou desdenhasse do outro, deveria fazer as obrigações diárias dele naquele dia (arrumar a cama, lavar o prato etc). Ensine a seus filhos as estratégias do Capítulo 6 se eles forem crianças muito sensíveis, propensas a se tornar presas fáceis de irmãos mais velhos ou muito implicantes, para que estejam preparados para lidar com as situações de escárnio que acontecerem quando você não estiver perto.

Treine Seu Filho para a Empatia

Certas crianças adeptas à prática da provocação simplesmente não se dão conta do impacto e do poder de suas palavras. Se, ao ser indagado sobre seu envolvimento em situações de escárnio, seu filho insiste em dizer que estava "só brincando", é importante determinar a veracidade disso. Você deverá ser capaz de fazer uma leitura da expressão de seu rosto e outras coisas que ele disser. Se ele parecer preocupado ou abatido e disser: "Eu não fiz por mal", há uma boa chance de que a importunação praticada não se destinasse mesmo a atingir o outro. Se, por outro lado, ele se colocar na defensiva e começar a acusar a outra criança de "se aborrecer com qualquer coisa", pode ser que esteja inventando desculpas. Seja o que for, mostrar que certas palavras podem ser entendidas como ofensivas talvez o faça perceber a força que podem adquirir. Além disso, muitas crianças precisam de treinamento extra na arte da empatia, amplamente discutida no Capítulo 9.

"Como você se sentiria se estivesse na situação daquela pessoa?" é a mais importante das perguntas quando se ensinam crianças a perceber, entender e se importar com os sentimentos dos outros. As crianças podem e precisam aprender a ver as coisas do ponto de vista dos outros. Precisam entender como a outra pessoa se sente para saber o que dizer ou fazer em uma determinada interação ou situação. Pode ser necessário aumentar a consciência do atormentador a respeito de como sua vítima se sente. A criança deve perguntar a si mesma: "Como eu me sentiria se zombassem de mim?" Eu gostaria muito que resposta fosse: "Eu me sentiria mal se alguém risse ou fizesse pouco de mim, então não vou fazer isso com os outros."

"Trate os outros como você quer ser tratado" é um princípio geral que implica a empatia. Crianças pequenas são capazes de sentir e demonstrar empatia. Entretanto, precisamos ensinar, reforçar e servir de modelo para a aplicação desse princípio.

Eu introduzi o conceito da empatia em uma classe de segunda série e fiquei muito gratificada de ver os alunos aplicarem tão bem o que aprenderam em uma situação diferente, quando uma colega de classe voltou à escola depois da morte súbita de um irmão menor. Antes do seu retorno, conversamos sobre como ela deveria estar se sentindo e o que os alunos poderiam fazer para ajudá-la quando voltasse às aulas.

258 ELIMINANDO PROVOCAÇÕES

Os cumprimentos amistosos dos colegas, os convites para brincar no recreio e as expressões não-verbais de compreensão (dando-lhe oportunidade para ficar sozinha e ouvi-la caso ela quisesse falar do irmão) facilitaram sua transição na volta à escola.

Infelizmente, falta a certas crianças a capacidade de sentir empatia, sobretudo quando estão conseguindo alguma coisa que querem com a prática da provocação. Muitos importunadores e atormentadores implacáveis não ligam para o que sua vítima sente ou não são capazes de entender seus sentimentos. Isso pode acontecer por meio de uma grande variedade de caminhos. Dana, de 10 anos, era muito agressiva em seu palavreado com os colegas. Sendo filha única, estava acostumada a ter tudo o que queria, e parecia chegar mesmo a manipular sua família. Sempre que queria alguma coisa dos pais, insistia naquilo sem parar, até conseguir. Observava-se o mesmo padrão no colégio: mandava nos outros, intimidava-os e não se conformava quando as coisas não saíam como queria. Demonstrava pouca ou nenhuma empatia pelos colegas. Suas necessidades eram mais importantes do que os sentimentos deles.

Certos provocadores são motivados pelas reações emocionais dos outros. Sentem-se extremamente gratificados e até mesmo vitoriosos quando percebem o impacto de suas palavras cruéis. A recompensa ou gratificação que seu poder lhes proporciona significa mais para eles do que sentir empatia pela vítima. (Essas crianças deveriam ser consideradas opressoras por causa da natureza repetida e prolongada de sua conduta.) SuEllen e Paula Fried afirmam no livro de sua autoria, *Opressores e Vítimas* que 25% dos adultos que se comportavam como opressores e dominadores quando crianças apresentavam ficha criminal ao atingirem os 30 anos de idade. Muitas dessas crianças demonstravam pouco ou nenhum remorso por seu comportamento e, por conseguinte, continuavam agindo do mesmo modo. Tomara que possamos distingui-las enquanto tiverem pouca idade e lhes prestar a devida ajuda. Os professores e pais podem identificá-las bem cedo e, quando isso ocorrer, uma avaliação psicológica poderá determinar a causa da agressividade, resultando em um plano de tratamento condizente com a situação da criança, seja ensinando-a a controlar sua raiva, aprimorando sua sociabilidade ou sua capacidade de solucionar os próprios conflitos, promovendo sua auto-estima, oferecendo terapia familiar ou alguma outra opção.

Promova e Pratique o Respeito pelo Que é Diferente

Como vivemos em um mundo onde habitam pessoas de cores diferentes, que falam línguas diferentes, de costumes diferentes e adeptas a crenças diferentes, os pais devem constantemente incentivar a tolerância e o respeito pelo que é diferente nas pessoas. Se seu filho fizer observações sobre uma pessoa que seja, sob algum aspecto, diferente, dedique um pouco do seu tempo explicando-lhe o que isso significa. Muitas crianças pequenas têm medo do "desconhecido". Ensine-lhes com toda clareza que não se deve julgar nem criticar os outros. Os pais podem promover nelas uma curiosidade saudável, que as leve a valorizar – e não a temer – o que é diferente. É de suma importância que os pais dêem o exemplo e pratiquem o respeito e a compreensão das diversidades físicas, raciais, étnicas e religiosas. Dar o exemplo de conduta certa é o método mais eficiente de ensinar aos filhos.

Outro excelente treinamento no sentido de respeitar as diferenças dos outros é incutir o respeito às diferenças de cada membro da família. Ao ouvir seus filhos dizerem alguma coisa indelicada a uma pessoa que seja diferente das outras, diga-lhes com firmeza que é desrespeitoso dizer essas coisas, que estão cometendo um erro e explique o motivo. Se quiser mais idéias, você as encontrará no Capítulo 9. As sugestões para serem aplicadas em escolas da seção "Ensinando o Respeito pelas Diferenças", do Capítulo 7, também podem ser fáceis e efetivamente adaptadas ao uso doméstico.

Monitorar o Que Seu Filho Assiste na Televisão

É muito difícil controlar inteiramente o que as crianças assistem na televisão. Infelizmente, muitos programas destinados ao público infantil contêm baixarias e ridicularizações absolutamente impróprias. Se por acaso você observar algum comentário provocativo na televisão, não hesite em conversar com seu filho sobre o que foi dito. O Capítulo 3 analisa a ampla influência da mídia sobre as atitudes de seu filho, e o Capítulo 9 traz sugestões que visam instilar na criança o sentimento da empatia e a rejeição à prática da provocação.

Elogie e Parabenize Seu Filho pelas Mudanças em Seu Comportamento

Se você observar ou ouvir da professora que o palavreado agressivo de seu filho melhorou ou desapareceu, reconheça as mudanças positivas de comportamento. Elogios e parabéns contribuem para a continuação da boa conduta e fortalecem a auto-estima. A maioria das crianças se sente melhor em relação a si mesmas quando esse padrão de comportamento reprovável muda. Elogiar seus filhos serve como modelo para que eles também elogiem os outros.

Quando observar uma mudança de atitude em seus filhos com relação a zombarem uns dos outros, elogie-os, elogie-os e elogie-os de novo, e premie-os, também, com uma ida à sorveteria ou à videolocadora como reconhecimento pela mudança de comportamento.

Ensine Lições de Valor

Embora a maioria dos pais não seja formada em educação, todos são "professores". Diariamente, ensinamos a nossos filhos lições de vida de enorme valor – o seguro e o perigoso, o certo e o errado, o bem e o mal. Ensinamos os garotos a cuidar de si mesmos, a realizar suas obrigações domésticas diárias e a tratar bem os outros. Tratar os outros com respeito é uma lição de vida fundamental. Precisamos insistir que é errado rir dos outros, chamar-lhes de palavras maldosas e ofensivas e praticar outros tipos de comportamento verbal agressivo. Precisamos ensinar não só com palavras, mas, também, com ações.

Bibliografia

AMERICAN PSYCHOLOGICAL ASSOCIATION (APA) PUBLIC COMMUNICATIONS "Antisocial Behavior by Boys Often Rewarded by Peers". 16 de janeiro de 2000. Disponível em: apa.org/releases/Popularboys.html.

ANTI-DEFAMATION LEAGUE. *A World of Difference Elementary Study Guide.* Nova York: Liga Antidifamação, 1994.

BEANE, ALLAN L. *The Bully Free Classroom.* Minneapolis: Free Spirit Publishing, 1999.

BERGER, DEBORAH. "Respect The Key to Stopping Hurt and Harassment." *Parenting Insights* (Issue 15, 1996), 12-13.

BIREN, RICHARD. *Nah, Nah, Nah!* Warminster, PA: Marco Products, 1997.

BISKUPIC, JOAN. "Schools Liable for Harassment". *Washington Post,* 25 de maio de 1999. *On-line* na Web em 31 de agosto de 1999. Disponível em: washingtonpost.com/wpsrv/national/longterm/supcourt/stories/court052-599.htm.

BLOCH, DOUGLAS. *Positive Self-Talk for Children.* Nova York: Bantam Books, 1993.

CANTER, LEE, e KATIA PETERSEN. *Teaching Students to Get Along.* Santa Monica, CA: Lee Canter and Associates, 1995.

CHANCE, PAUL. "Kids Without Friends." *Psychology Today.* (janeiro/fevereiro de 1989), 29-31.

COHEN-POSEY, KATE. *How to Handle Bullies, Teasers, and Other Meanies.* Highland City, FL: Rainbow Books, Inc., 1995.

DOLAN, DEIRDRE. "How to Be Popular." *New York Times,* 8 de abril de 2001.

DUBE, JONATHAN. "High School Hell." ABC News. 23 de abril de 1999. *On-line* na Web em 13 de abril de 1999. Disponível em: http://204.202.137.114/sections/us/DailyNews/littletonboys99O423.html.

FRANKEL, FRED. *Good Friends Are Hard to Find.* Los Angeles: Perspective Publishing, 1996.

FRIED, SUELLEN, E PAULA FRIED. *Bullies and Victims.* Nova York: M. Evans and Company, Inc., 1996.

FROSCHL, MERLE, BARBARA SPRUNG E NANCY MULLIN-RINDLER. *Quit It! A Teacher's Guide to Teasing and Bullying for Use With Students in Grades K-3.* Nova York: Educational Equity Concepts, Inc., 1998.

GARRITY, CARLA, MICHAEL BARIS E WILLIAM PORTER. *Bully-Proofing Your Child.* Longmont, CO: Sopris West, 2000.

GETSKOW, VERONICA E DEE KONCZAL. *Kids with Special Needs. Information and Activities to Promote Awareness and Understanding.* Santa Barbara, CA: The Learning Works, 1996.

GIANCETTI, CHARLENE C. E MARGARET SAGARESE. *Cliques.* Nova York: Broadway Books, 2001.

GORDON, THOMAS. *Parent Effectiveness Training.* Nova York: Peter H. Wyden, 1970.

HANNAFORD, MARY JOE. *102 Tools for Teachers and Counselors Too.* Doylestown, PA, 1991.

IRELAND, KAREN. *Boost Your Child's Self-Esteem-Simple, Effective Ways to Build Children's Self-Respect and Confidence.* Nova York: Berkley Publishing, 2000.

KAUFMAN, GERSHEN, PH.D., RACHEL LEV, PH.D. E PAMELA ESPELAND. *Stick Up for Yourself!* Minneapolis: Free Spirit Publishing, 1999.

Bibliografia 263

KINDLON, DAN E MICHAEL THOMPSON. *Raising Cain: Protecting the Emotional Life o f Boys.* Nova York: Ballantine Books, 1999.

LANSKY, VICKY. *101 Ways to Make Your Child Feel Special.* Lincolnwood, IL: Contemporary Books, 1991.

LEMAN, KEVIN. *Bringing Up Kids Without Tearing Them Down How to Raise Confident and Successful Children.* Nashville: Thomas Nelson Publishing, 1995.

LUNDEBERG, MARY A., JUDY EMMETT, PATRICIA A. ISLAND E NANCY LINDQUIST. *Down With Put-Downs.* Educational Leadership (outubro de 1997), 36-37.

MARANO, HARA ESTROFF. *Why Doesn't Anybody Like Me?: A Guide to Raising Socially Confident Kids.* Nova York: William Morrow, 1998.

MARKOVA, DAWNA. *Kids' Random Acts of Kindness.* Emeryville, CA: Conari Press, 1994.

McCOY, ELIN. *What to Do... When Kids Are Mean to Your Child.* Pleasantville, NY: Reader's Digest, 1997.

McNAMARA, BARRY E. E FRANCINE J. McNAMARA. *Keys to Dealing with Bullies.* Hauppauge, Nova York: Barron´s Educational Series, Inc., 1997.

NASS, MARCIA SHOSHANA E MAX NASS. *Kindness Makes the World a Happy Place.* King of Prussia, PA: The Center for Applied Psychology, 1996.

NATIONAL CRIME PREVENTION COUNCIL. *Helping Kids Handle Conflict.* Washington, DC: National Crime Prevention Council, 1995.

NOWICKI, STEPHEN E MARSHALL P. DUKE. *Helping Your Child Who Doesn't Fit In.* Atlanta: Peachtree Publishers, 1992.

OLWEUS, DAN. *Bullying at School: What We Know and What We Can Do.* Cambridge, MA: Blackwell, 1993.

PALEY, VIVIAN GUSSEN. *You Can't Say You Can't Play.* Cambridge, MA: Harvard University Press, 1992.

POLLACK, WILLIAM. *Real Boys.* New York: Random House, *1998.*

ROMAIN, TREVOR. *Bullies Are a Pain in the Brain.* Minneapolis: Free Spirit Publishing, 1997.

ROSS, DOROTHEA M. *Childhood Bullying and Teasing: What School Personnel, Other Professionals and Parents Can Do.* Alexandria, VA: American Counseling Association, 1996.

SCHNEIDER, MEG. *Popularity Has Its Ups and Downs.* Englewood Cliffs, NJ: Julian Messner, 1991.

SCHWALLIE-GIDDIS, PAT, DAVID COWAN E DIANNE SCHILLING. *Counselor in the Classroom.* Spring Valley, CA: Innerchoice Publishing, *1993.*

SHAKESHAFT, CHAROL E OUTROS. "Boys Call Me Cow". *Educational Leadership* (October, *1997), 22-25.*

STEIN, NAN E LISA SJOSTROM. *Bullyproof – Teacher's Guide on Teasing and Bullying.* Wellesley, MA: Wellesley College Center for Research on Women and National Education Association, 1996.

STERN-LAROSA, CARYL E ELLEN HOFHEIMER BETTMANN. *Hate Hurts: How Children Learn and Unlearn Prejudice.* Nova York: Scholastic Inc., 2000.

STOP VIOLENCE COALITION. *Kindness Is Contagious, Catch It!* Kansas City, MO.

UNELL, BARBARA C. E JERRY L. WYCKOFF. *20 Teachable Virtues.* Nova York: Perigee, 1995.

WEBSTER-DOYLE, TERRANCE. *Why Is Everybody Picking on Me? A Guide to Handling Bullies.* Middlebury, VT Atrium Publications, 1991.

ZARZOUR, KIM. *Facing the Schoolyard Bully.* Buffalo, NY: Firefly, 2000.

Índice Remissivo

Adolescentes, 15-17

Alunos de oitava série, motivos de provocação, 25

Alunos de quarta série, motivos de provocação, 24

Alunos de terceira série, motivos de provocação, 23-24

Ambientes não-estruturados, provocação no colégio, 178-179

Amizades, 187-207
    encontrando amizades novas, 202-207
    fazendo as pazes, 201-202
    motivos de provocação, 36-37
    o que são, 187
    popularidade, 188-198
    sociabilidade, 206-207
    verdadeira, 198-199
    versus popularidade, 197-198

Amizades verdadeiras, 198-201

Aparência, motivo de provocação, 25-28

Apoio mútuo, 223-228
    denunciando a provocação, 223-225
    intervenção, 225-228
    o que é, 223-224

Aptidões, motivos de provocações, 29

Associação Americana de Psicologia, 212

Autocontrole, aval para a provocação, 47-48

Autoconversação positiva, 106, 112-116

Auto-estima, 12
    ajuda de especialistas, 75-76
    baixa, 72-73
    elevada, 72
    reforçando, 73-75

Auto-estima alta, 72

Auto-estima baixa, 72-73

Aval para a provocação
    autocontrole, 47-48
    diversidade, 48-49
    mediocridade, 47-49
    violência, 47-49

Brincadeira, motivo de provocação, 43-44

Capacidade intelectual, motivo de provocação, 30

Circunstâncias familiares para a provocação, 32-33

Clinton, Steve, 224-225

Colegas, 63-64

Colégio, como enfrentar a importunação no, 151-186
    ajuda de adultos, 183-184
    ambientes não-estruturados, 178-179
    como pedir ajuda, 155
    discussão em sala de aula, 163-168

dissertação sobre a provocação, 182

divisão de grupo, 183

encenação, 169-176

ensinando a respeitar as diferenças, 176-178

ensinando o sentimento da empatia, 220-223

entrevistando os pais, 182

explorando a provocação, 56-61

falando do problema, 151-154

grêmio estudantil, 181

o que esperar, 156-157

onde buscar ajuda, 155-157

patrulha da segurança, 180

política, 184-186

programas escolares de promoção da cordialidade, 180

quando pedir ajuda, 154

questionário sobre provocação para ser usado em sala de aula,158-164

reunião de pais, 186

uso da literatura, 168-169

Columbine High School, 18-19

Comentários negativos dos pais, 50

Comportamento inaceitável, pais de provocadores, 255

Comportamento infantil que pode mudar, 69

Comunidade do Afeto, 254

Comunidade, tolerante, 253-254

Comunidades tolerantes, 253-254

Concordando com o importunador, técnicas de enfrentamento, 138-143

Conselhos prematuros, conversando sobre provocação, 93-94

Conseqüências para quem pratica o escárnio, 256

Conversando sobre a provocação, 85-106

autoconversação positiva, 104-106

conselhos prematuros, 92-94

conversando sobre o atormentador, 103-104

criança, sentir-se bem como é, 100-103

motivação para mudar, 97-99

o que a criança diz, 86-92

o que pode ser feito, 104-106

papel da criança na provocação, 96

parafrasear, 94-95

reação exagerada, 94

validando os sentimentos da criança, 95

valor da criança, 99-101

Crianças

baixa auto-estima, 71-76

com diferenças, 22

comportamento socialmente inaceitável, 65-68

em outros ambientes, 61-64

seu papel na provocação, 96-97

vítimas de provocação, 54-56

Crianças menores, 13

Crianças rotuladas, 68

Dando exemplo de empatia, 218-221

Deficiências

motivos de provocação, 28-29

seu papel no estímulo à provocação, 69-70

Denunciando a provocação, apoio mútuo, 223-225

Índice Remissivo 267

Desarmando a provocação, técnicas de enfrentamento, 142-144

Desejo de chamar atenção, motivo de provocação, 40-43

Diferenças, na criança, 69-70

Discussão em sala de aula sobre o deboche, 163-168

Dissertação sobre a provocação, provocação no colégio, 182

Diversidade e aval para a importunação, 48-49

Divertir-se com e divertir-se à custa de, 3-5

Doença, 13

Elogiando os provocadores, técnica de enfrentamento, 144-146

Empatia, 212-223
  dando o exemplo, 218-221
  pais de provocadores, 256-258
  praticando em casa, 214-219
  praticando no colégio, 221-223

Encenação, provocação no colégio, 169-176

Ensinando a respeitar as diferenças no colégio, 166-69

Ensinando a tolerância, 176-178

Entrevistando pais, provocação na escola, 180

Escala da provocação, 5-7

Estímulos à provocação, 71-77

Estresse, 13

Evoluindo com a idade, provocação, 14-16

Exemplos de casa, 49-50

Explorando a provocação, 54-84
  averiguação da provocação, 60-61
  colegas da criança, 64

comportamento infantil que pode ser mudado, 69

comportamento infantil socialmente inaceitável, 65-69

criança com auto-estima baixa, 71-76

criança em outros ambientes, 61-64

criança que sofre provocação, 54-56

impotência aprendida, 70

individualidade, 80-84

pais do importunador, 64-65

parentes e amigos, 63-64

pesquisa, 54-66

problemas relacionados à raiva, 77-79

professores ou escola, 56-61

reproduzindo comportamento de vítima, 79-80

Faris, Nathan, 19

Fergus, Mary Ann, 202-203

Filho único, 14

Formação do caráter, 152

Frankel, Fred, 205

Grêmio estudantil, provocação no colégio, 181

Grupos, provocação no colégio, 183

Harris, Eric, 18-19

Head, Brian, 18-19

Histórias de sucesso, 229-239
  introdução, 229-230
  rap da provocação, 230-231

Humor, técnica de enfrentamento, 146-148

268 ELIMINANDO PROVOCAÇÕES

Idade
  e inibição, 15-16
  provocação evoluindo com a,
    14-16
Identidade, motivo de provocação,
  30-31
Ignorar, técnica de enfrentamento,
  116-122
Impotência aprendida, 70-71
Individualidade, 80-84
Influência negativa, 251
Influências da mídia, aval para a
  provocação, 47-48
Inibição, idade e, 15-16
Intervenção, apoio mútuo, 224-228
Intimidação abusiva, 7-8
  provocação *versus* intimidação
  abusiva, 5-6
Investigando a provocação, 60-61

Klebold, Dylan, 18-19

Leituras sobre auto-estima, 75-76

Maturidade, 13
Mediocridade, aval para a
  provocação, 48
Mensagem em primeira pessoa ou
  mensagem do "eu", 75, 78
  técnica de enfrentamento, 121-130
Modelo, pais como, 251-253
Motivação para mudar, 97-99
Motivos para a prática da
  provocação, 23-25
  brincadeira, 43-44
  chamar atenção, 40-43
  pais dos provocadores, 248-254
  raiva, 45-47

recompensa pessoal, 40-47
revidar, 44-45
sentimentos de superioridade,
  42-44
Motivos religiosos para a provocação,
  30-31
Mudanças positivas de
  comportamento, pais dos
  provocadores, 260

Nomes, 34-35

O Caráter Conta Muito! 254
Olweus, Dan, 5-6
Opiniões, 34
Opressores e Vítimas, 258
Organizações de pais e professores,
  156
Orientação sexual, motivo para
  provocação, 30-31

Pais de provocadoras, 241-260
  como exemplo, 251-253
  como são, 241-242
  comportamento inaceitável, 255
  conseqüências da provocação,
    256
  controle da raiva, 260
  descobrindo o que aconteceu,
    244-248
  empatia, 257-258
  ensinando a não provocar,
    254-260
  explorando a provocação, 65-66
  monitorar a televisão, 259
  mudanças positivas de
  comportamento, 259-260
  por que a criança está
    provocando, 248-254

reagindo a uma queixa, 242-245

respeitar as diferenças, 259

Pais, exemplos, 49-50

Parafrasear, conversando sobre provocação, 94-95

Parentes e amigos, discutindo a provocação com, 63-64

Patrulha da segurança, provocação no colégio, 180-181

Perfeccionismo, 73-74

Popularidade

definição, 192-197

o que é, 188

segurança do grupo, 189

ser aceito, 188-190

versus amizade, 197-198

Positiva, a provocação como, 134-139

Posses, 33-34

Praticando em casa a empatia, 214-219

Professores, explorando a provocação com, 56-61

Programas escolares de promoção da cordialidade, 180

Provocação

definição, 2-8

divertir-se com e divertir-se à custa de, 3-5

evoluindo com a idade, 14-17

ofensivo, 6-11

Provocação amistosa, 4

Provocação benéfica, 3-4

Provocação ofensiva, 7-8, 8-11

Provocação prolongada, 16-19

Provocação *versus* intimidação abusiva, 5-7

Provocadores menores, 50-51

Puberdade, 16

Questionário sobre provocação para ser usado em sala de aula, 158-164

Raiva

controle da, 260

motivo dc provocação, 45-47, 248-251

papel no estímulo à provocação, 77-79

Rap da provocação, 230-231

Razões comportamentais para a provocação, 31-32

Razões culturais da provocação, 30-31

Reação exagerada, conversando sobre a provocação, 94

Reagindo a queixas, pais de provocadores, 242-245

Reformando, técnica de enfrentamento, 134-139

Reproduzindo o comportamento de vítima, 79-81

Respeitar as diferenças, pais de importunadores, 258-259

Responsabilidade da criança, 74

Reunião com os pais, provocação no colégio, 186

Rodkin, Philip, 192-193

Ross, Dorothea, 27-28

Schneider, Meg, 189

Sede de vingança, motivo para a provocação, 44-45

Sensibilidade, 12-13

Sentimentos de superioridade, motivo para a provocação, 42-43

Sentimentos, motivo de provocação, 35-36

Sentir-se bem como é, 100-103

270 ELIMINANDO PROVOCAÇÕES

Shriver, Eunice Kennedy, 254

Sociabilidade, amizade e, 206-207

Sociedade, aval para a provocação, 47-49

Southern Poverty Law Center, 217

Superproteção de crianças, 73-74

Técnicas de enfrentamento, 109-150

autoconversação, 112-117

concordando com o autor da provocação, 138-143

desarmando a importunação, 142-144

elogiando quem provoca, 144-146

humor, 146-148

ignorar, 116-122

mensagem em primeira pessoa ou mensagem do "eu", 122-130

o que são, 109-112

pedindo ajuda, 148-149

reforma ou "troca de moldura", 134-139

visualização, 129-134

Televisão

aval para a provocação, 47-49, 251

monitorando, 259

Temperamento instável, 13

Thompson, Michael, 192-193

Uso da literatura, provocação no colégio, 168-170

Validando os sentimentos do seu filho, 95

Valor da criança, 99-101

Violência, aval para a provocação, 47-49

Visualização, técnica de enfrentamento, 129-134

Vitro, Frank, 15-16

Vulnerabilidade, 11-12

CADASTRO DO LEITOR

- Vamos informar-lhe sobre nossos lançamentos e atividades
- Favor preencher todos os campos

Nome Completo (não abreviar):

Endereço para Correspondência:

Bairro: Cidade: UF: Cep: –

Telefone: Celular: E-mail: Sexo: F M

Escolaridade:
- 1º Grau
- 2º Grau
- 3º Grau
- Pós-Graduação
- MBA
- Mestrado
- Doutorado
- Outros (especificar):

Obra: **Eliminando Provocações – Judy S. Freedman**

Classificação: **Parenting**

Outras áreas de interesse:

Quantos livros compra por mês?: por ano?

Profissão:

Cargo:

Enviar para os faxes: **(11) 3079-8067/(11) 3079-3147**

ou e-mail: **vendas.mbooks@terra.com.br**

cole aqui

M.BOOKS

M. Books do Brasil Editora Ltda.

Av. Brigadeiro Faria Lima, 1993 - 5º andar - Cj 51
01452-001 - São Paulo - SP Telefones: (11) 3168-8242/(11) 3168-9420
Fax: (11) 3079-3147 - E-mail: vendas.mbooks@terra.com.br

— — — — — — — — — — — dobre aqui — — — — — — — — — — —

CARTA RESPOSTA
NÃO É NECESSÁRIO SELAR

O selo será pago por

M. BOOKS DO BRASIL EDITORA LTDA.

04533-970   São Paulo-SP

— — — — — — — — — — — dobre aqui — — — — — — — — — — —

End.: ....

Rem.: ....